재료선택과 설계개념을 강조한

재료 거동학

이기성 지음

MECHANICAL BEHAVIOR OF MATERIALS

도서출판 홍릉

저자소개

이기성

- KAIST 박사
- 미국 표준연구소(NIST) 연구원
- 한국에너지기술연구원 연구원
- 현재 국민대학교 기계공학부 교수

재료선택과 설계개념을 강조한

재료 거동학

인 쇄: 2022년 8월 22일 초판 1쇄
발 행: 2022년 9월 2일 초판 1쇄

저 자: 이기성
발행인: 송 준
발행처: 도서출판 홍릉
주 소: 01093 서울시 강북구 인수봉로 50길 10
등 록: 1976년 10월 21일 제5-66호

전 화: 02-999-2274~5
팩 스: 02-905-6729
e-mail: hongpub@hongpub.co.kr
http://www.hongpub.co.kr
ISBN: 979-11-5600-057-0(93550)

정 가: 24,000원

PREFACE

재료거동학은 힘에 대한 기계재료의 기계적 거동(mechanical behavior)을 배워서 기계부품의 소재를 선택하여 시스템에 적용하는 능력을 키우는 학문이라고 할 수 있다.

힘에 대한 재료의 반응을 재료거동이라 할 수 있으며 그 거동은 재료마다 다 다르다. 재료의 저항력이 재료에 가해지는 외력보다 크다면 부품으로써 구동하는데 큰 문제가 없을 것이다. 그러나 외력이 허용응력이나 허용변형률을 과다하게 발생시키거나, 또는 하중을 지속적으로 받아서 재료의 손상누적이 과다하여 변형이나 파손이 일어난다면 기계의 수명이 단축될 것이다. 따라서 재료의 기계적 거동을 사전에 이해하여 설계하고 선택하는 일은 매우 중요하다.

재료의 서로 다른 기계적 거동은 서로 다른 응력-변형률 곡선에서 파악할 수 있다. 서로 다른 기울기를 가지며 직선적인 거동을 나타내거나 하중을 제거하였을 때 원래의 상태로 회복되는 탄성구간, 재료의 항복이 일어난 이후 비 직선적인 거동을 나타내는 소성구간, 그리고 저장된 탄성에너지를 균열의 진전과 함께 방출되는 파괴거동은 재료마다 모두 다르다.

미시적 측면에서 탄성거동은 원자결합력과 패킹밀도, 소성거동은 전위의 움직임과 강화현상, 파괴거동은 균열의 성장여부와 안정성에 의존한다. 이러한 미시적인 거동이 탄성계수, 항복강도, 파괴인성이라는 거시적인 설계변수를 결정짓는 원인이 된다.

본 교재에서는 1,2장에서 재료거동의 개념과 전반적인 개론에 대해 살펴본 후 4장에서 탄성거동, 5장에서 소성거동, 6장에서 파괴거동을 상세히 살펴보는 내용으로 집필하였다.

특히 본 교재에서는 힘에 대한 재료의 거동 측면에서 재료를 선택하고 적용하는 능력을 키울 수 있도록 다음과 같은 특징을 갖도록 서술하였다.

첫째로, 1,3,7장에서 설계 개념을 강조하였다. 제품 개발을 위한 설계에는 반드시 제품이 어떤 기능을 갖도록 하여야 하는데, 이 기능을 부여하거나 기존보다 향상시키기 위해서는 반드시 바람직한 재료선택을 하여야 하고, 이 때 재료의 기계적 거동을 파악하여 적용하는 것이 중요하다고 강조하였다.

둘째로, 3장과 8장에서 재료선택을 위한 설계지수를 제시하고 재료를 선택해나가는 방안에 대하여 구체적으로 서술하였다. 재료 선택은 최종제품을 설계하는데 있어 기능이 잘 발휘될 수 있도록 기계적 거동이 잘 부합하는 소재를 찾는 과정이라고도 말할 수 있으며 이를 위해 설계를 위한 재료지수, 형상지수에 대한 개념들을 아쉬비 교수가 저술한 문헌의 내용들을 토대로 서술하였다.

또한 기계거동학 개론 부분과 탄소성거동 부분은 호스포드와 피셔크립의 문헌들, 파괴거동에서는 미국 표준연구소 브라이언 박사의 저서를 참고하여 저술하였기에 감사의 말씀을 드린다.

에너지와 자원을 보존하면서도 더욱 기능이 우수한 제품의 창출이 요구되는 시대에 있어서, 보다 효율적인 시스템을 구축하기 위한 제품의 설계 및 이를 위한 재료의 선택과 재료거동에 대한 이해는 매우 중요하며, 이에 이 책이 도움이 된다면 큰 기쁨이라고 하겠다.

이 책이 출판되기까지 많은 격려와 도움을 주신 국민대학교 기계공학부 김태우 교수님과 편집 및 출판에 애써주신 홍릉출판사 여러분께 깊은 감사를 드린다.

2022년 9월
저자 이기성

CONTENTS

제1장 재료거동학 개론

제6장 파괴 거동

제7장 복합재료

제8장 재료 및 형상의 선택

제1장

재료거동학 개론

1.1 재료거동학의 개념

1.1.1 서론 및 개요

대부분의 기계는 입력에너지를 이용하여 유효한 일을 하는 동적시스템이다 (그림 1.1). 2개 이상의 부품(component)으로 구성된 기계의 부품들은 서로 맞물려 있어 상호작용을 하면서 운동을 하고, 유효한 기계적 일을 한다. 이 때 일을 하는 동안 각 부품은 충분한 강도를 갖고 있어서 힘의 균형을 유지하면서 움직이도록 설계되어야 한다. 즉 기계가 구동하는 동안 모양이 변하는 '변형'이 일어나거나 두 개 이상의 부분으로 분리되는 '파손'이 일어나서는 안 된다.

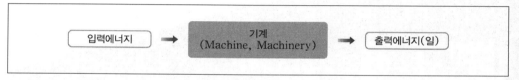

그림 1.1 기계와 에너지

예를 들면 자전거에는 프레임, 페달, 크랭크, 체인, 기어, 브레이크, 안장 등을 기본으로 수백 개의 부품들로 구성되어 있으며 사람의 운동에너지를 크랭크축에 연결된 페달을 통해 체인으로 전달한다. 체인은 뒷바퀴에 연결되어 자전거를 앞으로 나아가게 하는 움직임으로 전환시켜 페달의 회전운동을 자전거의 직선운동으로 전환시킨다. 만일 연결된 부품들 중에서 하나라도 '변형'이 일어나거나 '파손'이 발생하면 자전거의 원활한 움직임은 일어나지 못할 것이다.

인류의 위대한 발명품 중 하나인 자동차는 크게 차체 및 외장재, 엔진, 구동시스템 및 샤시, 내장재 등으로 구성되어 있다. 그림 1.2에는 엔진시스템 중 주요부품들의 일부를 나타내었다. 자동차에 시동을 걸면 시동모터에 연결된 플라이휠일이 회전하게 되고, 플라이휠일과 연결된 크랭크축이 연결되며, 이와 맞물려 있는 커넥팅로드에 힘이 전달되고 커넥팅로드에 연결된 피스톤을 실린더 내에서 하강시키면서 비로소 자동차가 움직이게 된다.

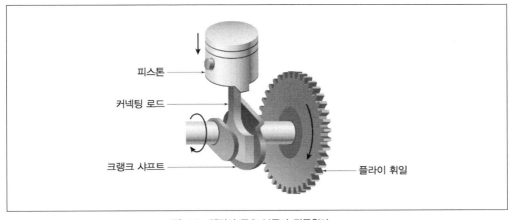

Chapter 1

Chapter 2

Chapter 3

Chapter 4

Chapter 5

Chapter 6

Chapter 7

Chapter 8

그림 1.2 엔진의 주요 부품과 작동원리

자동차는 휘발유, 경유, 가스, 전기에너지를 이용하여 공기와 연료의 연소가 엔진에서 일어나고 구동시스템을 통하여 그 힘을 증폭시키게 되는데 이 때 약 2만~3만개의 부품들이 상호 맞물려 운동함으로써 원하는 곳으로 차체를 이동시키는 유효한 일을 하는 동적시스템이다. 상호 맞물려 있는 부품 중의 하나라도 자동차가 구동하는 도중 '변형'이 일어나거나 '파손'이 발생하면 원활한 구동이 일어나지 않을 수 있고 때로는 자동차를 구동할 수 없는 상황에도 이르게 된다. 따라서 재료거동학(mechanical behavior of materials)을 배우는 것은 매우 중요하다. 부품의 소재를 선택하여 적용할 때 그 소재의 거동을 미리 파악하는 것이 기계의 수명을 예측하는데 도움이 되기 때문이다. 여기서 재료거동이란 힘을 받는 기계재료의 "기계적 거동(mechanical behavior)"을 말하고, 기계적 거동이란 외부에서 작용하는 힘에 대한 재료의 반응을 의미한다. 만일 재료의 결합력이 외부 힘보다 강해 강성이 있다면, 피로한도까지는 변형이나 파손 없이 부품의 구동이 가능할 것이다. 그러나 만일 외부 힘이 재료가 버틸 수 있는 강도보다 크다면 모양이 변하거나, 큰 응력의 발생으로 파손이 일어나게 될 것이다. 즉 상대적으로 큰 외부 힘에 의한 재료의 거동은 크게 두 가지 중 하나로 일어나게 되는데, 첫째는 1.1.2절에서 살펴볼 '변형(deformation)'이고, 둘째는 1.1.3절에서 살펴볼 '파손(failure)' 또는 '파괴(fracture)'이다.

변형은 소성, 크리프 등과 관련되어 일어나지만 탄성구간 및 점탄성구간 내에서도 힘을 받고 있는 동안에는 변형이 일어날 수 있다. 또 재료가 견딜 수 있는 내력 이상의 힘을 가하면, 힘을 제거해도 처음 상태와 모양이 달라지는 변형이 일어난다. 파괴는 큰 에너지가 재료에 가해져 두 개 이상의 파트로 분리되면서 발생한다. 파괴는 어떤 큰 힘에서 급작스럽게 일어날 수도 있지만, 반복하중 하에서 서서히 일어날 수도 있다. 이 때 시간에 의존하는 변형이 일어나면서 파손될 수도 있다.

제품을 설계해야 하는 공학도는 가해진 힘에 의해 발생하는 응력에 재료가 어떻게 반응하여 그

결과 변형이나 파손이 일어날지를 알고 이에 대하여 미리 방지하여야 하며, 이를 통해 예기치 않은 변형이나 파손이 일어나지 않도록 제어하여야 한다. 이를 위해서는 기계시스템에 사용되는 재료의 응력/변형률에 대한 반응을 잘 이해하여야 한다. 이러한 재료거동에 대한 이해는 소재를 사용한 부품의 가공성 향상, 부품의 기계적 성질의 이해 및 향상 등의 다양한 응용에도 기여할 수 있다.

재료의 기계적 거동은 거시적 거동(macroscopic behavior)과 미시적 거동(microscopic behavior)로 나뉠 수 있다. 일반적으로 기계공학에서 고체역학 등 역학과목에서는 모든 고체 및 재료가 등방성의 균질한 재료로 구성되어 있다고 가정한다. 즉 탄성계수, 항복응력, 파괴인성 등 모든 특성이 부위별로 동일하다고 가정하여 문제에 대해 계산을 수행한다. 그러나 실제로는 특성이 부위별로 동일하지 않다. 탄성계수나 항복응력 등은 힘을 어느 방향으로 가했느냐에 따라 달라지기 때문이다. 또한 고체재료의 기계적 거동은 현미경적 구조(microscopic), 좀 더 작은 스케일로 내려가면 마이크로/나노구조(micro/nano structure)나 원자수준(atomic level)의 영향을 받게 된다. 본 교재에서는 마이크로 크기의 현미경적 구조가 거시적 거동에 미치는 영향을 연결하여 살펴봄으로써 두 영역을 동시에 다루어보고자 한다.

1.1.2 변형

어느 물체가 정지해있고 아무런 변화가 없을 때 그 물체에는 힘이 작용하지 않는다고 말할 수 없다. 지구 상에 있는 물체는 모두 지구의 중심으로의 인력, 즉 중력을 받는다. 두 개의 힘이 작용할 때 힘의 크기가 같고 방향이 반대이면 아무 일도 일어나지 않는다. 그러나 힘의 크기가 다르거나, 방향이 다르다면 무언가 변화가 일어나게 된다. 상대적으로 큰 힘이 변화를 일으키는데 큰 역할을 하게 되기 때문이다.

어느 구조물이 변형에 견디는 성질 - 이를 항복강도(yield strength)라고 한다 - 보다 큰 힘이 작용한다면 무언가 변화가 일어나게 되는데, 그림 1.3과 같이 모양이 변하는 변화 즉 변형(deformation, yield)이 일어나게 된다.

그림에서 초기 길이 l_0가 힘을 받은 후의 길이가 l로 변하게 되었다면, 최종길이 l에서 초기 길이 l_0를 빼준 값을 변위(displacement) 라고 하며,

$$\delta = l - l_0$$

위 식과 같이 δ로 나타낸다.

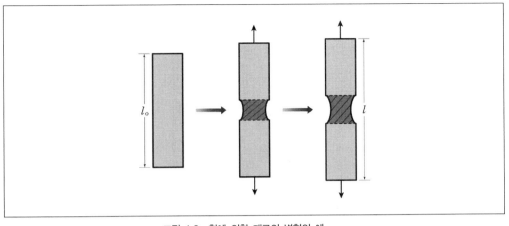

그림 1.3 힘에 의한 재료의 변형의 예

일반적으로 변위가 발생하는 변형은 외부 힘에 의해 모양이 쉽게 변하는 재료 예를 들면 플라스틱, 연강과 같은 연한 금속과 같이 연성이 있는 재료에서 많이 발견된다.

변형에는 탄성적 변형과 소성적 변형이 있다. 탄성적 변형은 힘에 의해 모양이 어느 정도 변하지만 힘을 제거하면 원래의 상태로 돌아오게 되는 반면, 소성적 변형은 힘을 제거해도 원래의 상태로 돌아오지 않고 영구변형(permanent deformation)이 일어난다.

1.1.3 파괴

일반적으로 강성이 있고 강도가 높은 소재의 경우는 변형이 일어나지 않고 급작스런 파괴가 일어나는 거동을 나타낸다. 즉 과도한 힘이 가해질 때 변형보다도 원자적 수준에서 원자간 결합이 끊어져서 균열이 먼저 발생하며 이 균열이 진전함으로써 재료를 두 개의 파트(part)로 분리하게 되는데 이와 같이 재료가 분리되는 현상을 파괴(fracture)라고 한다.

즉 어느 구조물이 힘에 견딜 수 있는 정도 – 이를 파괴강도(fracture strength)라고 한다 – 보다 더 큰 힘이 작용한다면 무언가 변화가 일어나게 되는데, 그림 1.4와 같이 재료가 두 개의 파트로 구분되는 변화 즉 파손(failure) 또는 파괴(fracture)가 일어나게 된다.

Chapter 1

Chapter 2

Chapter 3

Chapter 4

Chapter 5

Chapter 6

Chapter 7

Chapter 8

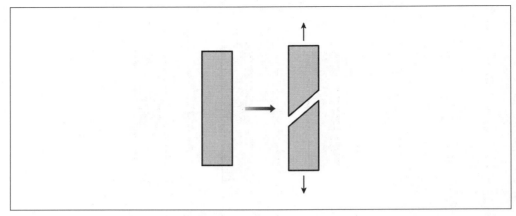

<u>그림 1.4</u> 힘에 의한 재료의 파손의 예.

일반적으로 파손(깨어짐)은 나무와 같이 단단하고 취성이 있는 (잘 깨지는 성질이 있는) 재료에서 많이 발견된다.

일반적으로 재료의 탄성변위보다 큰 힘이 가해지게 되면 급작스런 파손이 일어나며, 구조재의 영구변형을 일으키는 힘보다 더 큰 힘을 작용시키면 파손이 일어난다.

1.2 재료의 분류 및 종류

1.2.1 서론 및 개요

재료는 크게 나누면 50,000 종류가, 더욱 상세히 구분하면 20만에서 30만의 종류가 있다고 알려져 있다. 기계를 설계하고 제품을 창출하기 위해서는 반드시 재료의 선택이 있어야 한다. 수십만 가지의 재료들 중에서 부품의 소재로 적절한 것을 선택하기 위해서는 재료의 거동을 사전에 파악하여 선택하는 것이 매우 중요하다. 예를 들면 가격 대비 가벼워 에너지 효율이 좋고 성능 좋은 제품을 제작하기 위해서는 최선의 재료를 선택하여 사용하여야 하는 것이다.

그러나 수 만 가지의 재료들 중에서 최종적으로 한 개의 재료를 선택하는 일은 쉬운 일이 아니다. 후보재료 군으로 좁히고, 그 중 최종재료를 최적으로 선택하기 위해서는 설계요구조건을 만족시키는 특성을 갖는 재료를 그룹별로 파악하여 접근하는 것이 좋다.

재료를 그룹별로 분류하면 표 1.1에서와 같이 크게 금속(metal), 세라믹스(ceramics), 폴리머(polymer), 복합재료(composites)로 분류된다.

Chapter 1

Chapter 2

Chapter 3

Chapter 4

Chapter 5

Chapter 6

Chapter 7

Chapter 8

표 1.1 재료의 분류

구 분		세분	재료의 예
공업용 재료	금속 (metal)	순 철	Fe
		철강재료	Fe+C (0.03~2.1%)
		주철재료	Fe+C (2.1~4.5%)
		비철재료	Al, Cu, Mg, Zr, Ti, Ni, Sn, Pb, Zn 등
	세라믹스 (ceramics)	전통요업재료	유리,내화물, 도자기, 시멘트 등
		파인세라믹스	Al_2O_3, ZrO_2, SiC, Si_3N_4
	폴리머 (polymer)	열가소성 폴리머	PP, PS, PE
		열경화성 폴리머	epoxy, rubber
	복합재료 (composite)	섬유강화 복합재료	CFRP, GFRP, BFRP, KFRP

금속재료는 철(Fe)의 포함유무에 따라 철과 탄소(C)를 포함하는 철강재료와 철을 포함하지 않은 비철재료로 분류된다. 세라믹스 재료는 유리, 내화물, 도자기 등의 전통요업 세라믹스와 보다 미세한 마이크로(㎛) 크기의 입도를 갖는 분말로부터 출발하여 제작한 파인세라믹스(fine ceramics)로 분류할 수 있다. 폴리머(고분자)재료는 열을 가하면 연해지는 열가소성 폴리머와 열을 가하면 단단해지는 열경화성 폴리머로 분류된다. 7장에서 살펴볼 복합재료에도 다양한 종류가 있지만 공업용 섬유로 강화된 폴리머 기지의 복합재가 많이 활용되고 있고 대표적인 것이 탄소섬유로 강화된 폴리머기지 복합재(CFRP, carbon fiber reinforced polymer)이다.

1.2.2 금 속

대표적인 금속으로는 철(Fe), 알루미늄(Al), 구리(Cu) 등이 있다. 금, 은, 백금 등도 광택을 내는 대표적인 금속이다. 철은 힘에 의해 쉽게 구부러지는 연성이 있고, 알루미늄은 가벼우며, 구리는 전기가 잘 통하는 특징이 있다.

금속은 표 1.1에서 구분한 바와 같이 철, 탄소를 포함한 철강재료와 철을 포함하지 않는 비철재료로 나눌 수 있다. 기계재료로 많이 사용하는 금속 중에 철강(steel)재료가 있다. 금속의 철은 탄소가 0.03%이하인 경우 순철로 구분되며, 전기와 열을 잘 통하고 연성이 있다. 그러나 순철에 탄소(C)를 섞으면 기계적 강도가 증가하여 기계재료로 많이 사용된다. 첨가되는 탄소량은 약 2.11%까지 정도이다. 이와 같이 철에 탄소가 0.03에서 2.11%까지 첨가된 재료를 강(steel)이라고 부른다. 또한 탄소의 첨가량이 2.11%이상 약 4.5%까지 첨가된 것을 주철(cast iron)이라고 구분한다. 주철은 철에 비해 용융점이 낮아 유동성이 우수하므로 복잡한 형상의 기계를 제작하는데 사용되며 취성이 있지만 내마모성이 우수하다.

철강재료에 니켈(Ni), 크롬(Cr), 몰리브덴(Mo), 바나듐(V)등의 원소를 추가로 첨가하면 단단해지는 성질인 경도와 깨지지 않는 성질인 인성이 증가하여 기계구조용으로 폭넓게 응용되는데 이를 합금강(alloy steel)이라고 한다. 경도가 매우 높은 초경합금(WC-Co)과 니켈(Ni), 크롬(Cr) 등의 첨가에 의해 녹이 슬지 않는 스테인레스강(stainless steel)도 대표적인 합금강의 하나이다. 비철금속은 철(Fe)이 없는 재료이며 구리(Cu), 알루미늄(Al), 마그네슘(Mg), 니켈(Ni), 티타늄(Ti) 등이 있다. 기계재료로 사용되는 비철금속은 대부분 기계적 특성을 향상시키기 위해 다양한 합금이 개발되고 있다. 구리에 아연(Zn)이 첨가된 것을 황동(brass), 주석(Sn)이 첨가된 것을 청동(bronze)합금이라고 한다. 알루미늄과 마그네슘은 금속 중에서도 밀도가 낮아 (알루미늄은 $2.7 \mathrm{g/cm}^3$, 마그네슘은 $1.74 \mathrm{g/cm}^3$) 가벼운 부품이나 기계를 만들 때 사용되는 소재이다. 알루미늄과 마그네슘 자체는 기계적 특성이 좋지 않기 때문에 이를 향상시키기 위해 다양한 합금이 개발되고 있다. 니켈, 티타늄은 용융점과 고온강도가 높아 고온에서 사용이 가능한 소재이다. 보다 높은 온도와 힘에 견디기 위해 다양한 조성의 내열합금들이 개발되고 있다.

이러한 금속의 기계거동 적인 특징은 강성이 크고 높은 탄성과 인성을 갖는다는 것이다. 이러한 장점으로 금속재료는 기계에 많이 사용된다. 알루미늄이나 구리와 같은 순수 금속은 연해서 변형이 잘되지만 강이나 니켈, 다양한 합금 등은 탄성계수가 보다 높고 강성이 크다. 반면 외부 힘을 어느 정도 증가시키면 항복이 일어나 연성이 부여되어 가공이 쉬워 복잡한 모양의 부품을 어렵지 않게 만들 수 있다. 열과 전기를 잘 전도하는 특성이 있으나 부식에는 약하다.

1.2.3 세라믹스

단원자분자인 금속에 비하여 세라믹스는 금속과 비금속의 화합물로 이루어진 무기물이다. 세라믹스는 융점이 높아 열에 강하고 원자간 결합력이 강해 압축강도가 크고 마찰에 대한 내마모성이 우수하다. 금속과 같은 부식이 잘 일어나지 않으며 금속과 다르게 상온에서 전기가 잘 통하지 않아 절연체, 반도체, 유전체 등에 활용된다. 그러나 세라믹스는 기계적 충격에 약한 단점이 있다. 표 1.1에서 구분한 바와 같이 세라믹스는 전통요업재료와 파인세라믹스로 구분된다. 도자기, 내화물, 시멘트, 유리 등은 전통적으로 오래전부터 공업적으로 활용되고 있는 세라믹스이다. 용광로 등에 사용되는 내화물은 금속을 용융시키는 매우 높은 고열에도 견딘다. 시멘트는 가격이 저렴하면서도 경화가 일어나면 매우 견고하여 건축물에 광범위하게 사용된다. 유리는 대부분이 불투명한 세라믹스와 다르게 유일하게 빛을 투과하는 특징을 갖고 있다. Na_2O, CaO,

SiO_2, Al_2O_3 등이 전통세라믹스의 주가 되는 원료들이다.

세라믹스 중에서 열적, 기계적 기능이 우수한 세라믹스를 엔지니어링 세라믹스(engineering ceramics)라고 하며, 알루미나(Al_2O_3), 지르코니아(ZrO_2), 탄화규소(SiC), 질화규소(Si_3N_4) 등이 대표적인 엔지니어링 세라믹스이다. 이들은 전통요업재료에 비하여 직경이 보다 미세한 (fine)분말들로 부터 제조되므로 파인세라믹스의 한 종류들이다.

알루미나는 경도가 높아 내마모재료에 사용되고, 절연성이 있어서 자동차의 점화플러그의 절연재로 쓰인다. 융점이 2000℃ 이상으로 화학적으로 안정하고 견고하여 자동차촉매담체의 지지체로도 사용된다. 지르코니아는 세라믹스 중 파괴인성이 높으며, 열전도도가 낮아 가스터빈의 내열코팅재로 상용화되고 있다. 자동차에는 산소센서 등으로 활용되고 있다. 탄화규소는 경도가 높아 연삭, 연마용 재료로 활용되고 전기가 반만 통하는 반도성이 있어 반도체로 활용된다. 열팽창계수가 낮고 열전도도가 높아 내열치구류, 자동차 부품 등으로 사용된다. 질화규소는 탄화규소와 마찬가지로 내열성, 내열충격성이 높아 열충격에 강해야 하는 부품이나 자동차 디젤엔진부품으로 사용되며 내열 내마모재료로 활용된다.

세라믹스의 탄성계수는 일반적으로 금속보다도 높고 항복이 거의 일어나지 않을 만큼 매우 높다. 즉 연성이 거의 없어서 가공이 어렵다. 압축강도가 인장강도보다 크나 파괴인성이 낮은 기계적 거동을 보인다.

1.2.4 폴리머

플라스틱(plastic)은 탄소와 수소로 이루어진, 합성수지가 대부분인 고분자(분자량 10,000이상)를 원료로 한 고체(polymer)를 말한다. 폴리머는 재료 그룹 중 가장 가볍고 쉽게 변형되는 특징을 갖고 있다. 부식에 강하지만 열과 힘에 약한 거동을 나타낸다.

플라스틱은 범용 플라스틱과 엔지니어링 플라스틱으로 나눌 수 있다. 범용플라스틱은 약 100℃ 정도까지 사용할 수 있으며 강도가 낮은 곳에 사용되는 우리 주변에서 쉽게 관찰할 수 있는 플라스틱들이다. 반면 엔지니어링플라스틱은 100℃ 이상 500℃ 까지, 강도도 범용플라스틱의 인장강도가 500kg/cm^2이하인 반면 1000kgf/cm^2정도까지 높은 강도를 갖는 것을 엔지니어링플라스틱이라고 한다. 즉 보다 높은 온도와 강한 힘에 견디는 엔지니어링플라스틱의 개발로 가벼우면서도 기계적 특성이 우수한 거동을 나타낼 수 있어서 금속의 용도를 대체해 나가고 있다. 또한 섬유로 강화된 폴리머 복합재는 열과 기계적 특성을 더욱 향상시킬 수 있어서, 가벼운 플라스틱의 장점을 활용하여 그 활용도가 증가하고 있는 추세이다.

한편 플라스틱을 표 1.1과 같이 열가소성 고분자와 열경화성 고분자로 나누기도 한다. 폴리에

Chapter 1

Chapter 2

Chapter 3

Chapter 4

Chapter 5

Chapter 6

Chapter 7

Chapter 8

틸렌(PE), 폴리프로필렌(PP), 폴리스티렌(PS), PMMA, 나일론 등이 열을 가하면 연성을 나타내는 열가소성 고분자이며, 페놀, 에폭시수지, 멜라민수지, 우레아 수지 등과 같이 열을 가하면 경화되는 것이 열경화성 고분자이다.

범용플라스틱으로 가장 많이 사용되고 있는 폴리머는 폴리에틸렌(PE), 폴리프로필렌(PP), 폴리스티렌(PS)이다. 비닐봉투, 목욕 및 부엌용품들, 자동차의 인스트루먼트 패널과 글러브 박스, 완구류 등에 폭넓게 사용된다. ABS수지(acrylonitrile-butadiene-styrene resin)는 가전제품에 많이 활용되고 탄성이 우수한 타이어, 벨트에는 폴리우레탄(polyurethane)이 사용된다. 기타 범용 플라스틱으로는 의약품, 식료품등의 용기나 포장재로 사용되는 EVA, 항공기 방풍유리나 사진기의 렌즈에 사용되는 PMMA, 파이프로 사용되는 PVC가 있다.

엔지니어링플라스틱 중 투명성이 있어서 폴리카보네이트(PC, polycarbonate)는 광학용도의 정밀부품으로 사용되고 범퍼에도 활용되고 있다. 폴리에틸렌테레프탈레이트(PET, polyethylene terephthalate)는 내열성과 기계적 특성이 높아 자동차 전장품에 활용되며, 폴리아세탈(polyacetal) 또는 폴리옥시메틸렌(polyoxymethylene)은 우수한 내피로성, 내크리프성, 내마모성으로 속도계나 미터부품에 사용된다. 나일론이라고도 하는 폴리아미드(polyamide)는 인장강도, 내마모성, 윤활성이 우수하여 일반기계부품, 자동차부품에 활용되며 폴리페닐렌옥사이드(PPO, polyphenylene oxide)는 치수정밀도가 우수하고 우수한 역학적 성질을 나타내서 전기, 전자, 통신, 자동차분야에 활용된다. 폴리부틸렌테레프탈레이트(PBT, polybutylene terephthalate) 는 성형성 및 성능이 우수하고 내약품성이 가장 우수하다. 이 밖에도 내열성이 특히 우수한 엔지니어링 플라스틱으로서 폴리에테르 설폰(PES, polyethersulfone), 불소수지(PTFE, polytetrafluoroethylene), 폴리에테르에테르케톤(PEEK, poly ether ether ketone), 폴리이미드(PI) 등은 내열성이 160~260℃으로 매우 우수하다.

폴리머는 탄성계수가 금속의 1/50정도로 매우 작아 탄성변형이 커서 상온에서도 크리프가 일어난다. 열에 매우 약하지만 가볍고, 성형이 쉬워 복잡한 형상을 쉽게 만들 수 있는 장점이 있다.

1.2.5 복합재

복합재료란 한 개 이상의 같은 종류 또는 서로 다른 종류의 소재가 섞여있는 재료를 말한다. 우리 주변에서 쉽게 볼 수 있는 나무는 리그닌과 셀룰로오즈가 결합된 복합재료이다. 나무의 강성, 강도, 인성은 대부분 셀룰로오즈 분자의 강성, 강도, 인성으로부터 나온다. 셀룰로오즈의 마이크로 크기의 작은 층상구조는 강화섬유역할을 하는데, 서로 다른 방향으로 배열되는 패턴으로 이루어진 층들이 적층된다. 이들 간을 리그닌이 접합하여 구조의 인성을 향상시킨다. 생체의 뼈나 동물의 뼈들도 복합화된 하이브리드 구조이다. 이들은 벽돌모양의 수산화아파타이트(hydroxy apatite)라는 물질이 콜라겐(collagen)으로 접착되어 연성 및 강도, 인성을 동시에 갖도록 설계되어 있다. 복합재료는 위와 같이 둘 이상의 재료를 섞었을 때 각 단일재료들의 단점은 최소화하고, 각 단일재료로서는 얻을 수 없는 특성을 갖도록 만든 재료이기에 다양한 기계적 거동을 갖는 부품을 제작하는데 활용될 수 있다는 장점이 있다. 특히 기계적 특성이 낮지만 가벼운 폴리머기지에 특성이 우수한 강화재를 섞어 복합재료를 제작하였을 때 무게가 가벼우면서도 특성이 우수한 부품들을 제작하는 것이 가능하다. 복합재료에는 입자 및 섬유강화복합구조, 샌드위치형 구조, 쎌 구조, 분할이음 구조 등 다양한 종류가 있지만 7장에서 자세히 다루기로 하고, 여기서는 기계재료로 많이 활용되는 섬유강화 복합재료에 대해서만 간단히 언급하고자 한다.

공업용 섬유로는 공유결합성이 우수한 케블라(Kevlar), 탄소(carbon), 유리(glass), 붕소(boron) 섬유 등이 있으며 이러한 섬유는 탄성계수와 강도, 강성이 매우 높다. 직경이 미세한 섬유들이 개발되고 있으므로 결함이 존재할 확률도 낮아 파손에 대한 저항성도 높다. 섬유를 이용하여 일정한 형태로 직조한 후 그 사이사이를 폴리머로 채우면 섬유로 강화된 폴리머가 된다. 섬유강화형 복합재료로는 탄소섬유강화 복합재료(CFRP, carbon fiber reinforced polymer composite), 유리섬유강화 복합재료(GFRP, glass fiber reinforced polymer composite), 케블라섬유강화 복합재료(KFRP, Kevlar fiber reinforced polymer composite), 붕소섬유강화 복합재료(BFRP, Boron fiber reinforced polymer composite) 등이 있으며 기타 세라믹스 섬유인 탄화규소 섬유강화 복합재료(Silicon carbide fiber reinforced composite)이 개발, 적용되고 있다. 섬유강화 복합재는 섬유로 형상을 만들어야 하기 때문에 성형이 어렵고 제조공정이 비싸다. 그러나 이렇게 제작한 복합재는 폴리머의 특징에 의해 가벼우면서 동시에 직조된 섬유의 우수한 특성에 의해 기계적 특성이 향상된다.

1.3 재료선택에 의한 설계개념

1.3.1 서론 및 개요

설계란 시장의 요구, 소비자의 요구에 따라 새로운 아이디어를 구체화시켜서 제품을 개발하는 일련의 모든 과정이다. 공학은 이와 같은 창의적인 아이디어의 개념으로부터 제품으로 연결되는 설계에 의해 발전되어져 왔다. 예를 들면 TV의 경우 보다 현실감 있는 생생한 화면을 접하기 위한 소비자의 요구에 의해 디스플레이의 크기가 증대하는 방향으로 개발되어져 왔고, 컴퓨

Chapter 1
Chapter 2
Chapter 3
Chapter 4
Chapter 5
Chapter 6
Chapter 7
Chapter 8

터와 같은 다양한 기능들이 탑재된 디바이스를 만들어 휴대화하기 위한 시장 및 소비자의 요구에 의해 핸드폰의 크기가 어느 정도까지는 점차 감소하는 방향으로 개발되어져 온 것이 한 예이다. 따라서 설계과정에는 미학적인 디자인 요소뿐만 아니라, 기존기술의 문제점을 다양한 방법으로 해결하고자 하는 공학적인 설계가 반드시 포함되어야 한다.

그림 1.5와 같이 새로운 제품개발을 위한 설계에는 반드시 제품이 어떤 기능을 갖도록 하여야 하며, 이 기능을 부여하기 위해서는 시스템의 부품들을 어떤 형상으로 제조하는 공정을 거치게 된다. 특히 부품을 제조할 때 특성이 우수한 재료를 선택하는 것이 매우 중요하며, 바람직한 재료선택을 위해서는 반드시 재료의 기계적 거동을 파악하여 적용하는 것이 매우 중요하다.

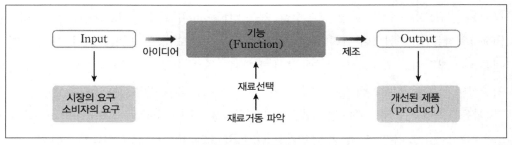

그림 1.5 설계의 흐름도

이 교재에서는 특히 기계시스템의 설계에 필요한 재료의 선택을 강조하고자 한다. 제품(product) 또는 시스템(system)은 하위구조인 부품(components)으로 이루어져 있다. 부품은 일정한 모양과 질량을 갖고 있고 지속적인 운동을 하는 경우 하중을 지지하거나 다른 부품에 하중을 전달한다. 작동을 하는 동안 모양이 변하거나 파손되지 않는다. 이 부품들은 재료들로 이루어져 제조된다. 설계의 기능을 발현하기 위해서는 성능이 최적화된 재료가 최종 선택되어져 부품에 적용되며, 기능을 위한 성능을 효과적으로 발현하도록 하려면 재료의 거동에 대한 사전 파악과 적용이 매우 중요하다.

1.3.2 설계과정

아이디어를 통해 이를 구체화하여 제품을 제조하는데 있어서 설계의 과정은 매우 중요하다. 에너지, 정보, 재료 등의 입력요소(input)로부터 바람직한 기능(function)을 갖는 출력(output)을 만드는 일련의 모든 과정이 설계과정이다. 예를 들면 모터(motor)의 경우는 전기적 에너지로부터 기계적 에너지로 변환되어 기계를 구동하는 중요한 요소로 활용되고 있는데, 이의 원리를 연구하고 다양한 재료후보 중에서도 한 개의 재료를 선택하고 적용하여 제조된 각 부품들을 결합하여 원하는 기능을 발현하도록 하고 있다. 자동차의 경우도 휘발유, 경유, 가스, 전기의 입력에너지로부터 자동차 타이어를 구동하는 출력으로 변환하기 위해, 차체, 엔진, 샤시 등의 하위시스템으로 구성되고 각 하위시스템은 부품들 예를 들면 차체의 경우 트렁크, 패널, 후드, 엔진의 경우 피스톤, 실린더, 크랭크축, 커넥팅로드 등으로 이루어져 있고 각 부품들은 최적의 재료가 선택되어 적용되고 일정한 형상을 갖도록 제조된다. 특히 이러한 입력으로부터 출력으로의 변환과정에서 기능이 최적화되고 최대의 성능이 발휘될 수 있도록 설계하는 것이 중요하며, 이를 위해 각 부품들에 선택된 재료의 기계적 거동이 중요하다고 말할 수 있다.

이러한 설계의 각 과정에는 개념설계, 구체설계, 상세설계가 있다. 개념(concept)설계는 말 그대로 모든 대안 개념을 설계하는 것이며 대략적인 분석과 모델링을 수행한다. 구체설계는 다양한 개념 중 유망한 개념으로 설계하는 것이며 정교한 모델링과 최적화가 행해진다. 그리고 상세설계에서는 상세하고 구체적인 설계가 수행되며 성능 최대화와 함께 정밀분석이 이루어진다. 다음 그림 1.6에 설계과정을 나타내는 설계 흐름도를 나타내었다.

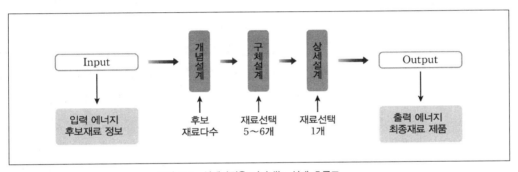

그림 1.6 설계과정을 나타내는 설계 흐름도

그림에서 개념설계는 기능구조를 결정하고 원리를 찾으며 최종적으로 바람직한 개념을 선택하게 된다. 기능모델링을 수행하고 가능한 연구와 대략적인 분석이 이루어진다. 구체설계는 크기와 형태 그리고 배치를 생각하고 조립체를 분석하며 배치된 결과를 평가하고 선택한다. 기하학적 모델링과 컴퓨터 모사를 수행하며 주어진 하중(응력)과 환경 하에서의 재료 선택을 고민하게 된다. 최종적으로 상세설계는 부품들을 상세하게 분석하여 배치하고 최적의 가격과 성능을 발현할 수 있도록 재료와 공정을 최종 선택한다. 부품 모델링과 유한요소해석 등을 통해 열적, 기계적, 화학적 성능을 최대화 한다.

다음 그림 1.7에 설계과정의 한 예를 병마개(병따개)의 설계로부터 살펴보고자 한다. 소비자 그리고 시장의 요구는 음용 물질을 어느 용기에 일정 기간 안전하게 보관하고 나서, 음용 시에는 병마개를 편리하고 안전하게 제거하는 기능이다. 병따개의 기능, 즉 병마개를 따는 방법은 (a)

Chapter 1

Chapter 2

Chapter 3

Chapter 4

Chapter 5

Chapter 6

Chapter 7

Chapter 8

와 같이 다른 도구를 사용하여 제거하는 방법이 먼저 설계되었다. 외부환경으로부터 안전하게 차단하여 내부의 음료를 오랫동안 보관할 수 있도록 마개에 요철을 부여하였다. 그러나 마개를 제거하고자 할 때 도구를 찾아야 하는 불편함이 있었다. 따라서 소비자는 도구 없이도 병마개를 따는 방법을 요구하게 되었다. 그 결과 (b)와 같이 용기의 일부를 제거하는 아이디어로부터 설계가 진행되었다. 이 방법은 도구의 사용대신 사람의 손을 이용하여 병마개를 제거함으로써 편리한 기능을 부여하였다. 그러나 따고난 후 제거된 조각에 의해 손을 다치는 불편함이 있었다. 이를 해결하기 위해 (c)와 같이 마개를 딴 후, 마개가 완전 분리되지 않도록 기능 설계를 변경하게 되었다. 이 방법은 안전하게 병마개를 제거하는 기능을 부여하였다. 그러나 이 방법 역시 그림 1.8의 (a)에서와 같이 인장응력을 가해야 하는 방법으로 설계되었기 때문에 손에 힘이 가해져야 하는 다소의 불편함이 있었고 이러한 점을 보완하기 위하여 최근에는 그림 1.8의 (b)에서와 같이 인장응력이 아닌 전단력을 가하여 돌려서 마개를 제거하는 기능을 부여하는 설계가 이루어졌다. 병마개의 표면에 평행한 힘으로 마찰력이 가해지게 되는 원리를 적용하여 그 결과 1.8의 (b)와 같은 음료수 용기들이 개발, 활용되고 있으며 현재는 그림 1.8의 (a)와 (b)가 일상 생활에서 동시에 많이 활용되고 있다. 그림 1.7의 (a)와 같이 도구를 사용하지 않고자 하는 아이디어와 시장 및 소비자의 요구에 의해 손에 의해 병마개를 따도록 그 수요를 만족시키는 병따개를 고안하는 개념설계와 함께, 병마개의 크기와 형상 그리고 작동원리를 생각해 보고 비용을 생각하여 배치하는 것이 구체설계, 최종적으로 그림 1.8과 같이 사람의 힘에 의해 잘 따질 수 있도록 하중을 만들어내고 전달하여 병마개에 힘을 가하고, 하중을 받는 병마개 재료의 거동으로부터 상호작용을 고찰하여 힘이 최종적으로 병마개에 적용되어 병마개를 따내는 성능을 최대화하는 분석을 행한 후, 도면을 통해 최종적으로 마개의 크기, 형상, 배치도를 작성하고, 가격을 최소화하여 완성하는 것이 상세설계의 과정이다.

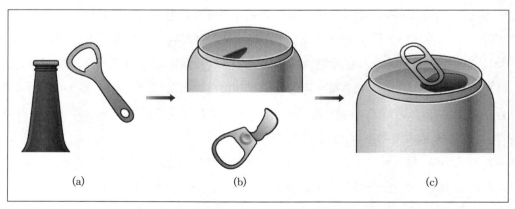

(a)   (b)   (c)

그림 1.7 병 또는 캔 오프너의 설계 과정 사례

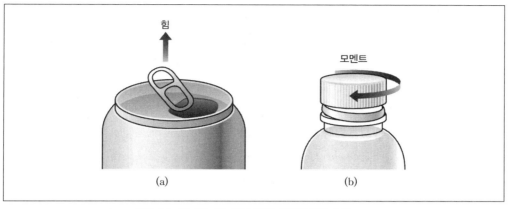

그림 1.8 병 또는 캔 오프너에서 하중의 전달 원리

1.3.3 재료선택

엔지니어는 설계과정 도중 크게는 50,000종류, 보다 세분하면 200,000개 이상의 재료로부터 최종적인 부품에 사용될 소재로서 1개를 선택하여야 하는 어려움이 있다. 개념설계로부터 구체설계, 상세설계로 진행되면서 제품에 사용될 각 부품들의 소재를 결정하여야 하는 것이다. 그러나 많은 재료의 메뉴 중에서도 우리가 크게 특정지어서 구분할 수 있는 재료의 분류가 있는데 이를 1.2절의 표 1.1에서 살펴보았다. 즉 재료는 크게 금속, 세라믹스, 폴리머, 복합재료로 구분할 수 있다. 재료의 선택은 에너지 효율과 비용, 그리고 무엇보다도 부품의 성능을 결정할 수 있으므로 매우 중요한 단계이다. 설계과정에서의 재료의 선택은 성능을 좌우하는 재료의 기계적 거동, 일정한 형상으로 가공하고 제조해야 하는 공정, 시장과 경제성에 중요한 가격, 그리고 에너지 효율을 좌우하는 무게를 고려한 선택이어야 한다. 아주 오래전에는 가격과 유용성이 재료의 선택에 매우 중요한 역할을 하였다. 매우 오래 전에는 목재, 돌로 만든 세라믹스 등이 많이 도구나 식기로 사용되었는데 이는 유용성 측면에서 쉽게 얻을 수 있는 소재를 선택한 결과이다. 그러다가 1940~60년대에는 금속 제조기술이 발전하고 보다 성능이 향상된 철제 무기의 개발요구에 의해 금속재료들이 이들을 대체하였다. 최근에는 다양한 환경에 의해 요구되는 성능을 만족시키고자 금속, 세라믹스, 폴리머, 복합재료가 모두 사용되는 시대가 되고 있다.

그림 1.6과 같은 개념설계, 구체설계, 상세설계의 각 단계에서는 재료를 선택해야 하는 과정이 반드시 동반되어져야 한다. 개념설계는 다양한 가능성을 열어놓고 넓은 범위의 모든 재료의 데이터가 설계에 사용된다. 구체설계에서는 모든 재료로부터 재료그룹에 대한 토의가 이루어지고, 후보재료 군이 선택된다. 보다 적은 재료에 대하여 정밀도와 상세함을 갖는 데이터가 제시된다. 최종적으로 상세설계에서는 전문적인 유한요소해석, 세부사항에 대한 분석, 재료거동의

Chapter 1
Chapter 2
Chapter 3
Chapter 4
Chapter 5
Chapter 6
Chapter 7
Chapter 8

분석으로부터 구체설계에서 좁혀진 후보재료 군으로부터 최종적인 1개의 재료가 선택된다. 상세설계 단계에서는 부품에 사용되는 각 재료의 기계적 특성데이터 등이 하중과의 상호작용의 결과로부터 제시되어져야 한다. 제품은 사용 도중 변형 또는 파손될 수 있으므로 이들에 대한 정보를 수집하고 분석하여 재료를 재 선택하고 재설계하는 과정을 되풀이하여 궁극적으로 바람직한 재료선택으로 설계를 완성하게 된다.

그림 1.7에서의 병따개에 있어서 선택된 재료를 살펴보도록 하자. (a)와 같이 아주 오래 전에는 음료를 안전하고 오래 보관하기 위해 견고한 유리 병을 사용하였고, 병 마개는 요철을 쉽게 주도록 금속재를 사용하였다. 그러나 유리는 상대적으로 무겁기 때문에 보다 가볍게 들고 음료를 마시고자 하는 소비자의 요구에 의해 가벼운 금속재료의 선택이 이루어졌다. 그림 1.7의 (b), (c) 와 같은 알루미늄 캔이 그 한 예이다. 캔의 병마개는 보다 작은 하중에서 쉽게 따도록 하기 위해 그 두께는 점차 감소되어져왔다. 최근에는 그림 1.8의 (b)와 같이 보다 가볍고, 열적 기계적 충격에 잘 견디고 전단력에 의해 쉽게 병마개를 제거할 수 있는 기능을 부여하기 위해 엔지니어링플라스틱의 용기와 병마개가 설계되어 적용되고 있다.

재료선택에 의한 설계과정의 또 다른 사례를 살펴보고자 한다. 스포츠 경기 중에 장대 도움받기를 통해 높이뛰기를 하는 종목이 있다. 이 종목에서 기록을 경신하기 위해서는 경기자의 체력과 신체적 조건도 중요하겠지만 도구인 장대라는 스포츠 용품의 설계도 기록 향상에 도움이 된다. 선수들의 기록향상을 위해 장대는 기존의 목재로부터 무게가 가벼운 알루미늄(Al), 그리고 보다 가볍고 탄성이 좋은 섬유강화형 폴리머 복합재료로 변화되어 왔다. 즉 기능의 요구를 통해 재료의 선택이 변화되어 온 것이다. 이 때 장대의 기능은 탄성을 통해 장대를 땅에 지지할 때는 굽힘이 이루어지다가 선수가 장대의 높은 곳에 올라갈 때는 원래의 상태로 탄성회복력이 커야하는 것이다. 형상은 직경 대비 길이가 긴 막대형이 될 것이며 따라서 재료의 선택은 탄성계수가 크고 가벼운 것, 그리고 직경대비 길이가 긴 막대를 쉽게 제조하는 공정이 있어야 하는 요구조건을 모두 만족시킬 때 이루어진다. 이를 위해 소재개발은 밀도 즉, 일정한 부피를 생각한다면 일정 무게에 비하여 탄성계수나 강도가 높은 재료가 요구되었고, 따라서 목재는 보다 가벼운 금속으로, 금속은 가벼우면서도 탄성이 우수한 복합재료로 그 선택이 변화되어져 온 것이다.

Chapter 1

Chapter 2

Chapter 3

Chapter 4

Chapter 5

Chapter 6

Chapter 7

Chapter 8

■ 연습문제

1.4.1 설계에 있어서 재료거동을 정의하고 그 중요성을 논하시오.

1.4.2 다음 문장의 각 ( )안에 들어갈 단어를 쓰시오.

> 기계가 구동하는 동안 모양이 변하는 (　　)이 일어나거나 두 개 이상의 부분으로 분리
> 되는 (　　)이 일어나서는 안 된다.

1.4.3 설계(design)란 무엇인지 정의하고, 재료선택의 중요성에 대하여 토의하시오.

1.4.4 재료를 크게 분류하면 4가지로 나눌 수 있다. 각각 무엇인지 쓰고, 대표적인 재료 몇
개를 제시하시오.

1.4.5 다음의 기계적 거동을 갖는 특징이 있는 재료는?

> 일반적으로 강성이 크고 높은 탄성과 인성을 갖고 있어서 기계에 많이 사용되며, 외부
> 힘을 어느 정도 증가시키면 항복이 일어나 연성이 부여되어 가공이 쉬워 복잡한 모양의
> 부품을 어렵지 않게 만들 수 있다.

① 금속   ② 세라믹스
③ 폴리머   ④ 복합재료

1.4.6 다음 표의 개념설계 구체설계, 상세설계에 해당하는 것을 아래 행의 설명에서 맞는 것과
서로 짝지으시오.

> a. 개념설계,　b. 구체설계,　c. 상세설계
>
> a. 크기와 형태 그리고 배치를 생각하고 조립체를 분석하며 배치된 결과를 평가하고 선
> 택하는 과정
> b. 기능구조를 결정하고 원리를 찾으며 기능모델링을 수행하고 가능한 연구와 대략적인
> 분석이 이루어지는 과정
> c. 부품들을 상세하게 분석하여 배치하고 최적의 가격과 성능을 발현할 수 있도록 재료
> 와 공정을 최종 선택하는 과정

1.4.7 다음 문장의 (   ) 안에 들어갈 단어를 쓰시오.

> 에너지, 정보, 재료 등의 입력요소로부터 바람직한 (   )을 갖는 출력을 만드는 일련의
> 모든 과정이 설계과정이다.

1.4.8 최종적으로 선택되어져야 할 재료의 개수는 몇 개인가?

① 다수   ② 5~6개

③ 1~3개   ④ 1개

1.4.9 스포츠경기 중 도움받기 높이뛰기에 사용되는 막대의 재료가 다음과 같이 변화되었다.
그 이유에 대해 생각해 보시오

> 목재 → 알루미늄 등 가벼운 금속 → 엔지니어링플라스틱

1.4.10 재료의 기계적 거동에 있어서 '변형'과 '파괴'를 각각 정의하고 그 중요성에 대해 논하시오.

1.4.11 다음 중 설계과정 순서(선택되는 재료의 수가 감소되는 순서)가 맞게 나열된 것 을 선택
하시오.

① 시장의 요구 – 구체설계 – 상세설계 – 개념설계 – 제품

② 개념설계 – 설계의 요구 – 구체설계 – 상세설계 – 제품

③ 개념설계 – 시장의 요구 – 상세설계 – 구체설계 – 제품

④ 시장의 요구 – 개념설계 – 구체설계 – 상세설계 – 제품

⑤ 설계의 요구 – 상세설계 – 개념설계 – 구체설계 – 제품

제2장
재료의 기계적 거동

2.1 응력

2.1.1 서론 및 개요

응력(stress)이란, 어느 한 점에 힘이 작용할 때 다음과 같이 정의된다.

$$\sigma = \partial P / \partial A, \ \ \partial A \rightarrow 0$$

위 식에서 σ는 응력, P는 힘(하중), A는 힘이 작용하는 단면적이다. 만약 재료 내에 모든 부분의 응력상태가 같다면,

$$\sigma = P / A$$

와 같이 쓸 수 있다. 즉 공학 분야에서 응력이란 힘을 힘이 작용하는 표면의 면적으로 나눌 때 얻어지는 값을 의미한다.

이 때 힘(하중)의 방향은 재료를 수직으로 당기는 힘이나 누르는 힘으로 향할 수 있는데 이와 같이 단면적에 수직한 힘과 관련된 응력을 수직응력(normal stress)이라고 하며, 당기는 힘과 연관된 응력을 인장응력(tensile stress), 누르는 힘과 연관된 응력을 압축응력(compressive stress)이라고 한다. 인장응력은 일반적으로 부호를 ($+$), 압축응력은 ($-$)로 표기한다. 한편 이러한 힘은 단면적에 평행하게 작용할 수도 있는데 이와 연관된 응력을 전단응력(shear stress)이라고 한다. 수직응력은 기호로 σ, 전단응력은 τ를 일반적으로 사용한다. 재료 내의 임의의 점에서의 모든 응력상태는 이와 같은 σ와 τ로 해석하게 된다.

한편 재료거동에 있어서 중요한 응력의 개념 중 공학응력(engineering stress) 또는 공칭응력(nominal stress)과 진응력 (true stress)이 있다.

응력시험을 할 때 매번 재료시험편을 동일한 단면적을 갖도록 준비하여 시험하는 것은 쉬운 일이 아닐 수 있다. 따라서 시험편의 크기와 관계없이 응력을 나타내기 위해 하중 P를 재료시험편의 원래의 단면적 Ao로 나누어 공학응력 σ_e를 구한다.

$$\sigma_e = P / A_o$$

위의 식은 재료 내의 모든 부분의 응력상태가 같다고 생각하여 계산하는 것이다. 실험적으로 구하는 일반적인 응력－변형률 곡선의 세로축은 공칭응력을 표시한다. 공칭응력은 일반적으

Chapter 1

Chapter 2

Chapter 3

Chapter 4

Chapter 5

Chapter 6

Chapter 7

Chapter 8

로 작은양의 변형과 연관된 응력을 생각할 때 사용하기도 한다.

반면 연성이 있는 시험재료를 인장 시험할 경우 단면적과 길이는 가해지는 하중에 따라 변할 수 있는데, 이와 같이 하중이 작용하는 어느 순간에 측정한 시험편의 실제단면적을 사용하여 계산하는 응력을 진응력(true stress)이라고 한다. 큰 변형률은 재료의 단면적을 크게 변화시키기 때문에 진응력을 바꾸어준다.

공칭응력과 진응력 간의 관계 및 응력과 변형률간의 관계는 다음 식과 같으며, 2.2절에서 살펴보기로 한다.

$$\sigma_{진응력} = \sigma_{공칭응력} \times (1 + e_{공칭\ 변형률})$$

2.1.2 다축 응력

∷ 2차원 응력

2.1.1절에서는 한 축에 작용하는 응력만을 살펴보았다. 다음 그림 2.1과 같이 만약 한 축이 아닌 2차원적 재료의 요소에 작용한다면, 즉 평면의 수직방향으로는 힘이 작용하지 않는다고 가정하는 평면응력(plane stress)상태라면, 평면응력 상태는 두 개의 수직응력 σ_x 및 σ_y 와 한 개의 전단응력 τ_{xy}로 표현되며 이들은 요소의 네 면에 작용한다.

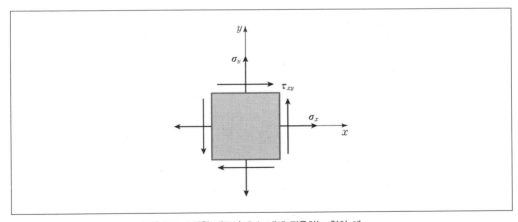

그림 2.1 2차원 재료의 요소 내에 작용하는 힘의 예

수직응력은 그림 2.1에서와 같이 면에 수직하게 당겨지는 힘, 즉 인장응력이 작용할 때 부호를 (+)로 정의한다. 전단응력은 그림에서와 같이 오른쪽 위 모서리에 두 전단력이 모일 경우 부호를 (+)로, 반대로 오른쪽 아래 모서리에 힘이 모일 경우 부호를 (−)로 정의하기로 한다. 평면응력 상태에서의 힘과 응력은 다음과 같이 정의된다.

$$P_1 = \sigma_{11}V_1 + \sigma_{12}V_2$$

$$P_2 = \sigma_{21}V_1 + \sigma_{22}V_2$$

위 식에서 σ_{ij}는 응력의 텐서(tensor)이며, Vi는 면적을 면적의 크기로 나눈 벡터의 표기이다. 위의 두 식을 아래와 같이 간단히 할 수 있으며,

$$P_{ij} = \sigma_{ij}A_j$$

이고 여기서

$$\sigma = \begin{pmatrix} \sigma_{11} & \sigma_{12} \\ \sigma_{21} & \sigma_{22} \end{pmatrix}$$

이다.

⠿ 3차원 응력

이번에는 그림 2.2와 같이 각 변의 길이가 dx, dy, dz을 갖는 직육면체 요소(element)의 x, y, z축을 가로지르며 만나는 각 면에 수직하게 Px, Py, Pz이 작용한다고 생각하자.

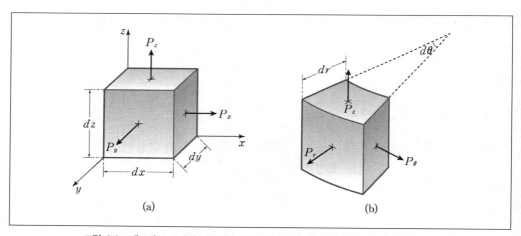

그림 2.2 재료의 요소내에 작용하는 힘의 예, (a) x, y, z축 (b) 극 좌표(r, θ)계

다축응력에서의 응력은 아랫 첨자 i와 j를 표기하여 σ_{ij}와 같이 표현한다. 예를 들면 그림 2.1의 (a)의 x축에 수직인 면적에 작용하는 Px의 힘과 연관된 수직응력 σ_{xx}는 다음 식과 같이

$$\sigma_{xx} = P_x/(dy \times dz)$$

dy×dz의 평면에 대해 수직하게 작용하는 P_x의 힘으로부터 응력 σ_{xx}를 구할 수 있다. 응력의 첫 번째 아랫 첨자는 x 방향에 수직한 면 (즉, x축을 가로지르는 면) 과 연관된 수직응력 (그 면에 수직으로 작용하는 응력)이란 뜻이고, 두 번째 아랫 첨자는 가해지는 힘이 x축과 같은 방향으로 작용한다는 뜻이다.

같은 평면에는 모두 균일한 같은 힘이 작용한다고 생각하면 dy×dz의 평면에 대해 생각해 보면 P_x만 부과되는 것이 아니다. P_z의 힘도 dy×dz의 평면에 평행하게 작용하기 때문이다. 이와 연관된 응력은 다음 식과 같이

$$\tau_{xz} = dP_z / (dy \times dz)$$

dy×dz의 평면에 대해 평행하게 작용하는 P_z의 힘으로부터 전단응력 τ_{xz}를 구할 수 있다. 여기서도 첫 번째 아랫 첨자 i는 x 방향에 수직한 면 (즉, x축을 가로지르는 면)과 연관된 전단응력 (그 면에 평행하게 작용하는 응력)이란 뜻이고, 두 번째 아랫 첨자 z는 가해지는 힘의 방향이 z축에 평행하다는 뜻이다. 마찬가지로, dy×dz의 평면에 대해 평행하게 작용하는 P_y힘으로부터

$$\tau_{xy} = dP_y / (dy \times dz)$$

와 같은 또 다른 전단응력을 구할 수 있다. 이상에서 구한 수직응력 σ_{xx}와 전단응력 τ_{xz}, τ_{xy}를 그림으로 표시하면 그림 2.3의 (a)의 면적에 나타내었다. 그림에서와 같이 τ_{xz}, τ_{xy}의 응력이 축의 방향과 같게 되면 부호를 (+)라고 정의한다.

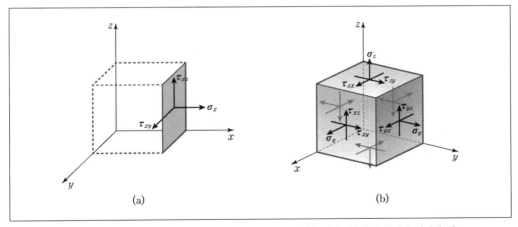

그림 2.3 (a) 재료의 요소 내 한 면에 작용하는 응력의 예 및 (b) 일반적인 응력 상태를 나타낸 예

dy×dz의 평면에 작용하는 힘을 고려하는 것과 마찬가지로, dx×dz 및 dx×dy의 각 평면에 작용하는 힘들을 고려하면 그림 2.3의 (b)와 같이 일반적인 응력상태를 표시할 수 있

Chapter 1
Chapter 2
Chapter 3
Chapter 4
Chapter 5
Chapter 6
Chapter 7
Chapter 8

으며 (x, y축을 서로 바꾼 것을 고려하라), 따라서 dx, dy, dz의 체적요소에 작용하는 응력은 총 9개의 응력으로 표시할 수 있다. 이를 행렬의 표기법을 사용하여 다음과 같이

$$\begin{pmatrix} \sigma_{xx} & \tau_{xy} & \tau_{xz} \\ \tau_{yx} & \sigma_{yy} & \tau_{yz} \\ \tau_{zx} & \tau_{zy} & \sigma_{zz} \end{pmatrix}$$

로 표시할 수 있으며 이 행렬의 9가지 성분을 응력 텐서(stress tensor)라고 부르기도 한다. 위 행렬에서 대각선 방향으로는 σ_{ij}의 수직응력을 배열하고, 나머지는 τ_{ij}의 전단응력들을 배열한다. 만약 행렬이 대칭적이어서 (symmetrical)

$$\tau_{xy} = \tau_{yx}, \tau_{yz} = \tau_{zy}, \tau_{zx} = \tau_{xz}$$

이고 수직응력의 두 번째 아랫첨자를 편의상 생략한다면

$$\sigma_{xx} = \sigma_x, \sigma_{yy} = \sigma_y, \sigma_{zz} = \sigma_z$$

으로 쓸 수 있으므로 다음과 같이 간략화될 수 있다.

$$\begin{pmatrix} \sigma_x & \tau_{xy} & \tau_{xz} \\ \tau_{xy} & \sigma_y & \tau_{yz} \\ \tau_{xz} & \tau_{yz} & \sigma_z \end{pmatrix}$$

또한 물과 같이 등방성의 압력 σ_m을 갖고 비점성의 유체의 경우 전단응력이 작용하지 않는다고 생각하면, 행렬은 다음과 같이 더욱 단순화된다.

$$\begin{pmatrix} \sigma_m & 0 & 0 \\ 0 & \sigma_m & 0 \\ 0 & 0 & \sigma_m \end{pmatrix}$$

경사면에 작용하는 응력

앞에서 살펴본 바와 같이 일반적인 응력상태는 그림 2.3(b)와 같이 총 9개의 수직응력 및 전단응력 성분들로 결정된다.

먼저 3차원적 응력은 복잡하므로 그림 2.1과 같이 2차원적으로 나타낼 수 있는 응력, 즉 평면응력으로 단순화된 상태에서 생각해보자. 힘을 받는 재료의 요소(element)를 일정각도 회전시켰을 때 작용하는 응력을 구할 수 있다면, 임의의 방향으로 정의할 수 있는 경사면에 작용하는 응력을 구할 수 있을 것이다.

다음 그림 2.4에서와 같이 요소의 방향이 반시계 방향으로 θ만큼 회전할 때, 그림 (a)에서와 같이 회전이 일어나기 전의 수직응력 σ_x 및 σ_y와 전단응력 τ_{xy}의 값과 부호를 알고 회전각을 안다면, 회전 후의 새로운 응력 $\sigma_x{}'$, $\sigma_y{}'$와 한 개의 전단응력 $\tau_{x'y'}$을 힘의 평형방정식으로부터 다음 식과 같이 구할 수 있다.

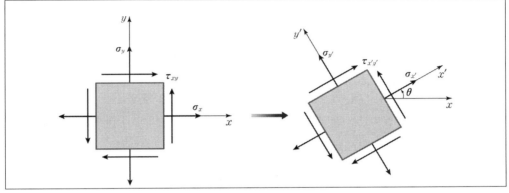

그림 2.4 요소의 회전에 의한 응력의 변화

$$\sigma_x{}' = (\sigma_x + \sigma_y)/2 + \left[(\sigma_x - \sigma_y)/2\right] \times \cos 2\theta + \tau_{xy}\sin 2\theta$$

$$\sigma_y{}' = (\sigma_x + \sigma_y)/2 - \left[(\sigma_x - \sigma_y)/2\right] \times \cos 2\theta - \tau_{xy}\sin 2\theta$$

$$\tau_{x'y'} = -\left[(\sigma_x - \sigma_y)/2\right] \times \sin 2\theta + \tau_{xy}\cos 2\theta$$

3차원적 경사면에 작용하는 응력을 간단히 구해보자. 그림 2.5와 같이 정육면체의 3차원 재료요소가 회전하기 전에는 힘 P_y에 의해 다음과 같은 응력이 발생한다.

$$\sigma_{yy} = \sigma_y = P_y/A_y$$

축 $x-y$가 $x'-y'$으로 θ만큼 시계방향으로 회전하여, y축과 y′축 간의 각도가 θ라면, 빗금친 경사면에 수직하게 작용하는 힘 $P_y{}' = P_y\cos\theta$가 되므로

$$\sigma_y{}' = \sigma_{yy}{}' = P_y{}'/A_y{}' = (P_y\cos\theta)/(A_y/\cos\theta) = \sigma_y\cos^2\theta$$

와 같이 구할 수 있다. 위의 식 역시 요소가 회전하기 전의 응력과 회전각을 알면 회전 후의 응력 값을 구할 수 있다는 의미를 갖는다.

Chapter 1
Chapter 2
Chapter 3
Chapter 4
Chapter 5
Chapter 6
Chapter 7
Chapter 8

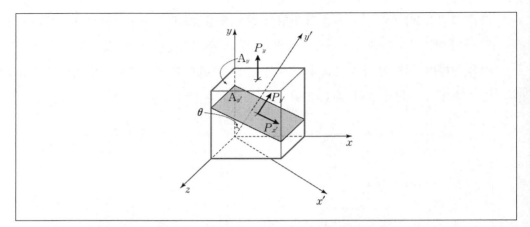

그림 2.5 3차원적 정육면체 요소의 경사면에 작용하는 응력

2.1.3 주응력

앞에서 회전 후의 수직응력 σ'과 전단응력 τ'은 회전하기 전의 응력값들과 부호 그리고 응력이 작용하는 경사면의 각도 θ에 의해 결정됨을 알았다. 이는 처음의 (회전 전의) 응력값을 안다면 경사면의 각도 θ에 따라 모든 경사면에 작용하는 새로운 수직응력 σ'과 전단응력 τ'을 모두 구할 수 있음을 의미한다.

회전각도에 따라 변하는 응력값들을 구하다 보면, 그 값이 최대 또는 최소값이 되는 각도를 알 수 있을 것이다. 이와 같이 응력 값들이 최대 또는 최소가 되는 응력을 주응력(principal stress)이라고 정의한다. σ_x', σ_y'이 최대 또는 최소가 되는 평면 또는 전단응력 $\tau_{x'y'}$이 최대가 되는 평면을 아는 것은 공학적 측면에서 매우 중요하다.

이 주응력을 구하기 위해서는 앞 절에서 σ_x', σ_y' 및 $\tau_{x'y'}$의 식을 θ에 대하여 미분하여 0으로 놓고 계산하거나, 모어원을 통하여 모어원의 가장 바깥지름에 접하는 값을 읽어서 구해주면 된다. 이로부터 구한 주응력은 다음 식과 같다.

$$\sigma_{1,\,2} = \frac{\sigma_x + \sigma_y}{2} \pm \sqrt{\left(\frac{\sigma_x - \sigma_y}{2}\right)^2 + \tau_{xy}^2}$$

각 주응력이 최대 또는 최소가 되는 평면의 방향, 즉 주응력이 작용하는 평면의 방향 $\theta = \theta_p$는 다음 식에 의해 구할 수 있다.

$$\tan 2\theta_p = \frac{\tau_{xy}}{(\sigma_x - \sigma_y)/2}$$

$\sigma_\mathrm{x}{}'$, $\sigma_\mathrm{y}{}'$이 최대 또는 최소가 되는 응력에서는 그 때 구한 θ값을 대입하면 $\tau_{x'y'}$의 값이 0이 되는 특징을 보인다. 즉 주응력이 최대가 되는 평면에서 전단응력은 작용하지 않는다.

한편 전단응력이 최대가 되는 면내 최대 전단응력의 값은 다음 식에 의해 구할 수 있으며,

$$\tau_{\mathrm{max\ in-plane}} = \sqrt{\left(\frac{\sigma_\mathrm{x} - \sigma_\mathrm{y}}{2}\right)^2 + \tau_\mathrm{xy}^2}$$

최대 전단응력이 작용하는 평면의 방향은 다음 식에 의해 구할 수 있다.

$$\tan 2\theta_\mathrm{s} = \frac{-(\sigma_\mathrm{x} - \sigma_\mathrm{y})/2}{\tau_\mathrm{xy}}$$

3차원적 재료요소에서의 주응력 σ_p는 다음 식에 의해 구할 수 있다.

$$\sigma_\mathrm{p}^3 - l_1\sigma_p^2 - l_2\sigma_p - l_3 = 0,$$

$$\text{여기서 } l_1 = \sigma_\mathrm{xx} + \sigma_\mathrm{yy} + \sigma_\mathrm{zz}$$

$$l_2 = \tau_{yz}^2 + \tau_{zx}^2 + \tau_\mathrm{xy}^2 - \sigma_\mathrm{yy}\sigma_\mathrm{zz} - \sigma_\mathrm{zz}\sigma_\mathrm{xx} - \sigma_\mathrm{xx}\sigma_\mathrm{yy}$$

$$l_3 = \sigma_{xx}\sigma_{yy}\sigma_\mathrm{zz} + 2\tau_{yz}\tau_{zx}\tau_\mathrm{xy} - \sigma_\mathrm{xx}\tau_\mathrm{yz}^2 - \sigma_\mathrm{yy}\tau_\mathrm{zx}^2 - \sigma_\mathrm{zz}\tau_\mathrm{xy}^2$$

주 응력의 경우,

$$l_1 = \sigma_1 + \sigma_2 + \sigma_3$$

$$l_2 = -\sigma_{22}\sigma_{33} - \sigma_{33}\sigma_{11} - \sigma_{11}\sigma_{22}$$

$$l_3 = \sigma_{11}\sigma_{22}\sigma_{33}$$

2.2 변형률

2.2.1 서론 및 개요

변형률(strain)이란 재료에 가해진 힘에 의해 상대적으로 형태가 변화된 정도를 나타내는 개념이다. 만약 길이만 변화되었다면 늘어난 정도를 나타낸다. 그림 1.3과 같이 재료에 수직응력(normal stress)이 가해져 늘어난 후의 길이를 L, 늘어나기 전의 처음길이를 L_0라 할 때 늘어난 길이에서 처음길이를 뺀 값을 변위(displacement), ΔL 이라고 하며 이를 다시 처음 길이로 나누어 정의하는 것을 공학 변형률(engineering strain) 또는 공칭변형률(nominal strain)이라고 한다.

Chapter 1

Chapter 2

Chapter 3

Chapter 4

Chapter 5

Chapter 6

Chapter 7

Chapter 8

$$e = (L - L_0)/L_0 = \Delta L/L_0$$

앞에서와 같이 수직응력에 의해 재료의 변화가 일어난 발생하는 변형률을 수직변형률(normal strain), 전단응력에 의해 발생하는 변형률을 전단변형률(shear strain), 균일한 압축력 등에 의해 부피감소가 일어난다면 부피변형률(volume strain)이라고 한다.

하중이 측정되는 순간의 길이 변화 dL로부터 변형률을 다음과 같이도 구할 수 있으며,

$$d\varepsilon = dL/L$$

이를 초기 길이 L_0부터 현재 길이 L까지 적분해주면,

$$\varepsilon = \int (dL/L) = \ln(L/L_0)$$

으로 정의되는 변형률을 진 변형률(true strain)이라고 한다.

앞에서 공칭변형률 $e = (L - L_0)/L_0$이었으므로,

$$e = L/L_0 - 1$$

이므로,

$$L/L_0 = 1 + e$$

이고, 체적변화는 없으므로

$$L/L_0 = A_0/A$$

이다. 한편 2.1.1절에서 진응력 $\sigma = P/A$이었으므로,

$$\sigma = P/A = (P/A_0)(A_0/A) = (P/A_0)(1 + e) = \sigma_e(1 + e)$$

로서 진응력 σ과 공칭응력 σ_e간의 관계를 공칭변형률을 사용하여 표현할 수 있다. 한편, 진변형률은

$$\varepsilon = \ln(L/L_0) = \ln(A_0/A) = \ln(1 + e)$$

로서 공칭변형률과의 관계로 표현할 수 있다. 위 식에서 e가 0의 값에 수렴하면 ε은 e의 값에 가까워진다.

일반적인 응력－변형률 곡선은 공칭응력－공칭변형률 곡선으로서 실험적으로는 공칭변형률을 구하여 처음 상태에 비하여 얼마나 변형이 일어났는지를 알 수 있다. 반면 진응력은 몇몇 경

Chapter 1

Chapter 2

Chapter 3

Chapter 4

Chapter 5

Chapter 6

Chapter 7

Chapter 8

우에 편리한 경우가 있어 사용되는데 예를 들면, 인장 및 압축응력 하의 동일한 양의 변형에 대한 진 변형률은 부호만 다르고 동일하다. 그림 2.6과 같이 특히 진변형률은 동일한 변형률 값을 더할 경우 최종길이와 처음길이로부터 계산된 진변형률 값이 산출된다. 반면 공칭변형률은 동일한 변형률 값을 더할 경우 최종길이와 처음길이로부터 계산된 변형률 값이 나오지 않음을 알 수 있다. 즉 진변형률은 합산이 가능한 (additive property) 특징을 갖는다. 또한 부피변형률을 3개의 수직 진변형률의 합으로 표현할 수 있다. 예를 들어 부피가 일정하다면,

$$\varepsilon_x + \varepsilon_y + \varepsilon_z = 0$$

이다.

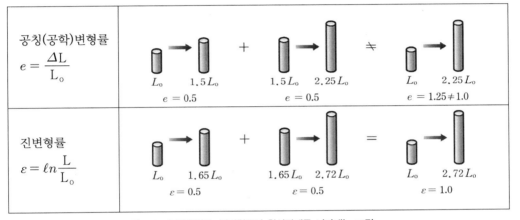

그림 2.6 공칭변형률, 진변형률의 합산관계를 나타내는 그림

2.2.2 다축 변형률

2차원 변형률

재료의 모양이 변할 때는 이동(translaion), 회전(rotation), 변형(deformation)이 일어난다. 다음 그림 2.7과 같이 2차원 공간에 사각형의 직육면체가 있다. 만약 점 A가 x축 방향으로 u 만큼, y축 방향으로 v만큼 이동하고, AB의 변이 A′B′으로 변한다면, 수직변형률 ε_{xx}는 수직 공칭변형률의 정의 $\Delta L/L_0$에 의해,

$$\varepsilon_{xx} = [A′B′변의 길이 - AB 변의 길이]/AB 변의 길이$$
$$= [A′B′변의 길이/AB 변의 길이] - 1$$

과 같이 구할 수 있다.

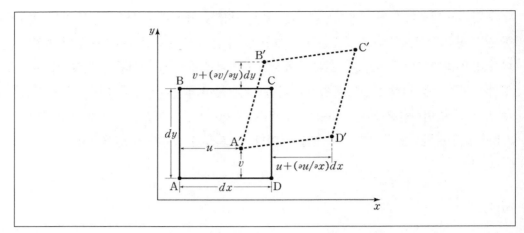

그림 2.7 2차원적 재료 요소에서의 변형률

만약 변형률이 작다면, 이 값은 다음과 같이 표현될 수 있다.

$$\varepsilon_{xx} = (\partial u/\partial x)dx/dx = \partial u/\partial x$$

마찬가지로,

$$\varepsilon_{yy} = (\partial v/\partial y)dy/dy = \partial v/\partial y$$

과 같이 쓸 수 있다. 전단변형률도 마찬가지로 AD 변이 A′D′변으로 바뀌는 것으로부터,

$$(\partial v/\partial x)dx/dx = \partial v/\partial x \text{ 및}$$

$$(\partial u/\partial y)dy/dy = \partial u/\partial y$$

으로 쓸 수 있다.

⊟ 3차원 변형률

실제 기계재료는 3차원의 공간 내에 존재한다. 다음 그림 2.8과 같이 재료 내의 한 점 A가 x축 방향을 따라 u_x만큼 변하고, y축 방향을 따라 u_y만큼 그리고 z축 방향을 따라 u_z만큼 변하여 B점으로 변형이 일어났다면 각 축방향을 따라 발생하는 수직변형률은,

$$\varepsilon_{xx} = \varepsilon_x = \partial u_x/\partial x, \ \varepsilon_{yy} = \varepsilon_y = \partial u_y/\partial y, \ \varepsilon_{zz} = \varepsilon_z = \partial u_z/\partial z$$

이 된다. 만일 힘이 인장방향이고 그 방향으로 늘어난다면 변형률의 부호는 (+), 그 반대 방향이면 (−)로 정의한다.

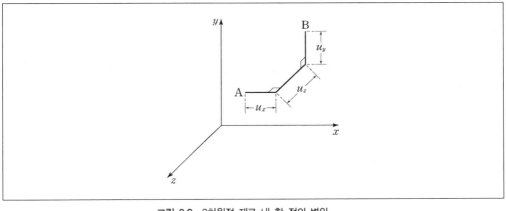

그림 2.8 3차원적 재료 내 한 점의 변위

한편 전단변형률은 부피를 갖는 재료요소가 뒤틀려서 발생할 때 정의된다. 다음 그림 2.9와 같이 (a) 전단(shear)과 (b) 회전(rotation)에 의해 (c)와 같이 변형이 일어나는 경우를 생각해 보자. 그림(a)와 같이 점 A에서 B로 움직인다면 변위는 u_x와 u_y가 된다. 변위 u_y에 집중해 보면, u_y는 x축에 따라 증가하는 것을 알 수 있다. 따라서

$$u_y = (\partial u_y / \partial x)x$$

로 나타낼 수 있고, 한편 수직변형률의 정의에 의해

$$u_y = \varepsilon_y \times y$$

로 쓸 수 있으므로,

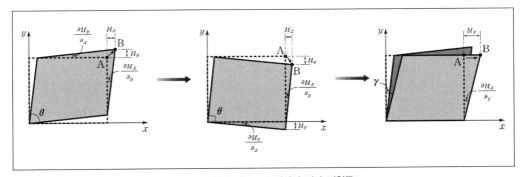

그림 2.9 3차원적 재료 요소에서의 전단 변형률

$$\varepsilon_{xy} = \partial u_y / \partial x$$

로 정의할 수 있다. 한편 그림 (b)에서는 $\partial u_y / \partial x$와 크기는 같고 방향이 반대인 $\partial u_x / \partial y$를 정의할 수 있다. 부호를 무시하고 물리적인 변화량만 생각해 준다면,

$$\varepsilon_{xy} = 1/2(\partial u_x / \partial y + \partial u_y / \partial x)$$

로 다시 정의할 수 있다. 마찬가지로,

$$\varepsilon_{yz} = 1/2(\partial u_y / \partial z + \partial u_z / \partial y)$$
$$\varepsilon_{xz} = 1/2(\partial u_x / \partial z + \partial u_z / \partial x)$$

로 정의된다.

한편 위 식에서 괄호 ( )안에 있는 기호 들을 다음과 같이 정의할 수 있다.

$$\gamma_{xy} = \partial u_x / \partial y + \partial u_y / \partial x$$
$$\gamma_{yz} = \partial u_y / \partial z + \partial u_z / \partial y$$
$$\gamma_{xz} = \partial u_x / \partial z + \partial u_z / \partial x$$

변형률 역시 텐서(tensor)의 형태로 표현할 수 있다.

$$\begin{pmatrix} \varepsilon_x & \varepsilon_{xy} & \varepsilon_{xz} \\ \varepsilon_{yx} & \varepsilon_y & \varepsilon_{yz} \\ \varepsilon_{zx} & \varepsilon_{zy} & \varepsilon_z \end{pmatrix}$$

2.2.3 경계조건

∷ 평면변형률, 평면응력

3차원 변형률을 생각할 때 양쪽이 구속되는 평면변형률(plane stain)상태를 생각해 보자. 평면응력 상태는 다음 그림 2.10의 (a)와 같이 매우 얇은 판의 형태를 가져 $\sigma_z = 0$인 조건인 반면에, 평면 변형률 상태는 z축 방향으로의 변형이 구속되어 $\varepsilon_z = 0$인 상태이다. 즉, 구속된 경계에서는 변형률의 영향을 받지 않는다.

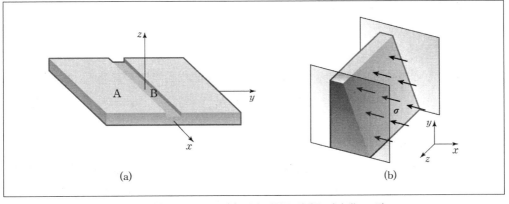

Chapter 1

Chapter 2

Chapter 3

Chapter 4

Chapter 5

Chapter 6

Chapter 7

Chapter 8

그림 2.10 (a) 평면 응력 및 (b) 평면 변형률 상태를 나타내는 그림

매우 얇은 판일 경우 표면에 수직하게 작용하는 응력은 무시할 수 있으므로

$$\sigma_z = 0$$

이고 따라서 이에 의한 전단응력은 발생하지 않으므로

$$\tau_{xz} = \tau_{yz} = 0$$

이며, 특히 그림 2.10의 (a)와 같은 판에 좁은 홈의 영역 B가 있다면 이 영역은 양쪽 두터운 부분의 물질 A에 의해 구속의 상태이므로, 홈의 변형은 양쪽 두터운 재료의 영향을 받게 된다. 따라서

$$\varepsilon_{xA} = \varepsilon_{xB}$$

가 된다. 한편 3차원적 후크의 법칙에 의하면

$$\varepsilon_z = (-1/E)\upsilon(\sigma_x + \sigma_y)$$

이므로 $\sigma_z = 0$이라고 해서 반드시 $\varepsilon_z = 0$의 값은 아니다. 또 거꾸로 평면변형률 상태라고 반드시 평면응력 $= 0$은 아니다. 즉,

$\varepsilon_z = 0$일 경우, $\tau_{xz} = \tau_{yz} = 0$이고, $\gamma_{xz} = \gamma_{yz} = 0$지만,

$$\varepsilon_z = (1/E)[\sigma_z - \nu(\sigma_x + \sigma_y)] = 0$$

으로부터

$$\sigma_z = \nu(\sigma_x + \sigma_y)$$

이 된다. 즉 0의 값이 아니다.

또한 평면변형률 상태에서는

$$\sigma / \varepsilon = E / (1 - \nu^2)$$

으로서, 탄성계수 값은 평면응력상태에서의 후크의 법칙과는 다르게 구해진다.

다음 표 2.1과 같이 평면응력과 평면변형률에서 정의되는 것이 다르다는 것을 알 수 있다.

표 2.1 평면응력과 평면변형률에서 공식의 비교

구 분	평면응력(plane stress)	평면변형률(plane strain)
기하	thin (얇은 박판형태)	thick (경계가 구속된 형태)
수직응력	$\sigma_z = 0$	$\sigma_z = \nu(\sigma_x + \sigma_y)$ $\sigma_z = \nu(\sigma_r + \sigma_\theta)$
수직변형률	$\varepsilon_z = -(1/E)[\nu(\sigma_x + \sigma_y)]$	$\varepsilon_z = 0$
전단응력	$\tau_{xz} = \tau_{yz} = 0$	$\tau_{xz} = \tau_{yz} = 0$
전단변형률	$\gamma_{xz} = \gamma_{yz} = 0$	$\gamma_{xz} = \gamma_{yz} = 0$
탄성계수	E	$E / (1 - \nu^2)$

☐☐ 생 베낭(Saint Venant)의 원리

앞에서 평면응력, 평면변형률의 특수한 상태를 생각할 때는 3차원적 변수들로부터 고려해야 할 변수의 값들이 줄어드는 것을 알 수 있으며, 기계공학적 문제를 다룰 때 중요하다고 할 수 있다. 이는 경계조건을 생각함으로써 보다 문제를 단순화시킬 수 있기 때문이다.

예를 들면 그림 2.11에서,

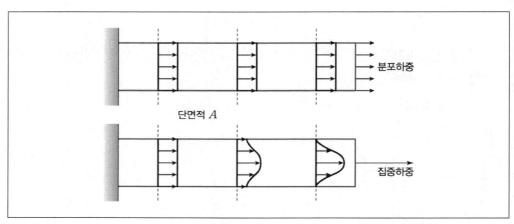

그림 2.11 생 베낭의 원리를 나타내는 그림

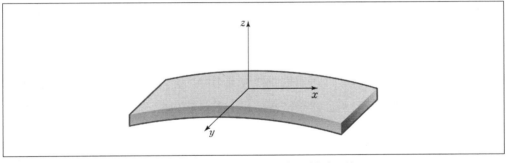

윗 그림과 같이 한쪽 변에 고정되어 있는 막대에 분포하중이 작용할 경우 모든 재료가 동일한 분포하중을 받는다고 생각하여 고체역학적으로 문제를 푼다. 그러나 실제로는 특히 막대의 한쪽 끝은 고정되어 있고 다른 쪽 끝에 집중하중이 가해지는 경우 하중에 의한 응력의 분포는 재료의 위치별로 다르게 된다.

이와 같이 생베낭의 원리란 하중이 작용하는 부분은 하중의 종류에 따라 차이가 나타나 변형률 및 응력분포가 달라지지만, 하중이 작용하는 부분으로부터 거리가 멀어질수록 그 차이가 줄어들어 변형률 및 응력분포가 같아지게 되는 원리를 말한다. 막대의 길이가 매우 길고, 막대가 벽에 단단히 박혀있는 구조라면 힘을 받는 부위와 정반대의 경계부근에서는 집중하중의 영향을 거의 받지 않을 수도 있게 되는 것이다.

예를 들어 다음 그림 2.12와 같이 두께는 얇고 폭은 두꺼운 판재가 일정한 곡률반경으로 굽힘이 발생할 때, 평면 변형률 상태, $\varepsilon_y = 0$인 상태가 대부분의 재료를 지배하게 된다. 이는 두께가 매우 얇으므로 윗 표면과 바닥면이 너무 가까워 팽창과 수축할 때 서로 영향을 받기 때문이다. 앞에서 $\varepsilon_y = 0$인 경우 반드시 $\sigma_y = 0$이 아님은 3차원적으로 서로 영향을 받기 때문임을 공부하였다. 그러나 $\varepsilon_y = 0$인 경우에도 $\sigma_y = 0$이 되는 경우가 있는데, 그림에서 얇은 판재의 길이가 길다면, 판재의 끝에서는 최대 굽힘하중이 작용하는 지점과 가장 먼 쪽이므로 그 영향을 받지 않을 수 있다.

그림 2.12 얇은 판재가 굽힘 응력을 받는 경우의 모식도

또 다른 예로서 그림 2.13과 같이 인장응력이 가해지는 시험편을 생각해 보자. 인장 시험편의 길이가 매우 길다고 가정하면 시험편의 끝 쪽에서는 인장응력에 의한 측면수축을 무시할 수 있다. 따라서 국제표준규격에서는 인장시험편의 인장응력이 영향을 받지 않는 길이를 제시하여 규격화하고 있다. 그림에서 샘플의 끝에서 직경에 해당하는 거리 d까지의 거리에서는 인장응력의 영향을 받지 않는다. 이는 생베낭의 원리를 적용한 중요한 사례라고 말할 수 있다.

Chapter 1
Chapter 2
Chapter 3
Chapter 4
Chapter 5
Chapter 6
Chapter 7
Chapter 8

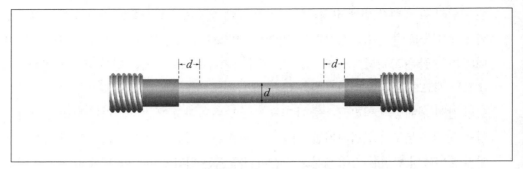

2.3 재료시험

2.3.1 서론 및 개요

재료시험은 재료의 특성을 평가하는 시험을 말한다. 다음 절에서 기술할 재료특성의 값을 재료시험을 통해 얻어내기도 하지만, 힘을 증가시키고 감소시킴에 따른 재료의 반응, 즉 재료의 거동을 고찰할 수 있는 정보를 제공한다.

힘의 종류를 생각하면 수직력, 즉 샘플의 단면적에 수직하게 힘을 가할 때의 인장력과 압축력, 단면적에 평행하게 힘을 가하는 전단력, 샘플의 하단 양쪽을 고정하고 상부의 중앙에 압축으로 하중을 가하여 모멘트를 발생시키는 굽힘하중 등 다양한 하중을 이용한 시험이 수행된다.

일반적으로 샘플이 파괴될 때까지 인장력을 가하는 시험을 인장시험, 압축력을 가하는 시험을 압축시험이라고 한다. 또 샘플이 파괴될 때까지 굽힘하중을 가하는 시험을 굽힘시험이라고 한다. 단면적에 평행하게 전단력을 가하는 시험은 전단시험이며 단면적에 평행한 모멘트를 가하는 시험은 비틀림시험이다. 한편 보 (beam)의 축선에 수직하게 하중을 가하는 시험은 굽힘시험이며, 기둥(column)의 축선에 평행하게 하중을 가하는 시험을 좌굴(buckling)시험이라고 한다.

2.3.2 인장시험, 굽힘시험

⌿ 인장시험

재료시험의 대표적인 것은 인장시험(tensile test)이다. 무엇보다 재료의 종류에 관계없이 시험할 수 있다. 강성이 있는 소재는 탄성적 성질을 알 수 있으며, 탄, 소성거동을 동시에 보이는 소재는 탄성 뿐만 아니라 소성적 변화를 알 수 있다. 연성이 있는 소재의 변형정도를

Chapter 1

Chapter 2

Chapter 3

Chapter 4

Chapter 5

Chapter 6

Chapter 7

Chapter 8

측정할 수도 있다. 또한 취성이 있는 소재의 충격에 대한 저항성을 알 수 있는 정보를 제공받을 수 있다. 인장강도, 항복강도, 변형률 등의 정보로부터 공업용 재료와 부품, 시스템을 설계하는데 시험결과가 활용된다.

그림 2.14에서와 같이 만능시험기에 시험편을 장착한 후 시험편을 당기는 인장의 방향으로 힘을 가한다. 하중계로부터 힘(하중)을 측정하는데 로드셀이 탄성변형하면 이를 전기신호로 센싱하여 힘을 측정하게 된다. 인장시험편은 그림 2.13 및 2.15에서와 같은 모양을 갖도록 제작한다. 바깥 쪽의 직경을 안 쪽의 직경보다 크게 하는데 이는 시험편을 시험기에 고정시키기 위해 그립, 핀 또는 스크류로 체결해주기 위함이며, 또한 그립부 보다 직경이 작은 쪽에서 변형이 일어나도록 하기 위함이다. 중요한 부분은 게이지 길이로서 그림 2.13과 같이 그립을 잡는 부위를 제외한 길이에서 직경만큼 양쪽에서 제외한 길이로 정의된다. 이러한 게이지 길이는 직경에 비하여는 길어야 한다. 시험편의 형상은 따라서 시험도중 그립부위에서 미끄러짐이나 파손이 발생하지 않도록, 형상의 가능한 중앙부위에서 인장력에 의해 변형이나 파손이 일어나고 굽힘이나 비틀림이 일어나지 않도록 적절한 치수를 갖도록 제작되어야 한다.

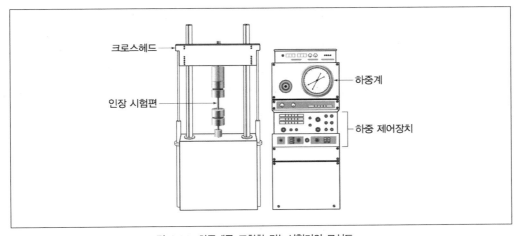

크로스헤드

인장 시험편

하중계

하중 제어장치

그림 2.14 하중계를 포함한 만능시험기의 모식도

인장력이 가해지면 이에 대한 샘플의 늘어난 정도, 즉 신장량(변위)를 측정하게 된다. 그림 2.15과 같이 스트레인 게이지가 부착된 인장시편의 그림을 나타내었다. 스트레인 게이지는 변형률 센서로서 인장력을 받게되면 게이지의 도선의 폭이 감소하게 된다. 도선의 폭이 감소하면 이에 의한 저항 또는 이에 따른 전압이 변화하게 되므로 이 변화로 부터 변형된 정도를 알아낼 수 있다.

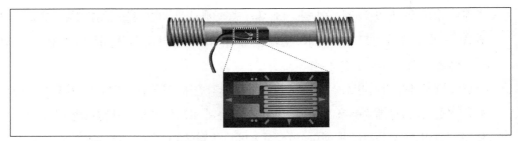

그림 2.15 스트레인 게이지가 부착된 인장 시험편

만능시험기에서의 변형률은 시험편의 소재에 따라 다르게 측정된다. 연성이 있는 소재는 변형이 일반적으로 크다. 따라서 크로스헤드의 속도로부터 변형률을 계산한다. 속도는 시간으로부터 알 수 있고 모든 크로스헤드의 변위가 샘플의 변위에 해당한다고 가정하면 변형률은 단지 크로스헤드의 변위를 최초의 게이지 길이로 나눈 값이 된다. 그립의 변위를 보정해줌으로써 정확한 변형률 값을 계산한다. 반면 강성이 있어서 변형률이 매우 작은 소재에 대해서는 변위계(extensometer)를 사용하여 측정한다. 변위계는 저항이나 정전용량, 인덕턴스의 변화로부터 작은 변위를 측정하는 소자이다. 이 변위는 전기적신호로 바꾸어져 표시된다. 이러한 변형률을 측정함에 있어 샘플을 일직선으로 배열(align)하는 기술이 중요한데, 만약 조금의 뒤틀림이라도 있으면 굽힘응력이 작용하여 실제 값과 다른 오차를 부여하기 때문이다. 이러한 배열은 취성소재의 경우 특히 중요한데 만약 배열이 제대로 되지 않는다면 낮은 강도 값이 측정될 수 있기 때문이다.

만능하중계로부터 얻은 하중과 변위계의 변형률간의 관계를 그래프로 나타낸 것이 다음 그림 2.16과 같은 응력－변형률 곡선이다.

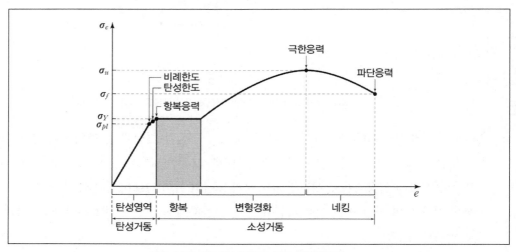

그림 2.16 금속의 전형적인 응력－변형률 곡선

그림에서와 같이 힘이 작을 때는 (응력은 힘에 비례) 처음에는 선형적인 거동을 나타내다가 (이러한 거동을 나타내는 영역을 '탄성영역'이라고 한다), 재료의 내력보다 큰 외력을 받기 시작하면서부터 재료는 비례한도와 탄성한도를 벗어나 항복(이 때의 응력을 '항복응력', 또는 '항복강도'라고 한다)이 일어난다. 재료의 항복응력 이상에서도 재료를 변형시키는데 힘이 증가하는데 이는 재료 내부에 변형경화 현상이 일어나기 때문이다 (재료가 항복이 일어나기 시작하는 영역부터 '소성영역'이라고 한다). 변형에 필요한 최대의 응력을 극한응력이라고 하며 이 때 부터 인장시험편의 중앙부위의 직경이 감소하는 네킹(necking)현상이 일어난다. 네킹이 발생하면 직경이 감소하므로 응력은 더욱 집중되어 이 구간에서는 변형이 쉽게 일어난다 (즉 변형하는데 더 이상 큰 힘이 필요하지 않게 된다). 단면적은 응력에 따라 더욱 감소하다가 궁극적으로 파손되어 재료는 두 개의 파트로 분리가 일어난다.

그림 2.16은 일반적인 금속에 대해 나타낸 응력－변형률 곡선이며 모든 재료가 이와 비슷한 거동을 나타내는 것은 아니다. 폴리머와 같은 재료는 연성이 있어서 매우 낮은 항복강도에서 소성영역으로 진행되며, 세라믹스와 같은 재료는 강성이 있어서 항복이 거의 일어나지 않고 선형거동을 보이다가 급작스럽게 파괴가 일어난다. 복합재료는 복합한 소재의 종류에 따라 매우 다양한 기계적 거동을 보인다.

⁞⁞ 굽힘시험

굽힘시험은 다음 그림 2.17에서와 같이 하부의 양 끝단이 지지된 샘플의 상부 중앙에 압축하중을 가해 굽힘 모멘트를 발생시키는 시험이다. 그림과 같이 양의 모멘트가 발생하면 샘플은 아래로 볼록해지면서 형상이 변화하며, 하부 끝단에는 최대인장응력이, 상부 끝단에는 최대 압축응력이 발생하며, 샘플의 위치에 따라 응력과 변위가 모두 달라지고, 중립축에서는 인장응력과 압축응력이 서로 상쇄되어 응력이 0인 지점이 존재한다.

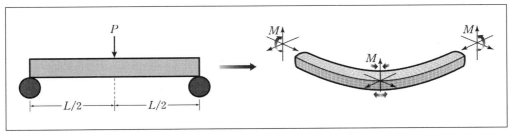

그림 2.17 굽힘 하중에 의한 모멘트의 발생

굽힘시험은 강성과 취성이 있어서 인장시험편을 제작하기가 어려운 경우 인장시험을 대체할 수 있다. 그림 2.18과 같이 굽힘응력이 발생한 폭 b, 두께 d인 샘플의 상부에서부터 1/4인 지점에서 두께 dc의 체적요소를 고려하면, 중립축으로부터의 거리가 c, 굽힘모멘트에 의해 발생하는 곡률반경을 ρ라고 할 때,

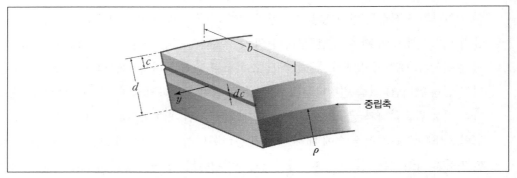

그림 2.18 굽힘 모멘트가 발생한 샘플

공칭변형률 는 다음 식과 같이 쓸 수 있다.

$$e = c/\rho$$

여기서 ρ는 중립축으로부터의 곡률반경이다. 굽힘응력에 의해 발생하는 굽힘모멘트 dM은 모멘트＝힘×거리＝응력×면적×거리이므로,

$$dM = \sigma \times bdc \times c$$

가 된다. 총 모멘트는 dM의 2배이고, 이를 0부터 d/2까지 적분해주면 된다.

$$M = 2 \times \int (\sigma bc)dc$$

로 구할 수 있다. 폭이 두께보다 크고, 굽힘응력이 탄성구간 내라고 가정한다.

$$\sigma = e \times E = (c/\rho) \times E$$

이므로 σ를 위 식에 대입하고, 이를 0부터 d/2까지 적분해주면

$$M = 2b(E/\rho) \times \int c^2 dc = 2b(E/\rho) \times [(d/2)^3/3]$$

$$= b(E/\rho) \times (d^3/12)$$

한편 표면에서의 응력은 중립축으로부터 두께가 d/2인 지점에서의 응력이 되므로

$$\sigma_s = E \times e = E \times (d/2)/\rho$$

가 된다. 이 식에 앞의 모멘트의 식으로부터 구한

$$\rho = bEd^3/12M$$

를 대입해주면,

$$\sigma_s = 6M/bd^2$$

으로 간략화될 수 있다.

2.3.3 압축시험, 전단시험

∷ 압축시험

인장시험보다 더 많은 변형률을 야기하는 시험은 압축시험(compression)이다. 그러나 강성이 있는 샘플은 변형률이 수반되지 않는다. 또한 압축시험은 마찰력과 좌굴이 일어날 수 있으므로 유의하여야 한다. 압축시험을 가할 때 마찰은 샘플을 퍼지게 할 수 있으므로 시험 시 윤활제(lubricant)를 시험지그에 도포하여 마찰을 감소시키거나, 샘플의 직경대 길이의 비율, h/Φ을 증가시켜 마찰을 줄인다.

압축력에 의해 변형을 일으키는 평균압력 P는 다음의 식과 같이 구할 수 있다.

$$P = Y\,[1 + (\mu\Phi/h)/3 + (\mu\Phi/h)^2/12 + \dots]$$

위 식에서 μ는 재료의 마찰계수이고, Y는 재료의 항복응력이다. 만약 윤활제 등을 통해 샘플의 마찰을 줄일 수 있게 되면 위 식은 다음의 식과 같이 간략화 될 수 있다.

$$P = Y + (1/3)k(\Phi/h)$$

여기서 k는 재료의 전단강도 값이다. 따라서 평균압력을 알고, 재료의 항복강도 값을 알면 전단강도를 구할 수 있는 식도 된다. 그러나 엄밀히 말하면 재료의 마찰계수나 전단강도 값은 일정한 값은 아님에 유의해야 한다.

직경대 길이의 비율, h/Φ, 을 크게하면 마찰의 영향을 줄일 수 있으나 너무 커서

$$h/\Phi \gtrsim 1.5$$

의 값 이상이 되면, 즉 높이가 커지게 되면 좌굴이 일어나기 쉽다. 다음 그림 2.19에 마찰에

Chapter 1
Chapter 2
Chapter 3
Chapter 4
Chapter 5
Chapter 6
Chapter 7
Chapter 8

의한 재료의 퍼짐현상과 좌굴현상이 일어난 모식도를 나타내었다.

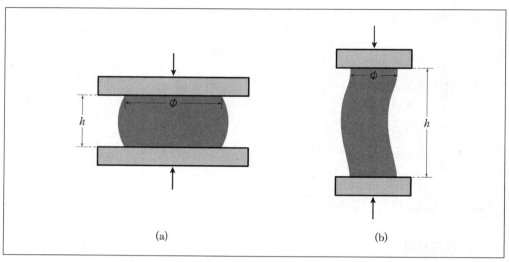

그림 2.19 압축 응력에 의해 일어날 수 있는 (a) 퍼짐(spreading)현상과 (b) 좌굴(buckling) 현상

⫶ 비틀림 시험

압축시험보다 더욱 큰 변형률을 인가하는 시험법으로 전단모멘트를 통해 비틀림을 발생시키는 비틀림 시험(torsion)이 있다. 그림 2.20과 같이 봉의 한쪽 끝은 벽에 고정되어 있고, 부가된 모멘트에 의해 다른 한면이 비틀어진다고 가정하자.

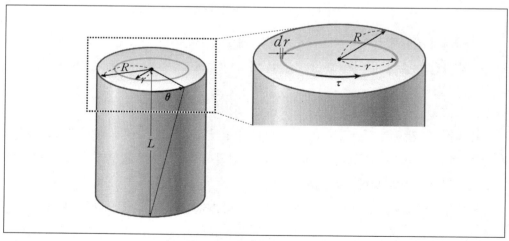

그림 2.20 전단모멘트에 의한 비틀림 시험의 모식도

고무와 같이 변형이 잘되는 재료는 비틀림 시험에서 전단에 의해 쉽게 변형이 일어난다. 봉의 단면의 최대 반경은 R, 임의 체적요소의 반경은 r, 봉의 길이는 L이다. 비틀림 각이 θ라면 전단변형률 γ는 다음 식으로 계산할 수 있다.

$$\gamma = (r \times \theta)/L$$

한편 토오크는 힘 x 거리이고, 힘은 응력 x 면적이므로

$$dT = \tau \times (2\pi r dr) \times r$$

이 된다. 위 식에서 τ는 전단응력, r을 임의의 체적요소까지의 거리라 하면 $2\pi r dr$은 체적요소의 면적이 된다. 위 식을 0부터 R까지 적분해주면

$$T = 2\pi \int (\tau r^2) dr$$

한편,

$$\tau = G\gamma = G \times (r \times \theta)/L$$

이므로,

$$T = 2\pi(\theta/L)G \int r^3 dr$$
$$= (\pi/2) \times (\theta/L) \times G \times R^4$$

으로 구할 수 있다.

$$GR\theta/L = \tau_s$$

라고 하면,

$$T = (\pi/2) \times R^3 \times \tau_s$$

와 같이 바꾸어 쓸 수 있으므로,

$$\tau_s = 2T/(\pi R^3)$$

으로도 구할 수 있다.

2.4 재료특성

2.4.1 재료의 기계적 특성

시스템을 설계하는데 있어서는 반드시 다양한 수의 부품이 조립되어져야 하고 부품은 재료를 선택해 어느 형상으로 제작하여져야 한다. 기존의 시스템 대비 문제점을 해결하고 성능을 향상시키기 위해서 또는 새로운 기능을 부여하기 위해서는 재료의 특성이 전체 시스템의 효율이나 성능에 영향을 미칠 수 있다. 따라서 엔지니어가 설계를 위해 재료를 선택하려면 재료특성에 대해 알고 있어야 한다.

특히 힘을 받아 구동하는 시스템의 경우는 힘에 대한 재료의 특성을 알아야 한다. 여기서 힘에 대한 재료의 특성을 기계적 특성이라고 하며, 즉 재료의 기계적 특성은 외부 힘에 대한 재료의 저항정도가 어느 정도 인지 제시한다. 이러한 저항의 근본적인 이유는 재료는 원자들이 어느 힘으로 결합되어 있기 때문이다. 즉 재료의 내력에 해당하는 힘에 해당하는 힘이 외부에서 주어지지 않는 한, 변형이나 파손이 일어나지 않는다. 단 이 때 열에 의한 변화는 없다고 가정한다.

재료의 기계적 특성으로는 탄성계수, 압축강도, 연신율, 피로한계, 손실계수, 마모상수 등 다양한 특성이 있지만, 여기서는 대표적인 재료의 기계적 특성인 강성, 강도, 경도, 인성에 대하여 살펴보기로 한다.

⠿ 강성(stiffness)

강성은 재료의 강한 성질을 말하며 변형률에 대해 저항하는 성질이라고도 할 수 있다. 외부 힘에 의해 재료가 반응할 때의 대표적인 것이 모양이 변하는 것인데 동일한 힘에서 모양이 변하지 않을수록 강성이 높다고 말할 수 있다. 재료의 변형이 거의 일어나지 않으면 강성이 높다고 말할 수 있다.

강성은 일반적으로 재료를 그룹으로 구분할 때 그 재료의 특성에 따라 다르게 되는데 일반적으로 응력－변형률 곡선에서 초기 선형탄성구간의 기울기로부터 파악할 수 있다. 다음 그림 2.21은 연성이 있는 금속 및 플라스틱, 취성이 있는 세라믹스의 전형적인 응력－변형률 곡선이다.

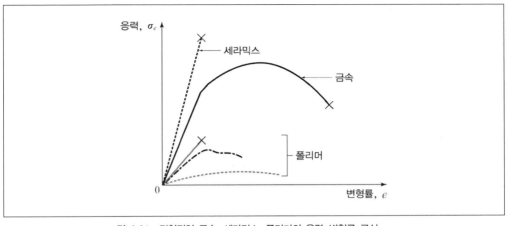

Chapter 1

Chapter 2

Chapter 3

Chapter 4

Chapter 5

Chapter 6

Chapter 7

Chapter 8

그림 2.21 전형적인 금속, 세라믹스, 폴리머의 응력-변형률 곡선

강성은 원자결합력에 비례하고 충진율이 높을수록 우수해지므로 금속과 세라믹스의 강성이 일반적으로 폴리머보다 높다. 열경화성 폴리머는 단단하고 취성이 있다. 금속은 선형적인 구간에서는 변형에 대해 저항하는 강성이 있지만 항복강도 이상, 즉 재료가 항복을 하고나서는 비선형구간에 도달하게 되며 특히 곡선의 최대점 이상에서는 강성을 잃어버리게된다. 세라믹스는 항복이 일어나지 않고 선형구간의 기울기가 다른 재료보다 크며 너무 강성이 세서 쉽게 부러진다. 선형구간의 기울기는 Hooke의 법칙에 의해 E로 표시되며 그 구간 내에서는 응력값을 변형률 값으로 나눈 값을 계산하며 일반적으로 선형구간 내에서의 최대 응력을 최대 변형률 값으로 나눈 값으로 계산한다.

$$\mathrm{E} = \sigma/\varepsilon$$

재료에 수직응력을 가하지 않고 전단응력을 가하여 발생하는 변형률 값으로부터 전단응력-변형률 선도를 얻는다면 역시 선형구간의 기울기가 존재하고 이 때의 기울기 값을 G라고 하면, G와 E간에는 서로 관계성이 있으며 다음 식과 같이 쓸 수 있다.

$$\mathrm{G} = \mathrm{E}/\{2(1+\nu)\}$$

위 식에서 ν는 재료의 포아슨 비(Poisson's ratio)이다.
마찬가지로 체적계수 K는 정수압 하중에 대한 반응을 나타낸다. 등방성 재료에서 탄성계수들은 다음과 같은 상호 관계식이 있다.

$$\mathrm{K} = \mathrm{E}/\{3(1-2\nu)\}$$
$$\mathrm{E} = 3\mathrm{G}/\{1+\mathrm{G}/3\mathrm{K}\}$$

고체에서의 일반적인 포아슨 비 값을 $\nu \sim 1/3$의 값으로 놓으면,

$$G \sim 3E/8$$

이고,

$$K \sim E$$

가 된다.

고무와 같은 탄성중합체는 포아슨 비 $\nu = 1/2$이므로,

$$G \sim E/3$$

이고, K는 E보다 큰 값이 된다.

┇┇ 강도(strength)

재료의 강도는 재료를 변형 또는 파괴시키는데 필요한 힘이라고 일반적으로 정의되며, 재료의 종류에 따라 서로 다르게 정의된다. 금속의 경우는 파손보다는 변형이 상대적으로 수명에 영향을 미친다. 따라서 금속의 경우는 항복강도(yield strength)를 재료의 강도로 많이 정의한다. 단, 금속의 경우 0.2%의 변형률에 해당하는 0.2%오프셋 항복강도, 즉 0.2%의 변형에 해당하는 응력을 항복강도로 정의하는 반면, 고분자(polymer)의 경우는 응력—변형도 곡선이 두 재료에 비해 현저하게 비선형구간으로 빠르게 진입하는 경우가 많고, 보통 1%의 변형도에 해당하는 비선형구간이 시작되는 응력으로 정의한다. 유리나 세라믹스의 경우는 항복이 거의 일어나지 않기 때문에 파괴강도(fracture strength) 또는 파단강도를 재료의 강도로 정의한다. 취성이 있고 가공이 어려운 세라믹스는 굽힘강도(flexural strength)를 인장강도를 대신하기도 한다. 복합재료의 강도는 일반적으로 선형탄성거동에서 0.5%벗어난 순간의 응력으로 정의한다.

세 가지 재료분류 중 대표적인 금속의 강도를 좀 더 생각해 보기로 하자. 금속의 강도는 다음 그림 2.22와 같이 세 가지 종류의 강도를 정의할 수 있다.

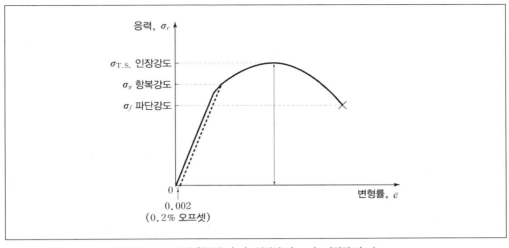

그림 2.22 금속의 항복강도(σ_y), 인장강도($\sigma_{T.S.}$), 파단강도(σ_f)

Chapter 1

Chapter 2

Chapter 3

Chapter 4

Chapter 5

Chapter 6

Chapter 7

Chapter 8

금속의 항복강도는 선형구간과 비선형구간의 경계에 해당하는 응력이다. 선형구간과 비선형구간의 경계점이 뚜렷이 구분되지 않는 경우가 많으므로 0.2%오프셋 방법이 활용된다. 이는 응력－변형률 곡선을 먼저 얻은 후, 변형률에 대해 0.2%에 해당하는 0.002의 변형률의 값으로부터 시작하여 직선구간의 기울기와 같은 기울기로 직선을 그었을 때 그 직선과 응력－변형률 곡선이 만나는 교점에 해당하는 응력을 항복강도로 정의한다. 항복점부터는 내력보다 큰 외력이 부가되어 이 때 부터 재료의 변형이 시작된다. 인장강도는 일반적으로 응력－변형률 곡선의 최대 응력을 말한다. 금속의 최대응력인 인장응력이 가해진 시점부터 중앙부위의 직경이 감소하는 네킹(necking)현상이 일어나 단면적이 감소하므로, 일반적으로 파단강도는 인장강도보다 더 작은 값으로도 파단시킬 수 있다. 때에 따라서는 네킹이 일어나기 시작하는 최대 인장응력을 재료의 강도로 정의하기도 한다.

실제 강도시험은 그림 2.15에서처럼 인장시험편을 제작하고 이를 그림 2.14와 같은 시험기에 장착시킨 후 인장응력을 가하여 시험한다. 시험편이 항복 또는 파괴될 때까지의 힘을 측정하고, 시험편의 기하(폭, 두께, 단면적 등)을 고려하여 강도 값을 계산한다.

경도(hardness)

강도시험은 시험편을 일정형상으로 가공해야 하고, 한 샘플이 한 개의 데이터만 제공한다는 면에서 효율적이지 못할 수 있다. 반면 경도시험은 시험편 전체를 파괴시키지 않고 국부적인 손상만 야기하면서도 강도 값을 예견할 수 있다는 장점을 갖고 있다. 경도 값 H는 다음 식과 같이 금속재료의 강도와 일정한 관계를 갖고 있기 때문이다.

$$H = 2/3^{1/2}(1 + \pi/2)\sigma_y = 2.97\sigma_y \sim 3 \times \sigma_y$$

위 식에서 σ_y는 재료의 항복강도 값이다. 즉 경도 값을 구한 후 대략 3으로 나누어주면 항복강도 값을 예측할 수 있다.

경도시험은 다음 그림 2.23에서와 같이 시험편보다 경도와 탄성계수가 큰 압자를 눌러서 표면에 손상을 부여하여 손상의 크기를 측정한다. 즉 경도란 외력에 대한 재료 표면의 저항이라고 할 수 있으며, 영구변형 또는 소성변형에 대한 저항을 측정한다. 경도시험에는 그림과 같이 구형의 압자와 날카로운 압자가 사용된다. 구형의 볼을 압자로 사용하는 시험은 브리넬(Brinell) 경도시험과 로크웰(Rockwell) 경도시험이 있다. 날카로운 압자를 사용하는 경우로서는 누프(Knoop) 경도시험 및 비이커스(Vickers) 경도시험이 있다.

그림 2.23의 (a)에서와 같이 직경 d의 구형의 압입구를 사용하여 일정한 하중 P로 재료의 표면을 압입하였을 때 재료 표면에 형성된 손상(damage)의 크기가 직경 2a를 갖는다고 할 때, 브리넬(Brinell) 경도 값은 다음 식과 같이 계산된다.

$$H = P/Z$$
$$Z = (\pi/2) \times d \times \{d - (d^2 - 4a^2)^{1/2}\}$$

즉, 가해준 힘의 값, 압입구의 직경을 알고, 손상크기를 측정하면 재료의 경도값을 구할 수 있다.

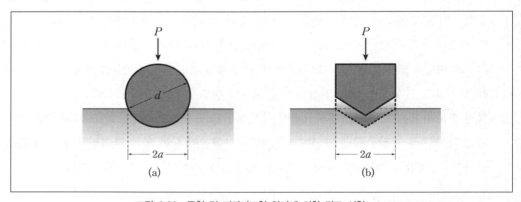

그림 2.23 구형 및 피라미드형 압자에 의한 경도 시험

구형의 압입법은 일정 하중으로 압입 시 재료의 탄, 소성 거동을 일으키는 반면, 누프시험 및 비이커스 시험법은 재료의 국부적인 소성을 야기시켜 경도를 평가한다. 누프(Knoop)시험법은 한쪽 대각선이 긴 피라미드 형상의 다이아몬드 압입자를 사용하며, 비이커스(Vickers)시험법은 네 변이 모두 같은 다이아몬드 단면을 갖도록 피라미드 형상의 압입자를 사용한다. 비이커스 시험법에 의한 경도는 시험편이 연성인가, 취성이 있는 가에 따라서

다른 식이 적용된다. 다음 식과 같이

$$H = 1.85P / (2a)^2$$

은 연성재료의 경도를 비이커스 시험법으로 구하는 식이고,

$$H = P / 2a^2$$

은 강성이 있으며 취성이 있는 재료의 경도를 구하는 식이다. 다양한 시험법에 의해 구한 경도 값은 다음과 같은 관계식을 활용하여 환산할 수 있다는 특징이 있다.

$$H_B \sim 0.95H_v$$

위 식에서 H_B는 브리넬 시험법에 의하여 구한 경도 값, H_v는 비이커스 시험법으로 구한 경도 값이다.

$$H_K \sim 1.05H_v$$

위 식에서 H_K는 누프 시험법에 의하여 구한 경도 값이다.

$$H_R \sim 100 - 1480 / H_B^{1/2}$$

위 식에서 H_R은 로크웰 시험법에 의하여 구한 경도 값이다.

인성(toughness)

인성 또는 파괴인성(fracture toughness)시험은 균열의 전파에 대한 재료의 저항을 평가한다. 일반적으로 취성이 있는 소재에 대한 평가방법이 개발되어 왔으며, 주로 임계 응력확대계수(stress intensity factor) K_{IC}값으로 측정한다.

$$K_{IC} = Y \sigma_f (\pi c)^{1/2}$$

위 식에서 Y는 샘플 및 균열의 기하 등과 관련된 상수로서 1이나 그보다 약간 큰 값이다. σ_f는 재료의 파괴강도, c는 균열의 전파가 일어나는 임계크기이다. 파괴인성 K의 단위는 $MPa \cdot m^{1/2}$이다.

한편 인성(toughness)은 다음 식과 같이 임계 변형에너지방출률(mechanical energy release rate)인 G_c값으로 측정한다.

$$G_c = K_{IC}^2 / E'$$

윗 식에서 평면응력상태에서는 $E' = E$ 이고, 평면변형률상태에서는 $E' = E/(1-\nu^2)$ 이다. 인성의 단위는 kJ/m^2으로서 파괴 시에 재료 내에 흡수되는 에너지와 관계된다.

금속과 같은 연성재료의 경우에는 균열의 선단에 소성영역(plastic zone)이 발생하므로 균열의 전파가 급작스럽게 일어나지 않으므로 상세한 분석과 평가를 필요로 한다. 다음 그림 2.24의 (a)에서 샘플에 미리 균열을 도입하고(pre-crack), 여기에 인장시험을 가하는 시험법의 예를 나타내었다.

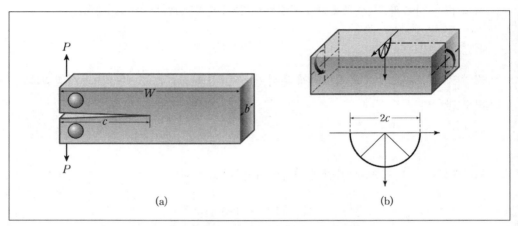

그림 2.24 파괴인성 시험의 예, (a) 연성재료, (b) 취성재료

균열이 잘 전파되지 않으므로 피로시험을 통한 균열의 전파를 유도하기도 한다. 시험편이 파괴될 때까지의 하중 Pc 값을 측정하여 다음의 식과 같이 파괴인성을 측정한다.

$$K_{IC} = 1.64 \times (P_c/bw) \times (\pi c)^{1/2}$$

반면 세라믹스와 같은 취성재료의 경우는 균열의 선단에 소성영역이 존재하지 않으므로 급작스럽게 균열의 전파가 일어난다. 그림 2.24의 (b)에서와 같이 비이커스 압입자에 의한 손상을 위에서 보았을 때 길이 2c의 균열을 측정할 수 있다. 이 때 재료의 파괴인성은 다음 식과 같이 구한다.

$$K_{IC} = \zeta \times (E/H)^{1/2} \times (P/c^{1.5})$$

위 식에서 ζ는 다양한 재료에 대해 구하여 얻은 재료의 종류에 의존하지 않는 재료상수 값 $\zeta = 0.016$이며, E와 H는 시험편의 탄성계수와 경도 값이다. P는 시험 하중, c는 이 때 형성된 균열의 길이이다.

Chapter 1

Chapter 2

Chapter 3

Chapter 4

Chapter 5

Chapter 6

Chapter 7

Chapter 8

2.4.2 설계에 중요한 재료 특성

시스템의 기능을 부여하기 위해서는 재료의 선택이 중요하다고 이미 언급하였다. 이러한 재료가 제조공정을 거쳐 일정한 형상의 부품으로 제작되어 시스템에 적용될 때, 기능 및 성능의 향상에 기여하는 이유는 재료의 향상된 특성 때문일 것이다.

이러한 재료를 선택하는데 있어서는 중요한 기준이 있는데 가격, 무게, 특성이 그것이다. 가격은 소비자의 선택에 있어서 중요한 고려요소 중 하나이며 무게는 시스템의 효율에 영향을 주는 매우 중요한 요소이다. 특성이 시스템의 성능과 직결된다는 것은 말할 필요도 없다고 할 수 있다. 가격과 무게를 최소화할 수 있다면, 재료를 선택한다는 것은 구성 재료들의 특성이 기능을 부여하는 설계 요구조건 (목표)와 잘 부합하는 것을 찾는 것이라고 할 수 있다.

이와 같은 설계 요구조건에 부합하는 특성들과 이들의 재료설계 변수들을 표 2.2에 나타내었다.

표 2.2 설계를 위한 재료특성과 재료설계 변수들을 정리한 표

구 분	특 성	단 위	재료설계변수
물리적특성	밀도	g/cm^3	ρ
기계적 특성	탄성계수	GPa	E(영률), G(전단계수), K(체적계수)
	항복강도	MPa	σ_y
	인장강도	MPa	$\sigma_{T.S}$
	파괴강도	MPa	σ_f
	경도	MPa	H
	연신율	—	ε
	피로한계	MPa	σ_{eL}
	파괴인성	$MPa \cdot m^{1/2}$	K_{IC}
	인성	kJ/m^2	G_{IC}
	마모상수	MPa^{-1}	K_A
열적 특성	녹는점	℃	T_m
	유리전이온도	℃	T_g
	열팽창계수	$℃^{-1}$	α
	열전도도	$W/m \cdot K$	k
	비열	$J/kg \cdot K$	C_p
	열충격저항성	℃	$\triangle T_s$
전기적 특성	전기전도도	$\Omega^{-1} \cdot m^{-1}$	S_e
	전기비저항	$\Omega \cdot m$	ρ_e
	유전상수	—	ε_r
광학적 특성	굴절률	—	n
	반사율	—	R

밀도는 일정한 체적을 갖는 시스템을 고려한다면, 무게에 비례하는 값이다. 따라서 일정한 체적을 갖는 시스템이라면, 밀도가 낮은 재료를 선택하는 것이 무게를 감소시킬 수 있고 구동 중 에너지효율을 증가시킬 수 있다. 단위는 g/cm^{3}이며, 기호는 ρ를 사용한다. 밀도는 질량 m을 체적 V로 나누어 측정하는데,

$$\rho = m/V$$

실제 재료의 밀도는 내부가 꽉 차지 않은 공간인 기공(pore)등을 포함하고 있으므로 다음과 같은 방법으로 측정하여 재료설계 변수로 고려할 때 데이터로 활용한다.

$$\rho = m_d/(m_s - m_w)$$

위 식에서 m_d는 충분히 수분 등을 건조시킨 상태에서 측정하는 건조무게, m_w는 물 속에서 측정하는 현수무게, m_s는 표면에 물을 침투시켜 측정하는 포수무게이다. 위 식에 의하면 무게만 측정하면 밀도 측정이 가능하다.

기계적 특성은 앞 절에서 살펴본 바와 같이 강도, 경도, 인성 등이 중요한 설계변수가 된다. 외부에 의해서 가해진 힘에 의해 발생하는 응력 값 σ가 재료 설계변수 값에 도달하는 순간부터 변형이나 파괴가 일어날 수 있기 때문이다.

$$\sigma \geq \sigma_y$$

의 조건에서 재료는 항복이 일어나 변형될 수 있고,

$$\sigma \geq \sigma_f$$

의 조건에서 재료는 파괴가 일어날 수 있는데 특히 취성이 있는 재료는 급작스런 파손이 일어날 수 있으므로 주의해야 한다.

기계적 특성 중 시간에 따라 하중 값이 변하는 변동하중이 주기적으로 그리고 반복적으로 작용할 때 피로응력이 작용하며, 이러한 반복하중은 균열을 느리게 성장시켜서 외부응력이 파괴강도 값에 이르지 않았음에도 불구하고 파괴를 일으킨다. 이러한 파괴를 피로파괴라고 하며 이를 방지하기 위해 재료의 피로한도 또는 내구한도 σ_{eL}을 설계변수로 고려한다. 다음 그림 2.25에 피로한도를 나타내는 그래프와 마찰거동을 나타내는 모식도를 나타내었다.

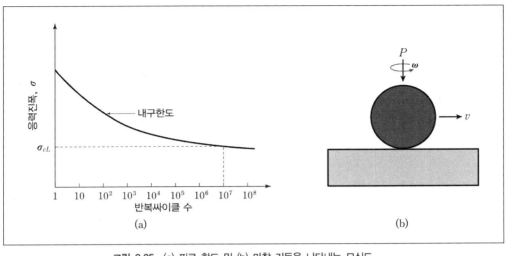

그림 2.25 (a) 피로 한도 및 (b) 마찰 거동을 나타내는 모식도

그래프에서와 같이 피로한도 이하에서는 계속되는 반복하중에도 파괴가 발생하지 않는다. 따라서 외부 힘이 피로한도 이하가 되도록 설계해 주어야 피로하중에 의한 재료의 파손이 일어나지 않는다.

그림 2.25의 (b)와 같이 구 모양의 소재가 직육면체의 소재와 접촉한 상태에서 한 방향으로 미끄러짐이 일어나 마찰이 일어나며, 구의 소재가 강해서 직육면체 소재의 질량이 감소하는 마모현상이 일어날 때 마모상수는

$$K_A = W_R/(P \times A)$$

로 쓸 수 있다. 여기서 W_R은 마모속도, P는 가해준 하중, A는 서로 접촉한 면적이 된다. 마모속도는 단위거리당 표면에서 손실된 재료의 부피를 의미한다. 대부분의 기계는 다양한 부품들이 접촉하여 구동하는 경우가 많으므로 마모가 일어날 가능성이 높고 따라서 부품 간의 마찰에 의한 마모 특성을 미리 파악하여 설계에 반영하여야 한다.

열적특성에 있어 고려해야할 변수는 용융점(T_m), 열팽창계수(α), 열전도도(k), 비열(C_p), 열충격저항성(ΔT_s) 등이 있다. 용융점은 고체를 구성하는 원자들의 결합력이 강할수록 높은 경향이 있다. 고온에서 사용하는 시스템을 설계할 때는 용융점을 반드시 고려하여야 한다.

주위로부터 열을 흡수하는 능력을 열용량(heat capacity)이라 하며 재료의 온도를 1℃올리는데 필요한 에너지이다.

$$C = \Delta U/\Delta T$$

여기서 ΔU와 ΔT는 각각 에너지와 온도변화를 의미한다. 한편 열용량을 질량 m으로 나누어

물질 1g을 1℃올리는데 필요한 에너지를 비열(specific heat)이라고 한다.

$$c = \Delta U / (m \Delta T)$$

대부분의 재료는 열을 받으면 팽창하게 된다. 이는 온도가 원자들을 진동시키고 그 거리를 증가시키기 때문이다. 재료의 열팽창계수 α는 길이변화를 온도변화로 나눈 후 전체 길이 L로 나누어 주는 다음 식으로 정의된다.

$$\alpha = dL / (L dT)$$

열팽창계수는 온도에 따라 다르게 되며, 부품들이 상호 체결되어 사용될 때는 구속의 조건이므로 열팽창이 억제되는데 따라 발생하는 응력을 고려하여 설계하여야 한다.

재료는 진동하는 원자들과 자유전자들에 의해 열을 전도하는 특성이 있다. 만약 거리에 따른 열구배 dT/dx가 있을 때 일정한 면적 A의 판을 지나는 열전도도는 다음과 같이 정의된다.

$$k = [(dU/dt) / A (dT/dx)]$$

열전도도가 크다는 것은 고체 내부에서 열이 전달되는 속도가 빠르다는 것을 의미한다.

열충격은 재료의 두 면이 경험하는 온도가 차이가 있을 때, 즉 재료의 한 면과 다른 면 사이에 ΔT_s의 온도차이가 있을 때 그 충격에 의해 파손이 일어날 수 있다. 열충격 저항성이 높다는 의미는 일정한 온도상태에서 갑자기 급격한 냉각이 이루어질 때의 최대 온도차를 손상 없이 견딜 수 있다는 의미이다. 이러한 열충격 저항에 견디기 위해서는 다음 식과 같이 R_1과 R_2의 지수가 모두 높아야 한다.

$$R_1 = [\sigma_f (1 - v)] / \alpha E$$

즉 파괴강도 σ_f가 크고, 재료의 열팽창계수 α나 탄성계수 E가 낮아야 열충격 저항성이 높다. 또한 다음 식과 같이 열전도도 k가 높아야 열충격 저항성이 높다.

$$R_2 = R_1 \times k$$

한편 전기적인 시스템을 고려할 때는 표 2.2의 전기적 특성에서와 같이 전기전도도(S_e), 전기비저항(ρ_e), 유전상수(ε_r) 등을 설계변수로 고려하여야 하며, 광학적 시스템을 고려할 때는 빛의 투명도, 반사도, 굴절률 등을 고려하여 설계하여야 한다.

다양한 재료특성 중에서도 기계시스템을 설계하는데 있어서는 재료의 탄성, 소성, 파괴에 대한 특성의 변수를 설정하고 이를 바탕으로 설계하는 것이 중요하다. 표 2.2에서 탄성과 관련된 중요한 재료변수로서는 탄성계수를 고려하는 것이 일반적이고, 전단하중이나 체적변화는 수직하중의 작용에 의해 수반될 수 있고, E와 G, K는 상호관계식에 의해 유도할 수 있으므로 일반적으로 탄성계수 E를 주요한 설계변수로 설정한다. 탄성과 소성간의 경계점, 즉 소성이 시작되는 시작점과 관련된 재료특성은 항복강도 (σ_y)로서 소성을 설계하는데 주요한 설계변수가 된다. 한편 파손과 관련된 설계에는 급격한 단면적의 감소를 일으키는 인장강도 (σ_{TS}) 또는 파괴강도 (σ_f) 시까지의 흡수된 에너지와 관련된 파괴인성(K_{IC}) 또는 인성(G_c)을 설계변수로 잡는다. 탄성, 소성, 파괴와 관련된 재료지수를 3, 8장에서, 탄성, 소성, 파괴거동의 거시적, 미시적 거동에 대해서 각각 4, 5, 6장에서 살펴본다.

Chapter 1

Chapter 2

Chapter 3

Chapter 4

Chapter 5

Chapter 6

Chapter 7

Chapter 8

2.5.1 σ_{yz}의 의미는 (   )축에 수직인 면에 작용하는 힘이 (   )축에 평행으로 작용한다는 의미이다. (   ) 안에 알맞은 단어를 쓰시오

2.5.2 다음과 같은 정육면체 요소에 x, y, z축을 가로지르는 면에 수직한 수직응력 3개와, 각 면에 평행하게 작용하는 전단응력이 총 6개가 작용하고 있다. 각 응력을 그림 위에 표기하시오.

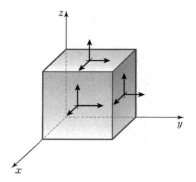

2.5.3 다음과 같은 직육면체 요소의 수평면에 F_y가 작용하고 있다. $x - y$축을 $x' - y'$축으로 회전시킬 때 y'면을 가로지르는 면적 $A_{y'}$을 갖는 면에 수직으로 작용하는 힘 $F_{y'}$과 이에 수직하여 면적 $A_{y'}$을 갖는 면에 평행하게 작용하는 힘 $F_{x'}$의 두 힘이 작용할 때 $\sigma_{y'y'}$과 $\sigma_{y'x'}$을 각각 구하시오.

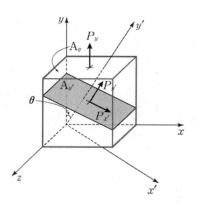

2.5.4 $\sigma_{xx} = 5\mathrm{MPa}$, $\quad \sigma_{yy} = 3\mathrm{MPa}$, $\quad \sigma_{zz} = -2\mathrm{MPa}$, $\quad \tau_{yz} = \tau_{zy} = 3\mathrm{MPa}$, $\quad \tau_{zx} = \tau_{xz}$ $= -2\mathrm{MPa}$, $\tau_{xy} = \tau_{yx} = -4\mathrm{MPa}$일 때 주응력(principal stress) σ_p를 포함하는 방정식으로 나타내시오.

2.5.5 1cm 길이의 요소가 인장력을 받아 길이가 두 배가 되었다가, 하중을 제거하니 원래의 상태로 돌아왔다. 이 때의 진응력을 계산하니 630MPa이었다. 재료의 탄성계수를 구하시오.

2.5.6 small strain으로 제시된 다음 식 중 맞는 것은?

① $(1/2)\gamma_{xy} = (1/2)(\partial u/\partial x + \partial v/\partial y)$

② $(1/2)\gamma_{yz} = (1/2)(\partial v/\partial x + \partial w/\partial y)$

③ $(1/2)\gamma_{zx} = (1/2)(\partial w/\partial x + \partial u/\partial z)$

④ $(1/2)\gamma_{xy} = (1/2)(\partial u/\partial x - \partial v/\partial y)$

2.5.7 다음 중 평면응력상태와 평면변형률 상태가 잘못 짝지워진 것은?

① 평면응력, $\sigma_z = 0$

② 평면변형률, $\varepsilon_z = 0$

③ 평면응력, $\gamma_{xz} = \gamma_{yz} = 0$

④ 평면변형률, 탄성계수 $= \mathrm{E}/(1-\nu)^2$

2.5.8 생 베낭(Saint Venant)의 원리에 대해 설명하시오

Chapter 1

Chapter 2

Chapter 3

Chapter 4

Chapter 5

Chapter 6

Chapter 7

Chapter 8

2.5.9 인장시험에 의해 다음과 같이 알루미늄의 응력－변형률 선도를 얻었다. 알루미늄의 다음 특성은 얼마인가?

1) 탄성계수 (Young's modulus)

2) 항복강도 (0.2% offset)

3) 인장강도

4) 파손 시 까지의 변형률

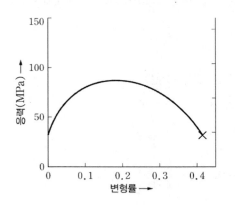 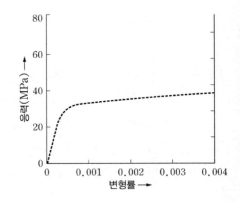

2.5.10 길이가 2mm이고 직경이 0.5mm인 원통형 막대시편이 힘을 받아 길이가 2.3mm, 직경이 0.3mm가 되어 파괴되었다. 다음을 구하시오.

1) percentage elongation

2) %RA

3) 파손 시까지의 변형률

2.5.11 어떤 재료가 인장응력을 받아 항복이 일어나기 전에 파괴되었다. 파괴 때까지의 공칭응력과 공칭변형률이 각각 630MPa과 0.18이었다. 진응력, 진변형률, 탄성계수를 각각 구하시오.

2.5.12 길이가 20mm, 폭 w가 4mm, 두께 t가 3mm인 직육면체의 강도를 측정하려고 한다. 아래 지지대간 거리 L=10mm일 때 직육면체가 50N에서 파손되었다. 이 때의 3점 곡강도 값을 구하여라.

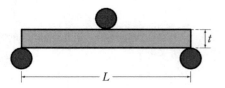

2.5.13 시험편에 다이아몬드 압자를 이용하여 $P = 2\text{kgf}$의 힘을 가하였다. 이 때 형성된 압입 손상의 모식도는 다음 그림과 같다. 측정된 손상의 반경 $a = 15\mu m$, 균열의 총 길이 $2c = 300\mu m$이었다. 시험편의 ① 경도와 ②파괴인성 값을 각각 구하시오. 시험편의 탄성 계수는 300GPa이고, 재료상수 $\xi = 0.016$임을 활용하시오.

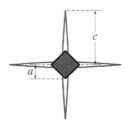

2.5.14 4점 굽힘시험에서의 표면응력에 해당하는 식은? M은 모멘트, P는 하중, w, t는 각각 시편의 폭과 두께, L, l 은 시험 지그(치구)간의 거리이다.

① $3\text{P}(\text{L} - l)/2\text{wt}^2$ ② $3\text{PL}/2\text{wt}^2$

③ $4\text{PL}/3\text{wt}^2$ ④ $6\text{M}/\text{wt}^2$

Chapter 1

Chapter 2

Chapter 3

Chapter 4

Chapter 5

Chapter 6

Chapter 7

Chapter 8

제3장
설계지수

3.1 재료지수

3.1.1 서론 및 개요

설계의 중요한 요소 중의 하나는 기능과 재료를 연결하는 것이다. 즉 기계시스템이 성능을 내도록하기 위해서는 각 부품들에 기능을 부여해야 하는데 그 기능이 부여될 수 있도록 최적의 재료를 선택하고 적용하여야 한다. 지구상에서 발견된 많은 재료들은 서로 다른 특성과 기계적 거동을 나타낸다. 예를 들면 동일한 철강 재료라 하더라도 탄소량이 얼마인가? 에 따라서 특성과 기계적 거동이 다르게 된다. 알루미늄 판을 만들 때 만드는 과정의 이력들, 예를 들면 압력을 얼마로 주어 가공했는가, 열처리는 몇 도에서 했는가에 따라서도 그 특성과 기계적 거동이 다르게 된다. 합금이나 복합재료라면 어떤 재료들을 서로 얼마만큼의 양으로 섞었는지가 최종 특성과 기계적 거동에 영향을 주게 된다. 그러나 재료별로 아주 큰 차이는 있지 않으며 일정한 범위 내에 있게 되고, 따라서 재료를 그룹별로 나타내었을 때 대략의 특성이나 기계적 거동을 특징지어 말할 수 있다. 예를 들면 폴리머는 가장 가볍고 금속은 당기는 인장의 힘에 가장 강하고 세라믹스는 열과 부식에 강하다. 따라서 설계목표에 요구되는 바람직한 사용재료들의 특성이나 기계적 거동을 먼저 파악하고, 첫째 서로 다른 재료그룹들을 크게 비교하여 설계에 요구되는 조건을 만족하는 그룹을 가장 먼저 선정하고, 둘째 그 재료그룹 내에서 특성과 기계적 거동을 비교하여 후보재료들을 추려내고 셋째로 그 중 자세한 무게(밀도), 가격, 특성들을 문헌조사, 기술조사 등을 통해 비교하고 최종재료를 탐색하여 선택하게 된다. 즉 재료의 수나 범위가 많거나 넓은 범위로부터 적거나 좁은 범위로 좁혀나가는 과정으로 설계과정을 진행하면 된다. 많은 재료의 후보 군 중에서 좁혀나가는 과정에 있어서 선택의 범위를 효과적으로 줄일 수 있는 방법이 있는데, 크기나 가격에 있어서의 제한조건을 먼저 고려하는 것이다. 예를 들면 다음 그림 3.1에서와 같이 자동차의 범퍼를 교체하는 설계를 진행한다고 하자. 설계를 위해서는 설계목표 및 설계의 요구조건을 가장 먼저 파악해야 한다. 연비향상의 요구로 기존의 범퍼보다 가벼우며 충격에 강한 소재를 개발해서 대체해야 하는 조건을 만족시켜야 한다고 생각하자. 범퍼에는 폴리프로필렌, 가벼운 알루미늄 합금이 기존 소재로 사용되고 있다면 이보다 가볍고 강한 소재를 찾아나가는 과정이 설계에 있어서의 재료선택과정이라고 할 수 있다. 가장 먼저 제한조건을 조사하여 선택할 수 있는 재료의 범위를 줄여나가는 것이 좋다. 자동차의 경우 그 넓이가 도로 폭보다 넓을 수는 없다. 즉 범퍼도 일정한 치수보다 작아야 하는 제한조건이 있다. 또한 대략 현재 판매되는 자동차의 금액은 정해져 있다. 자동차의 부품의 가격 역시 마찬가지이다. 따라서 기존의 범퍼 부품의 가격보다 많이 비싸서는 곤란하다. 또 일정한 형상을 갖는 범퍼를 어떻게 제조할 것인지를 고려하여야 한다. 4가지 재료그룹 중 제조공정이 상대적으로 간단하고, 연비를 향상시키기 위해 바람직한 가벼운 재료를 선정해야 하므로 재료그룹 중에서 폴리머 재료를 선택하고, 폴리머 중에서도 무게대비 성능이 우수한 엔지니어링플라스틱을 선택한다. 이 때 일정한 크기와 무게, 형상을 갖는 범퍼를 제조하는데 문제가 없는지 체크한다. 엔지니어링플라스틱들의 밀도, 가격, 특성 등을 상호 비교하여 순위를 매겨 가장 바람직한 재료를 선택해 나가며 이 때 각 재료의 데이터들을 상호 비교하여 결정한다. 몇 가지 범퍼로 요구되는 특성으로서는 힘에 대해 변형되는 정도를 나타내는 항복강도, 충격에 강한 특성인 인성(내충격성), 기타 여름의 태양열에 견뎌야 하는 내열성, 모래가 날릴 때 스크래치가 나지 않아야 하는 내마모성 등이 있다.

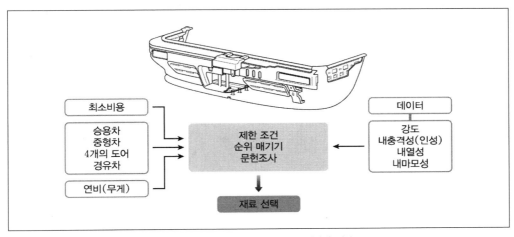

그림 3.1 자동차 범퍼 설계에서 재료 선택의 전략

따라서 재료선택은 설계의 요구조건과 설계를 구현하는데 사용되어 기능을 발휘할 수 있는 재료들의 특성, 특히 기계적 거동이 잘 부합하는 소재를 찾는 것이라고 말할 수 있다. 현실적으로 많은 공학자들이 재료를 개발하고 개발된 재료의 특성을 대부분 측정하여 문헌이나 지술자료로 제시하고 있다. 따라서 특성 데이터 북(data book)이나 문헌, 논문, 기술자료, 인터넷자료 등을 참고하는 것도 재료 선택에 도움이 된다.

여러 가지 재료 후보 군 중에서 순위를 매겨 재료를 정해 나가는 절차를 진행하면 최종적인 재료선택에 도움이 되는데 이와 같은 순위를 매길 때는 다양한 관점에서 평가한다. 예를 들면 무게(밀도)의 관점, 가격의 관점, 특성의 관점에서 서로 다른 순위를 가질 수 있고 목표 및 설계요

Chapter 1

Chapter 2

Chapter 3

Chapter 4

Chapter 5

Chapter 6

Chapter 7

Chapter 8

구 관점에서 어느 것에 가중치를 둘 것인지를 결정해야 한다. 이러한 평가를 정량화하기 위해서 재료지수(material index)를 활용하는 방법이 있는데 다음 절에서 재료지수의 정의와 활용 방법에 대해서 상세히 살펴보고자 한다.

3.1.2 설계를 위한 재료지수

설계목표가 설정되면 그에 필요한 기능에 요구되는 조건이 결정되고, 크기, 가격 등의 제한조건으로부터 기하학적 형상이 결정되고, 재료거동으로부터 재료특성이 결정되면 이로부터 재료지수를 결정할 수 있다. 즉 기능, 제한조건, 재료특성으로부터 재료지수를 도출할 수 있다.

⠇⠇ 강도가 중요한 설계

먼저 다음 그림 3.2 (a)와 같이 원형의 봉이 인장하중을 받는 경우의 재료지수를 구해보기로 하자. 예를 들면 그림 3.2의 (b)와 같이 긴 원형봉의 활대에 줄을 연결하여 활을 줄에 걸고 잡아당기면 활대는 인장력을 받게 된다. 부품과 부품을 끈으로 연결하였을 때 끈이 인장응력을 받는 경우도 많고, 부품을 조립하였을 때 구속의 상태에서 인장력을 받는 경우도 있다.

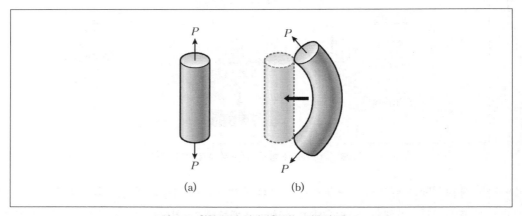

그림 3.2 원형 봉이 인장력을 받는 경우의 예.

만약 설계목표가 당겨지는 힘에 견디는 원형봉을 제작하는 것이라면, 질량 m은

$$m = A \times L \times \rho$$

의 식으로 표현할 수 있다. 위 식에서 A는 원형봉의 단면적, L은 원형봉의 길이, 그리고 ρ는 원형봉의 밀도이다.

원형봉이 당겨지는 힘에 견디려면 충분한 강도를 갖고 있어야 한다. 즉,

$$\sigma_f \geq (P/A)$$

이어야 한다. σ_f는 원형봉의 강도, P는 가해진 힘, A는 단면적이고, P를 A로 나누어 준 것이 응력이 되며 P가 당기는 힘이라면 (P/A)가 가해진 응력이 된다.

위 식을 다시 정리하면

$$A \geq (P/\sigma_f)$$

이어야 하므로, 이를 처음 m식에 대입하면

$$m \geq (P/\sigma_f) \times L \times \rho$$

가 되고 위 식을 재배열하면,

$$m \geq P \times L \times (\rho/\sigma_f)$$

가 된다. 우변에서 P는 기능과 관련된 요소, L은 형상을 결정하는 기하학적 제한요소 그리고 (ρ/σ_f) 은 재료의 특성과 관련한 요소가 된다.

힘 P에 견디는 가장 가벼운 원형봉이 되려면 (ρ/σ_f) 값이 작은 재료로 만들어야 하고, 이 식에서 분모, 분자를 서로 바꾸게 되면 (σ_f/ρ) 값은 가능한 커야 한다. 이와 같이 재료특성과 관련된 밀도 ρ, 강도 σ_f의 특성을 배합하여 가능한 커야하는 값으로 지수를 결정하면 다음과 같이 된다.

$$M_1 = (\sigma_f/\rho)$$

이와 같이 정의된 M_1을 재료지수(material index)라고 한다. 편의상 재료지수는 가능한 큰 값으로 설정되도록 정의한다. 따라서 재료지수로 정의한 M_1의 값이 크려면 위 식에서 재료의 강도 σ_f는 큰 값을 갖는 재료 중, 밀도 ρ는 작은 값을 갖는 재료 중에서 선택하면 된다. 즉 재료지수 M_1을 최대화 하려면 가벼우면서도 강도가 커야 한다.

이러한 재료지수는 재료선택에 중요하게 활용된다. 일반적으로 재료지수는 무게(밀도), 가격과 특성의 조합이다. 위 식에서의 특성은 재료의 강도이다. 만약 위 M_1지수에서 가격이 가능하면 낮은 것이 바람직하다면, 새로운 재료지수 M_2를 결정할 수 있다.

$$M_2 = [\sigma_f/(\rho \times C_m)]$$

Chapter 1
Chapter 2
Chapter 3
Chapter 4
Chapter 5
Chapter 6
Chapter 7
Chapter 8

위 식에서 C_m은 재료의 가격(cost)이다. 위에서 살펴본 바와 같이 설계목표로부터 기능이 결정되면 제한조건을 활용하여 재료지수를 정의하고 이를 기반으로 재료선택을 하게 된다.

강성이 중요한 설계

다음으로 강성과 관련된 재료의 탄성계수 E를 특성으로 하는 경우를 생각해 보자. 응력 σ는 힘을 단면적으로 나누어 주는 값으로 정의하므로,

$P = \sigma \times A$ 이고

힘을 가하는 영역이 선형탄성범위라면 후크의 법칙에 의해

$P = E \times \varepsilon \times A$ 가 된다.

위 식에서 E가 재료의 탄성계수, ε은 변형률이다. 변형률은 변위 δ를 인장봉의 길이 L로 나눈 값이므로,

$$P = E \times A \times (\delta/L)$$

위 식을 재배열하면,

$A = (PL/E\delta)$가 된다.

따라서 질량 m은,

$$m = \rho \times V = \rho \times A \times L = \rho \times (PL/E\delta) \times L = (P/\delta) \times L^2 \times (\rho/E)$$

가 되며, 힘 P에 견디고 변위 δ가 작으며, 가장 가벼운 원형봉이 되려면 (ρ/E)값이 가능한 작아야 하고, 큰 값으로 나타내기 위해서 분모, 분자를 바꾸어주면

$$M_3 = (E/\rho)$$

과 같이 재료지수를 결정할 수 있다. 즉 탄성계수가 크고 밀도가 작은 재료 중에서 선택하는 기준을 제시할 수 있다. 만약 가격을 고려한다면 다음의 지수를 제안할 수 있다.

$$M_4 = [E/(\rho \times C_m)]$$

굽힘과 좌굴이 중요한 설계

다음으로 그림 3.3과 같이 사각형의 단면을 갖는 막대가 굽힘이나 좌굴의 하중을 받는 경우의 재료지수를 구해보기로 하자. 많은 기계부품들은 굽힘 하중을 받는 경우가 많다. 예를 들면 자동차 구동시스템들은 차체 하중에 의한 굽힘 하중과 회전에 의한 모멘트에 의한 비틀림이나 전단력을 많이 받는다. 스포츠 경기에서 장대높이뛰기 종목의 경우 도움받기 막

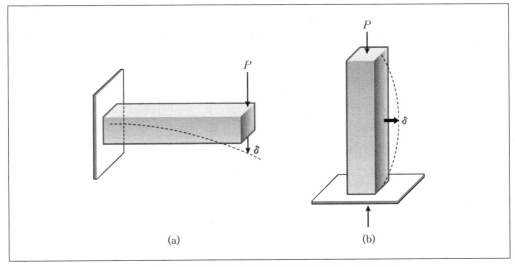

대의 좌굴현상을 이용하면 선수가 보다 더 높은 기록에 도전할 수 있다. 어느 경우이든 그림 3.3의 (a)와 같이 막대의 한쪽 끝이 벽에 고정되어 있는 외팔보의 경우와 비슷하게 생각할 수 있을 것이다. 그림의 점선은 힘을 받을 때 일어나는 변화를 나타낸다.

그림 3.3 외팔보가 (a) 굽힘 하중 및 (b) 좌굴의 힘을 받는 경우의 예

고체역학에서 한쪽 벽에 고정된 외팔보의 다른 쪽 끝에 굽힘하중을 받을 때 최대 처짐량 δ는 다음의 식에 의해 계산할 수 있다.

$$\delta = (1/3)(PL^3/EI)$$

위 식에서 L은 보의 길이, E는 보의 재질의 탄성계수, I는 단면형상에 대한 관성모멘트 값이다. 만약 보가 사각형의 단면을 갖고 두께, 높이가 모두 t라면 면적

A = t^2이 되고

I = $(1/12)bh^3 = (1/12) \times t^4 = (1/12) \times A^2$의 값으로 나타낼 수 있다.

이 값을 위의 δ식의 I 값에 대입하고 A에 대해 재배열하면,

A = $(4PL^3/E\delta)^{1/2}$이 된다.

$$m = \rho \times A \times L = \rho \times (4PL^3/E\delta)^{1/2} \times L = (4P/\delta)^{1/2} \times L^{5/2}(\rho/E^{1/2})$$

가 되며, 굽힘하중 P에 견디는 가장 가벼운 사각막대가 되려면 $(\rho/E^{1/2})$값이 가능한 작아야 하고, 큰 값으로 나타내기 위해서 분모, 분자를 바꾸어주면

$$M_5 = (E^{1/2}/\rho)$$

Chapter 1
Chapter 2
Chapter 3
Chapter 4
Chapter 5
Chapter 6
Chapter 7
Chapter 8

의 재료지수를 결정할 수 있다.

외팔보가 아닌 그림 3.4에서와 같이 보의 중앙부위에 최대 처짐이나 좌굴이 일어나는 경우의 처짐량은

$$\delta = (1/48)(\mathrm{P L}^3/\mathrm{EI})$$

의 식으로 나타낼 수 있고, 앞에서와 동일한 유도과정을 거치면 재료지수는 위 식의 M_5식과 같이 유도된다.

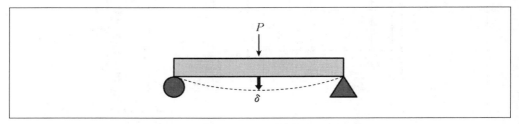

그림 3.4 보에 굽힘 하중이 작용하는 경우의 예

그림 3.4와 같은 굽힘하중을 받는 재료특성이 강성이 아니라 강도 σ_f가 중요하다면 강도와 관련된 재료지수를 결정하여야 한다.

고체역학에서의 굽힘 공식에 의하면 굽힘응력 σ는 다음과 같은 식으로 표현된다.

$$\sigma = [(\mathrm{M} \times \mathrm{c})/\mathrm{I}]$$

위 식에서 M은 부품에 작용하는 굽힘모멘트, I는 관성모멘트, c는 보의 밑면으로부터 중심축까지의 거리이다. 보의 단면이 사각형이고, 폭과 두께가 b로 같다면,

$$\sigma = [(\mathrm{P} \times \mathrm{L} \times (\mathrm{b}/2))/\mathrm{I}] = 6\mathrm{PL}/\mathrm{b}^3$$

위 식을 재배열하면

$\mathrm{b}^2 = (6\mathrm{PL}/\sigma)^{2/3}$이 된다.

$$\mathrm{W} = \mathrm{mg} = (\rho \times \mathrm{V}) \times \mathrm{g} = (\mathrm{b}^2 \times \mathrm{L}) \times \rho \times \mathrm{g}$$
$$= (36\mathrm{P}^2\mathrm{g}^3)^{1/3} \times \mathrm{L}^{5/3} \times (\rho/\sigma^{2/3})$$

굽힘하중 P에 견디는 가장 가벼운 사각막대가 되려면 $(\rho/\sigma^{2/3})$값이 가능한 작아야 하고, 큰 값으로 나타내기 위해서 분모, 분자를 바꾸어주면

$$M_6 = (\sigma^{2/3}/\rho)$$

의 재료지수를 정의할 수 있다.

만약 굽힘 하중을 받는 부품이 보(beam)의 형태가 아니고 그림 3.5에서와 같이 원형의 판재(plate)라면 재료지수 식은 변하게 된다. 보에 의한 것 보다 부품이 보다 무거우므로 중력에 의한 처짐은 더욱 커지게 되는데 이 때의 처짐량을 다음 식과 같이 나타낼 수 있다.

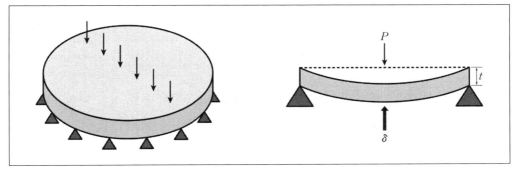

그림 3.5 원형의 판재가 굽힘 하중을 받는 경우의 예

$$\delta = (3/4\pi)(mgR^2/Et^3)$$

R은 원형판재의 반경이고 위 식을 판재의 두께 t에 대해 재배열하면,

$$t = (3/4\pi)^{1/3}(mgR^2/E\delta)^{1/3}$$

과 같이 된다. 이를 다음 식의 t에 대입하면,

$$m = \rho \times V = \rho \times (\pi R^2) \times t = (3mg/4\pi\delta)^{1/3} \times \pi R^{8/3} \times (\rho/E^{1/3})$$

과 같이 정리할 수 있다.

굽힘 하중 P에 견디는 가장 가벼운 원형의 판재가 되려면 $(\rho/E^{1/3})$값이 가능한 작아야 하고, 큰 값으로 나타내기 위해서 분모, 분자를 바꾸어주면

$$M_7 = (E^{1/3}/\rho)$$

의 재료지수를 정의할 수 있고, 이 재료지수가 설계의 재료선택에 활용될 수 있다.

지금까지 살펴 본 재료지수를 정리하면 다음 표 3.1과 같다.

Chapter 1
Chapter 2
Chapter 3
Chapter 4
Chapter 5
Chapter 6
Chapter 7
Chapter 8

표 3.1 재료지수 정리 표

재료지수 기호	기능, 설계목표, 재료특성	재료지수 식
M_1	원형봉, 최소무게, 강도	σ_f/ρ
M_2	원형봉, 최소무게, 강도, 최소가격	$\sigma_f/(\rho \times C_m)$
M_3	원형봉, 최소무게, 강성	E/ρ
M_4	원형봉, 최소무게, 강성, 최소가격	$E/(\rho \times C_m)$
M_5	보, 최소무게, 강성	$E^{1/2}/\rho$
M_6	보, 최소무게, 강도	$\sigma^{2/3}/\rho$
M_7	판재, 최소무게, 강성	$E^{1/3}/\rho$

재료지수가 재료선택에 활용되는 사례에 대해서는 8장에서 탄성, 소성, 파괴거동이 중요한 사례에서 보다 자세히 살펴보기로 한다.

3.2 형상지수

3.2.1 서론 및 개요

설계를 하는데 있어서 재료의 선택도 중요하지만 형상을 결정하는 것도 매우 중요하다. 이는 형상이 재료의 기계적 거동을 변화시킬 수 있기 때문이다. 시스템 내의 부품을 제작할 때는 다음 그림과 같이 재료에 일정한 형상을 부여하여 제조하게 된다.

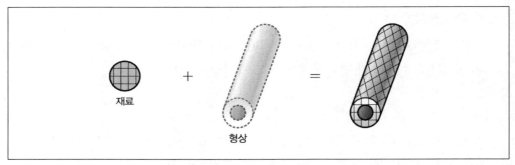

그림 3.6 형상이 부여된 재료의 예

그림에서와 같이 속이 비어있는 튜브 모양으로 만들면 속이 꽉찬 모양으로 만든 경우에 비하여 비틀림 하중을 받을 때 약 94%의 힘을 견딜 수 있다. 즉 내부가 꽉찬 원형봉으로 만든 경우에 비해 튜브모양으로 안의 재료를 없애어 가볍게 함으로써 에너지 효율을 증가시키면서도 대부분의 힘에 대해 저항하는 우수한 강도를 나타낸다. 즉 형상을 변경시킴으로써, 무게대비 견딜 수 있는 강도나 강성을 증가시킬 수 있다.

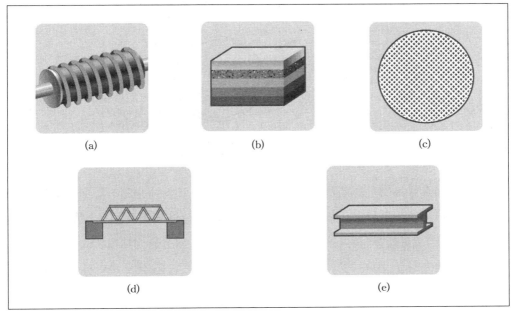

그림 3.7 다양한 형상 변경의 사례; (a) 나선 형태, (b) 적층 형태, (c) 벌집 구조, (d) 트러스 구조, (e) I 자의 보의 단면 형태.

그림 3.7에 다양한 형상을 갖도록 설계한 사례를 나타내었다. 만약 (a)와 (b)와 같이 나선형태나 적층형태를 만들면 강성 특성을 낮추어 보다 유연한 부품을 만들 수 있다. 적층판과 판 사이의 공극을 통해 열을 발산시키는 효과를 나타낼 수도 있다. (c)와 같은 벌집구조는 거꾸로 열을 보존시키는 효과를 낼 수 있으며, 통기성이 있으면서 강도를 부여하는 구조로도 활용된다. 예를 들면 자동차 배가스를 유해하지 않은 가스로 전환시켜 내보내기 위해 벌집구조의 내벽에 촉매를 코팅하여 제조된 촉매담체의 경우, 가스가 벌집구조를 통과할 때 촉매에 의해 화학반응이 일어나 유해한 가스가 유해하지 않은 가스로 전환된다. 이 때 화학반응이 잘 일어나도록 보존된 열을 활용하며 통기성이 있으면서도 강도가 우수한 구조를 갖도록 설계된다. (d)의 트러스 구조는 붕괴되지 않는 강성을 갖고 있는 구조의 형상이며, (e)의 I 단면을 갖는 구조는 주어진 하중조건에서 가장 단면을 작게 하여 제조하는 매우 효율적인 구조이다.

Chapter 1
Chapter 2
Chapter 3
Chapter 4
Chapter 5
Chapter 6
Chapter 7
Chapter 8

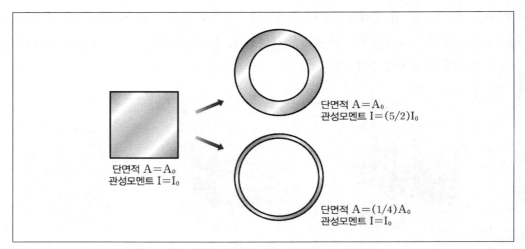

그림 3.8 형상 변경에 의한 단면적과 관성모멘트의 변화의 예

그림 3.8에 사각형의 형상을 튜브모양으로 형상을 변경하였을 때 단면적과 관성모멘트가 변화된 두 가지 사례를 나타내었다. 사각형의 내부가 꽉찬 형상의 단면적을 A_0, 폭, 높이의 형상에 의해 결정되는 관성모멘트를 I_0라고 하자. 위 화살표처럼 형상을 상대적으로 두꺼운 튜브형상으로 바꿀 때 형상을 변화시킴으로써 튜브의 단면적 $A = A_0$를 갖게 하면서 I는 $(5/2)I_0$로 크게 할 수 있다. 동일 재질의 경우 탄성계수 E는 같을 것이므로 만약 길이 L이 같은 부품을 사용한다면 관성모멘트의 증가에 의해 처짐량을 감소시킬 수 있다. 즉 형상변화를 통해 변형을 억제할 수 있다. 또한 굽힘강성 값인 E×I의 값을 증가시킬 수 있어서 보다 강한재료를 제조할 수 있다. 예를 들어 보의 폭과 두께가 모두 t라면,

$$I_0 = t^4/12 = A^2/12$$

이고, 관성모멘트

$$I = \int y^2 \, dA$$

으로 계산할 수 있다. 한편 강성 S(stiffness)는 다음 식과 같이 하중 P를 변위 δ로 나눈 값으로 정의할 수 있으며, 보가 외팔보라고 가정하면

$$S = P/\delta = 3EI/L^3 = CEI/L^3$$

위 식에서 C는 상수이다.

따라서 강성의 상대적 값은,

$$\Phi_B^{\,e} = S/S_o = EI/EI_o$$

의 값이 되므로 굽힘강성의 비가 된다. 만약 동일재료라면 탄성계수는 같게되므로 관성모멘트의 비가 강성에 변화를 준다.

반면 그림 3.8의 아래 화살표의 경우와 같이 반경이 다른 보다 얇은 두께의 원형의 튜브형상으로 제조할 경우 사각형 단면과 관성모멘트는 같게하면서 단면적을 1/4로 줄인 형상으로 제조할 수 있음을 보여준다. 동일한 관성모멘트를 부여함으로써 변형량이나 굽힘강성의 변화는 없지만 형상변경에 의해 재료의 질량을 감소시킴으로써 구동하는 시스템의 에너지효율을 높이는데 기여할 수 있다.

다음 표 3.2에 서로 다른 단면 형상의 면적과 관성모멘트 I를 정리하여 나타내었다.

표 3.2 서로 다른 단면형상의 면적 및 관성모멘트

단면형상						
면적	bh	$\dfrac{\sqrt{3}}{4}a^2$	πr^2	πab	$\pi(r_o^2 - r_i^2)$ $\cong 2\pi rt$	$2t(h+b)$
관성모멘트 I	$\dfrac{bh^3}{12}$	$\dfrac{a^4}{32\sqrt{3}}$	$\dfrac{\pi}{4}r^4$	$\dfrac{\pi}{4}a^3b$	$\dfrac{\pi}{4}(r_o^4 - r_i^4)$ $\cong \pi r^3 t$	$\dfrac{1}{6}h^3t\left(1+3\dfrac{b}{h}\right)$

3.2.2 설계를 위한 형상지수

거시적 형상계수

앞 절의 한 식에서 형상변경에 의한 강성이 변화될 경우 강성의 비를 하나의 계수 Φ로 나타내었는데,

$$\Phi_B^{\,e} = S/S_o$$

이를 형상계수(shape factor)라고 정의하며 설계를 위한 매우 중요한 형상지수이다. 좌측의 아랫 첨자 B는 Bending의 약자를 나타내며, 굽힘 하중의 의미이고, 윗 첨자 e는 elastic의 약자를 나타내며, 탄성의 의미이다. 따라서 $\Phi_B^{\,e}$ 형상계수를 '탄성굽힘 형상계수'라고 부른다.

Chapter 1
Chapter 2
Chapter 3
Chapter 4
Chapter 5
Chapter 6
Chapter 7
Chapter 8

표 3.2의 단면형상에서 사각형의 높이와 넓이가 b로 같다면, 면적 b×b = b^2이 되고, 관성모멘트는 다음과 같이 구해진다.

$$I_o = (1/12)(b)(h)^3 = (1/12)(b)(b)^3 = (1/12)b^4 = (1/12)(b^2)^2 = (1/12)A^2$$

위 식에서 A는 사각형의 면적이다.

$$\Phi_B^{\,e} = EI/EI_o = I/I_o$$

이므로, 기준 강성 I_o를 대입하면,

$$\Phi_B^{\,e} = I/(A^2/12) = 12 \times (I/A^2)$$

로 정의된다. 만약 비교대상이 표 3.2의 넓이가 b, 높이가 h인 직사각형이라면,

$$\Phi_B^{\,e} = (12 \times I)/A^2 = [12 \times (1/12) \times b \times h^3]/(bh)^2 = (h/b)$$

가 된다. 즉, 높이가 b에서 h로 변하는 경우는 다음 표 3.3의 사각형의 형상계수 값과 같이 변화함을 나타내었다. 같은 면적이라고 하더라도 b보다 h가 클수록 $\Phi_B^{\,e}$값은 증가하고 따라서 효율적인 형상이 된다. 사각형 이외에도 다양한 단면형상을 갖는 도형의 4가지 형상계수 값을 정리하여 표 3.3에 나타내었다.

표 3.3 다양한 단면 형상을 갖는 도형의 4가지 형상계수 값

단면 형상						
$\Phi_B^{\,e}$	$\dfrac{h}{b}$	$\dfrac{2}{\sqrt{3}}=1.15$	$\dfrac{3}{\pi}=0.955$	$\dfrac{3}{\pi}\dfrac{a}{b}$	$\dfrac{3}{\pi}\left(\dfrac{r}{t}\right)(r \gg t)$	$\dfrac{1}{2}\dfrac{h}{t}\dfrac{(1+3b/h)}{(1+b/h)^2}$ $(h, b \gg t)$
$\Phi_T^{\,e}$	$\dfrac{2.38\dfrac{h}{b}}{\left(1-0.58\dfrac{b}{h}\right)}(h>b)$	0.832	1.14	$\dfrac{2.28ab}{(a^2+b^2)}$	$1.14\left(\dfrac{r}{t}\right)$	$1.19\left(\dfrac{t}{b}\right)\dfrac{\left(1+\dfrac{4h}{b}\right)}{\left(1+\dfrac{h}{b}\right)^2}$
$\Phi_B^{\,f}$	$\left(\dfrac{h}{b}\right)^{0.5}$	$\dfrac{3^{1/4}}{2}=0.658$	$\dfrac{3}{2\sqrt{\pi}}=0.846$	$\dfrac{3}{2\sqrt{\pi}}\sqrt{\dfrac{a}{b}}$	$\dfrac{3}{\sqrt{2\pi}}\sqrt{\dfrac{r}{t}}$	$\dfrac{1}{\sqrt{2}}\sqrt{\dfrac{h}{t}}\dfrac{\left(1+\dfrac{3b}{h}\right)}{\left(1+\dfrac{b}{h}\right)^{3/2}}$
$\Phi_T^{\,f}$	$1.6\sqrt{\dfrac{b}{h}}\dfrac{1}{\left(1+0.6\dfrac{b}{h}\right)}$ $(h>b)$	0.83	1.35	$1.35\sqrt{\dfrac{a}{b}}$ $(a<b)$	$1.91\sqrt{\dfrac{r}{t}}$	$1.13\sqrt{\dfrac{t}{b}}\dfrac{\left(1+\dfrac{4h}{b}\right)}{\left(1+\dfrac{h}{b}\right)^{3/2}}$

만약 형상이 I자의 단면을 갖는다면, 사각형을 갖는 것보다 효율적인 형상을 다음 식에 의해 제어할 수 있다.

$$\Phi_B{}^e = [\text{h}(1+3(\text{b/h}))]/[2\text{t}(1+\text{b/h})^2]$$

반면 비교대상이 직경 2r인 원이라면,

$$\Phi_B{}^e = (12\times \text{I})/\text{A}^2 = [12\times(1/4)\times\pi\times r^4]/(\pi r^2)^2 = (3/\pi)$$

으로 반경에 관계없이 일정한 값을 갖게 된다. 즉 형상계수는 단지 형상에 의해서만 좌우되며 크기에 의해 좌우되지 않음을 의미하는데, 형상이 동일하다면 크기가 크거나 작거나 동일한 $\Phi_B{}^e$값을 갖는다. 사각형의 경우도 (h/b)의 비가 같다면 크기에 상관없이 동일한 $\Phi_B{}^e$ 값을 가질 수 있다. 따라서 크기 보다는 형상이 중요하게 되며, 특히 속이 꽉찬 도형보다는 단면이 I인 형상 또는 튜브형상의 경우 증가된 $\Phi_B{}^e$값을 가질 수 있다. 원형, 사각형, 삼각형 등 내부가 꽉 찬 단면을 갖는 빔들은 $\Phi_B{}^e$값이 대부분 1에 가까운 값을 갖는 반면, 벽두께 t가 얇은 I 빔이나 튜브는 $\Phi_B{}^e$값의 값이 50이상도 될 수 있다. 이는 동일한 무게의 내부가 꽉 찬 단면의 빔보다 50배 이상 강성을 높일 수 있음을 의미한다.

형상계수의 종류

형상계수에는 가해지는 하중이 굽힘인가 비틀림인가? 에 따라, 또 변형 또는 파손이 일어나는가? 에 따라 다음 표 3.4과 같이 4가지 종류로 분류할 수 있다. 위에서 살펴본 $\Phi_B{}^e$는 보다 자세히 이야기하면 탄성 굽힘 변형의 거시적 형상계수이다.

표 3.4 형상계수의 종류

기 호	정 의	
$\Phi_B{}^e$	탄성굽힘 변형을 나타내는 형상계수	Macro shape factor for elastic bending deflection
$\Phi_B{}^f$	굽힘 파손을 나타내는 형상계수	Macro shape factor for onset of plasticity or failure in bending
$\Phi_T{}^e$	탄성비틀림 변형을 나타내는 형상계수	Macro shape factor for elastic torsion deflection
$\Phi_T{}^f$	비틀림 파손을 나타내는 형상계수	Macro shape factor for onset of plasticity or failure in torsion

Chapter 1
Chapter 2
Chapter 3
Chapter 4
Chapter 5
Chapter 6
Chapter 7
Chapter 8

표에서와 같이 $\Phi_B{}^e$와 $\Phi_B{}^f$는 굽힘 하중과 관련된 형상계수이고, $\Phi_T{}^e$와 $\Phi_T{}^f$는 비틀림 하중과 관련된 형상계수이다. $\Phi_B{}^e$와 $\Phi_T{}^e$는 탄성범위 내 변형을 나타내는 형상계수이고, $\Phi_B{}^f$와 $\Phi_T{}^f$는 탄성범위를 넘어서서 소성이 일어나거나 파손이 일어날 때의 형상계수를 나타낸다. 만약 사각형 단면의 폭과 높이가 b일 때 4가지 형상계수를 구하면 다음 식과 같다. 이 때 참고해야 할 모멘트 I, K, Z, Q값을 표 3.5에 정리하여 나타내었다.

표 3.5 사각형 단면의 다양한 모멘트

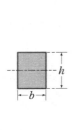

구 분	값
면적	bh
모멘트 I	$\dfrac{bh^3}{12}$
모멘트 K	$\dfrac{bh^3}{3}\left(1 - 0.58\dfrac{b}{h}\right)$ (h > b)
모멘트 Z	$\dfrac{bh^2}{6}$
모멘트 Q	$\dfrac{b^2 h^2}{(3h + 1.8b)}$ (h > b)

모멘트 K는 토크 T를 비틀림 각 θ로 나눈 값으로,

$S = T/\theta = GK/L$에서 정의된다.

위 식에서 S는 비틀림 강성, L은 축의 길이이고 G는 전단계수이다.

따라서 축의 탄성비틀림에 의한 형상계수는

$\Phi_T{}^e = S_T/S_{T_0} = K/K_o = K/[(1/3)A^2 \times 0.42] = 7.14(K/A^2)$이 된다.

굽힘 응력은 중립축으로부터 가장 멀리 떨어진 지점 (중립축으로부터의 거리 c)에서 가장 크며, 그 크기는 다음과 같다.

$$\sigma = (M \times c)/I = M/Z$$

위 식에서 M은 굽힘 모멘트이며 응력이 재료의 강도 값 σ_f에 도달하면 파손이 일어난다. 굽힘에서의 파손과 관련된 형상계수 식은 표 3.4를 참고하면,

$$\Phi_B{}^f = EZ/EZ_o = Z/Z_o = Z/[(1/6)A^{3/2}] = 6(Z/A^{3/2})$$

원형봉이나 튜브가 토크 T를 받으면 전단응력 τ는 축의 중심으로부터 반경 방향의 거리가 c인 바깥쪽 표면에서 최대값을 갖는다.

$$\tau = [T \times c] / J$$

J는 극관성모멘트이다.

원형단면이 아니면서 끝단이 자유롭게 걸쳐 비틀릴 수 있는 경우, 최대 표면응력은

$$\tau = T / Q$$

이며, 비틀림 파손 형상계수는

$$\Phi_T^f = Q / Q_o = Q / [(1/4.8)A^{3/2}] = 4.8(Q/A^{3/2})$$

로 나타낼 수 있다.

일반적으로 강하면서도 효율적인 구조를 만들고자 할 때 형상계수 Φ를 가능한 크게 만들어야 한다. 앞의 직사각형의 예에서와 같이 폭 b, 길이 h로 주어질 때 단면적의 형상을 h/b를 크게 해 줄 때 h를 크게 할수록 이 형상계수를 크게 해줄 수 있다. 그러나 실제적으로 h/b를 크게 해주려면 압연, 압출 등을 통하여 판상 형태로 가늘게 만들어 주어야 하는데 어느 이하로 가늘게 제조하는데 한계가 있고 강도도 감소할 수 있다. 따라서 현재로는 튜브 형태나 I 형상의 빔들이 강하면서도 효율적인 형상으로써 많이 활용이 되고 있다.

⠿ 미시적 형상계수

거시적 형상과 미시적 형상을 결합하면 기계의 효율을 보다 증가시킬 수 있다. 즉 미시적 형상은 거시적 구조에 영향을 준다. 예를 들면 다음 그림 3.9에서와 같이 벌집구조 (honeycomb structure)의 미시적 형상을 거시적 형상과 결합시키면 거시적 구조의 효율을 높일 수 있다. 특히 벌집구조의 경우 가벼우면서도 무게 대비 강도나 강성을 높일 수 있는 특징이 있다.

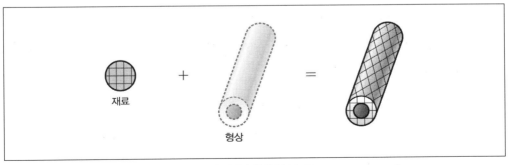

재료 + 형상 =

그림 3.9 미시적 형상계수의 예

목재 등으로 사용되는 나무나, 연체동물의 외피 등은 모두 미시적 형상을 포함하고 있다. 목재는 육각기둥의 쎌 구조를 포함하고 있고 대부분의 나무는 섬유질이 발포재의 기지에 혼합되어 있는 구조이다. 나무줄기는 동심형의 원통형 쎌 구조이며 오징어의 껍질은 서로 다른 패널을 쌓아놓은 듯한 샌드위치 구조로 이루어져 연하면서도 강하고 질기다.

그림 3.10에서와 같이 내부가 꽉 찬 한 변이 b_0인 단면을 갖는 사각형인 구조가 동일한 질량의 미시적 형상을 갖는 구조를 갖도록 재설계한다면 b_0의 크기가 b로 확대될 것이다. 반면 동일질량에서 부피가 증가하므로 미시적 형상을 포함하는 구조의 밀도 ρ는 내부가 꽉 찬 단면을 갖는 구조의 밀도 ρ_0 보다 감소하게 될 것이다. 폭과 밀도의 관계는 다음과 같다.

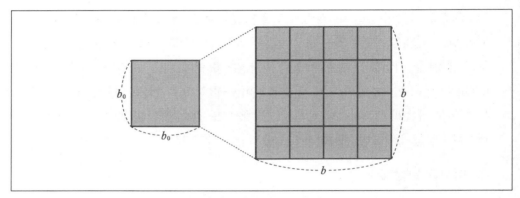

그림 3.10 미시적 형상계수의 장점

$$b = (\rho_0/\rho)^{1/2} \times b_0$$

따라서 미시적 형상을 포함하는 구조의 관성모멘트 I는,

$$I = b^4/12 = (1/12) \times (\rho_0/\rho)^2 \times b_0^4 = (1/12) \times (\rho_0/\rho)^2 \times I_0$$

이고, $\rho_0 > \rho$이므로 관성모멘트가 증가한다.

한편 강성 $S = E \times I$라는 것은 앞에서 살펴본 바와 같고, 탄성계수와 밀도는 다음의 관계가 있으므로,

$$E = (\rho/\rho_0) \times E_0$$

$$\Phi_B^e \equiv S/S_0 = (E \times I)/(E_0 \times I_0) = (\rho_0/\rho)$$

의 값이 되며, 형상계수를 거시적 형상계수와 구분하기 위해 Ψ_B^e로 표시한다.

즉 탄성계수 E_o를 갖는 내부가 꽉 찬 단면을 갖는 구조가 벌집구조의 미세구조(미시적 형상구조)를 갖도록 바뀌면 탄성계수 E로 바뀌게 되어 기계적 거동이 다르게 되는 것이다. 미시적인 형상을 결합하여 무게가 가벼우면서도 탄성계수 E를 증가시킬 수 있다면 매우 효율적인 구조가 된다.

Chapter 1
Chapter 2
Chapter 3
Chapter 4
Chapter 5
Chapter 6
Chapter 7
Chapter 8

3.3.1 재료설계에 있어서 질량(밀도)을 최소화하는 이유에 대해 설명하시오.

3.3.2 다음과 같이 재료의 질량을 기능요구조건, 기하학적 형상, 재료특성으로 나눌 수 있다면,
성능 $P = f($기능요구조건 $F \times$기하학적 형상 $G \times$재료특성 $M)$
아래 식에서 재료특성에 해당하는 것이 무엇인지 쓰시오.
1) $m = P \times (1/\sigma_f) \times L \times \rho$
2) $m = P \times (1/\delta) \times L^2 \times \rho \times (1/E)$
3) $m = P \times (4g)^{1/2} \times (1/\delta)^{1/2} \times L^{5/2} \times (1/E^{1/2})$

3.3.3 다음 그림과 같이 신호등을 매다는 보를 설계하고자 한다. 보 AB의 재료를 선택하는데
있어서 제한요소에 대해 논하시오. 요구조건을 만족시키는 재료의 순위를 매길 때 어떤
기능을 중요하게 여길지에 대하여 논하시오.

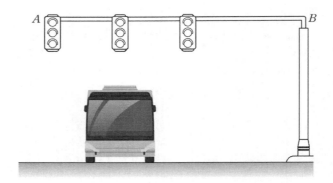

3.3.4 원형의 단면을 갖는 봉이 그림과 같이 인장력을 받고 있다. 단면적을 A, 힘을 F, 봉의 길이를 L이라고 하면

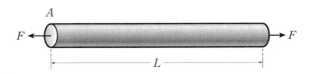

1) 이 때 발생하는 변위를 식으로 나타내시오
2) 질량 = 밀도×체적=밀도×면적(A)×L의 식에서 A 대신 1)에서 유도한 식을 대입하여 재료지수 식을 유도하시오

3.3.5 다음 그림과 같이 사각형의 단면을 갖는 보가 아래는 핀에 의해 지지되어 있고 위에서 압축력을 받아 굽힘 모멘트가 발생할 때의 재료지수 식을 제시하시오.

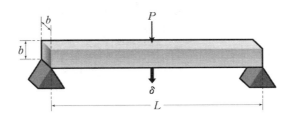

3.3.6 다음 그림과 같이 사각형의 판재가 굽힘 하중을 받을 때의 재료지수 식을 제시하시오.

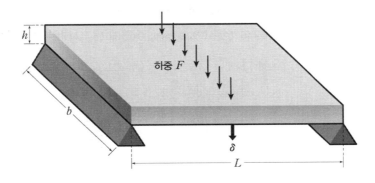

3.3.7 문제 3에서와 같은 보의 재료를 선택할 때 무게가 가벼워야 할 뿐만 아니라, 강도(σ)가 중요하다면 이 때의 재료지수 식을 제시하시오.

Chapter 1
Chapter 2
Chapter 3
Chapter 4
Chapter 5
Chapter 6
Chapter 7
Chapter 8

3.3.8 다음 중 탄성계수/밀도의 재료지수에 해당하는 강도/밀도의 재료지수가 맞게 짝지워진 것은?

① $E/\rho - \sigma/E$

② $E^{1/2}/\rho - \sigma^{3/2}/E$

③ $E^{1/2}/\rho - \sigma^{2/3}/\rho$

④ $E^{1/3}/\rho - \sigma^{3/2}/\rho$

⑤ $E^{1/3}/\rho - \sigma^{2/3}/\rho$

3.3.9 다음 원형튜브의 t는 $3.82\,\mathrm{mm}$, $r = 50\,\mathrm{mm}$이다. 강성형상지수 (탄성굽힘 형상지수)를 맞게 구한 것은?

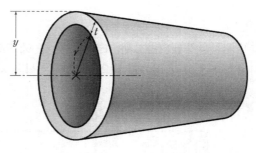

① 16.7

② 12.5

③ 6

④ 4

⑤ 3.27

3.3.10 다음 그림과 같이 폭과 높이가 b인 단면의 형상을 갖는 보에 대하여 단면형상이 폭이 b, 높이가 h인 보의 탄성굽힘 형상계수 $\Phi_B^{\,e}$를 수식으로 구하시오. 그 결과 탄성굽힘에 대해 저항이 있도록 설계하려면, 형상을 어떻게 변경시키는 것이 유리할지 기술하시오.

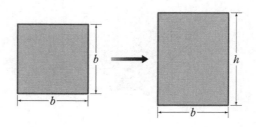

3.3.11 아래 그림과 같이 h = 100mm, t = 3mm인 정사각형 박스와 r = 50mm, t = 3.82mm인 원형튜브가 있다. 각 형상에 대한 강도(굽힘파손) 형상계수 Φ_B^f를 각각 계산하고, 어느 형상이 큰 값을 갖는지 답하시오

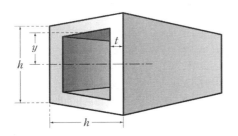 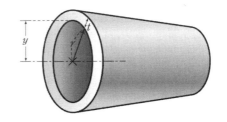

3.3.12 높이 h = 10mm, 폭 b = 100mm, 벽두께 t = 5mm인 사각형 튜브형상의 빔이 있다. 안이 꽉차있는 정사각형 단면에 비하여 형상계수의 영향을 비교하면?

① 탄성굽힘에 대해 4.5배 강하다
② 탄성굽힘에 대해 4.5배 약하다
③ 굽힘파손에 대해 4.5배 강하다
④ 굽힘파손에 대해 4.5배 약하다
⑤ 비틀림파손에 대해 4.5배 강하다

3.3.13 표 3.3을 보고 스프링의 형상을 결정하려고 한다. 비틀림하중을 받아 변형이 일어나지 않아야 하는 용도로 스프링을 사용하고자 할 때 가장 적합한 형상은? b = h = t = r이 모두 같다고 가정하시오.

① 사각형　　　　　　　　② 삼각형
③ 원형　　　　　　　　　④ 원형튜브
⑤ I 빔

Chapter 1
Chapter 2
Chapter 3
Chapter 4
Chapter 5
Chapter 6
Chapter 7
Chapter 8

제4장
탄성 거동

4.1 서론 및 개요

4.1.1 탄성과 강성

재료의 강도에 비하여 약한 하중을 받는 재료는 원자들 간에 상호 결합되어 있는 내력이 있어서 변형에 저항한다. 이와 같이 하중에 대한 변형에 저항하는 성질을 재료의 강성(stiffness)이라고 한다. 반면에 하중을 가하면 일정량 변형하였다가 힘을 제거하면 원래상태로 회복이 된다면 그러한 특성을 탄성(elasticity)이라고 한다. 견고한 콘크리트 기둥은 건물의 무게로부터 하중을 받으나 변형이나 파손이 일어나지 않는 강성을 갖는다. 반면 스프링과 같은 기계요소는 항복이전에도 하중에 대해 변형이 일어났다가, 하중을 제거하면 원래 상태로 쉽게 회복되는 탄성적 성질을 갖는다.

응력−변형률 곡선에서 탄성의 성질이 일어나는 구간을 탄성구간 이라고 하며 직선적인 거동을 나타낸다. 탄성설계에 중요한 재료상수 중의 하나는 탄성계수(elastic modulus)이며, 이는 응력−변형률 곡선에서 직선구간의 기울기이다. 탄성계수 E는 탄성설계에 있어서 중요한 재료변수로 활용된다. 일반적으로 이 탄성계수가 크면 강성도 높다고 말할 수 있다. 즉 탄성구간의 기울기는 강성에 비례한다. 이는 탄성계수는 응력을 변형률로 나눈 값이므로 일정한 양을 변형시키는데 필요한 응력으로 정의되는데, 그림 4.1과 같이 응력−변형률 곡선의 기울기가 커서 탄성계수가 큰 재료 A가 일정량을 변형시키는데 필요한 힘이 B보다 크기 때문에, 재료 A가 재료 B보다 탄성이 우수하고, 상대적으로 큰 강성을 갖는다고 말할 수 있다.

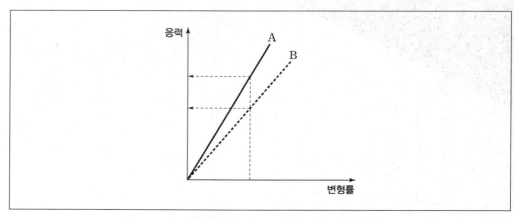

그림 4.1 서로 다른 탄성계수를 갖는 재료의 응력−변형률 곡선

한편 파괴 시 까지 재료가 힘을 받으면 변형을 하는 동안 에너지가 축적이 된다. 스프링이 압축되면 변형하는 동안 탄성에너지가 스프링 내에 축적되었다가 원래상태로 회복되면서 축적된 에너지가 방출된다.

재료의 거시적 탄성거동은 미시적으로는 재료의 원자결합력과 충진구조와 관계된다. 즉 외력에 대한 재료의 반응은 재료를 구성하는 원자들의 결합력과 일정 부피를 어떻게 채우고 있는가에 의해 결정된다.

응력－변형률 거동이 선형적 탄성거동이기는 하나 방향에 따라 탄성계수가 다르며, 폴리머 소재의 경우는 시간에 따라 탄성계수가 다르다. 고무의 경우 온도가 증가하면 강성이 증가한다.

4.1.2 원자결합력과 충진구조

재료가 강성이 크고 탄성변형이 적으려면 일반적으로 탄성계수가 큰 소재를 선택하여 설계하면 유리하다. 일반적으로 금속과 세라믹스 소재는 $10{\sim}1000GPa$ 정도로 탄성계수가 높아서 하중을 견뎌야 하는 부품의 소재로 많이 사용된다. 반면 폴리머 소재는 탄성계수가 상대적으로 낮고 10^{-3}부터 $20GPa$ 정도로 범위가 넓다. 이와 같이 소재에 따라 탄성계수가 서로 다른 값을 갖는 이유는 소재를 구성하는 원자들 간의 결합력이 다르고, 이러한 원자들이 일정한 부피를 채우고 있는 정도가 서로 다르기 때문이다.

그림 4.2에는 원자간 결합의 모식도를 나타내었다. 이온결합은 양이온의 원자가 전자를 음이온의 원자에 내어주면서 플러스(＋)로 하전되고, 음이온은 전자를 받으면서 마이너스(－)로 하전되어 상호 인력이 생겨 결합한다. 공유결합은 전자들을 상호 공유하는 것이 에너지 적으로 안정하여 서로 전자를 내어주거나 받으면서 강한 인력이 생겨 결합한다. 금속결합은 전자들이 원자핵의 구속을 받지 않아 자유전자로 떠다니므로 결합력은 일반적으로 공유결합보다는 크지 않으며 열, 전기전도성이 우수한 장점이 있다. 반데르바알스 결합은 원자핵 주위의 전자들이 순간적으로 위치가 변하여 쌍극자(dipole)가 발생하여 쌍극자 간의 인력이 발생하며 다른 결합에 비하여 약한 결합력을 갖는다. 일반적으로 공유결합의 결합력은 $20{\sim}200N/m$으로 가장 강하고, 이온결합과 금속결합은 약 $15{\sim}100N/m$로 서로 비슷한 값을 갖는다. 반데르 바알스 결합은 $0.5{\sim}2N/m$로서 가장 약한 결합력을 갖는다.

Chapter 1
Chapter 2
Chapter 3
Chapter 4
Chapter 5
Chapter 6
Chapter 7
Chapter 8

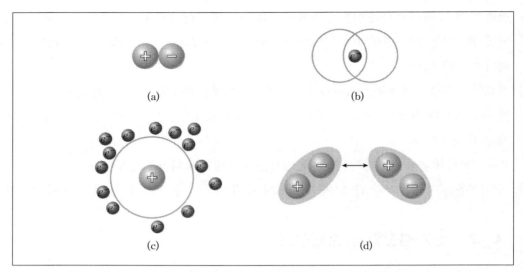

그림 4.2 원자결합의 모식도, (a) 이온결합, (b) 공유결합, (c) 금속결합, (d) 반데르바알스 결합

세라믹스는 금속과 비금속의 화합물로서 금속원자와 비금속원자가 상호 이온결합 또는 공유결합을 이룬다. 따라서 세라믹스는 외부 힘에 대해 상대적으로 강하고 탄성이 크다. 그러나 탄성이 크므로 소성이 작아 가공하기가 어렵고 취성이 발생한다. 그럼에도 강성이 높고 압축강도가 뛰어나다. 금속은 금속결합을 주로 하고 있어서 적절한 기계적 특성과 함께 열, 전기전도성이 우수한 장점이 있다. 반면 폴리머는 탄소와 탄소 간에는 강한 공유결합을 하고 있지만 고분자 사슬과 사슬 간에는 약한 반데르 바알스 결합을 이룬다. 따라서 폴리머의 탄성계수가 상대적으로 작은 값을 갖고 있다. 탄성계수는 원자들이 일정한 부피를 채우고 배열되어 있는 정도와 밀접한 관계가 있다. 즉 충진구조(packing structure)가 탄성계수에 영향을 미친다. 금속과 세라믹스의 대부분은 결정(crystal)이다. 결정이란 전체 고체를 대표할 수 있는 구조인 단위정(unit cell)이 x, y, z축으로 3차원적으로 반복되어 규칙적으로 배열된 구조를 말한다. 따라서 부피를 채우는 질량의 밀도가 높은 편이다. 반면 폴리머는 사슬의 구조가 일정한 부피를 높은 밀도로 채우지 못하고 상대적으로 불규칙한 구조를 갖게 되므로 충진 밀도가 낮다. 한편 세라믹스 중 유리는 국부적으로는 O 주위에 Si 4개가 결합된 정사면체를 단위정으로 하는 규칙적인 구조를 갖지만, 전체적으로 볼 때는 x, y, z축을 따라 규칙적으로 반복하지 못하고, 정사면체 간에는 서로 다른 각도로 결합되어 열려있는 구조(opening structure)를 갖는다. 따라서 빛이 쉽게 유리를 투과하므로 투명하게 된다. 투명도를 높이기 위해서 Na, Ca등을 첨가하면 정사면체간의 결합을 끊어서 보다 열려있는 구조를 만든다. 따라서 충진 밀도는 결정>유리>폴리머의 순서이므로, 탄성계수 역시 결정구조를 갖는 금속과 세라믹스가 높고, 유리는 중간정도의 탄성계수 값을 나타내고 폴리머가 가장 낮은 탄성계수 값을 갖는다.

탄성계수와 원자결합력간의 관계를 이온결합의 에너지와 힘을 나타내는 곡선으로부터 자세하게 살펴보기로 한다. 거시적으로는 응력－변형률 선도에서의 선형구간의 기울기가 탄성계수를 나타내지만 이는 미시적인 원자간 결합력과의 상호관계가 나타난 것이다. 탄성계수 E는 다음 식과 같이 원자간 거리 r_0와 재료의 강성 S와 관련된다.

$$E = S/r_0$$

즉 탄성계수는 강성에 비례하고 원자간 평형거리에 반비례한다. 강성은 원자간 결합력에 의존하고 원자간 거리는 충진 구조 (밀도)에 의존한다. 원자간 결합을 끊으려면 다음과 같이 외부에서 에너지가 필요하다.

$$U = 1/2 \sum z u_{ij}$$

여기서 u_{ij}, U는 원자간 각 결합을 끊는데 필요한 에너지 및 총에너지를 말하며, z는 원자의 양이다.

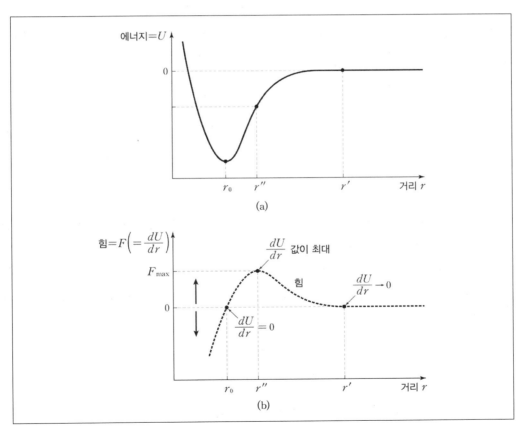

그림 4.3 원자간 거리에 따른 (a) 에너지 및 (b) 힘의 변화를 나타낸 그래프

만약 원자들이 이온결합을 하고 있다면, 이온결합은 다음 그림 4.3의 그래프 (a)에서와 같이 인력에너지와 반발에너지의 합으로 표현된다. 원자간 결합에너지를 원자간 거리 r에 따르는 식으로 나타내면 다음과 같다.

$$U_{ij} = -A \times r^{-n} + B \times r^{-m}$$

위 식에서 A, B, m, n은 재료에 의존하는 상수 값이다. 그림 4.3의 (a)에서 플러스로 하전된 원자가 원점의 위치에 있다면, 마이너스로 하전된 이온은 r'의 위치에 있다고 생각하면 된다. 양이온과 음이온 간에는 인력이 작용하므로 두 이온간의 거리가 r_0까지 가까워질수록 에너지는 음의 값으로 증가하게 된다. r_0가 되면 그래프 아래 그림에 나타낸 바와 같이 양이온과 음이온간의 거리는 이상적으로 0이 된다. 그 이후 두 이온 간의 거리가 더욱 가까워지면, 즉 $r < r_0$에서 반발력이 작용한다. 따라서 인력과 반발력에 의한 에너지를 합한 합 그래프는 (a)에서 실선으로 나타낸 그래프와 같은 모양을 갖게 된다. 이러한 곡선의 모양이 우물과 비슷하므로 이 그래프를 포텐셜 우물(potential well)이라고 한다. 양이온과 음이온간의 거리가 가장 가까운 r_0에서 합 그래프의 에너지는 가장 낮은 값을 갖게 되므로 이 거리에서 가장 안정한 결합을 갖게 된다. 한편 에너지를 거리에 대해 미분하면

$$F = dU/dr$$

이 미분 값은 힘이 된다. 원자간 거리에 따른 에너지 곡선에서 각 점의 접선의 기울기가 곧 힘이 된다. $r = r_0$에서는

$$dU/dr = 0$$

이 됨을 알 수 있고, 변곡점에 해당하는 $r = r''$에서 dU/dr의 값이 최대가 된다. $r = r''$이후에서는 dU/dr이 0에 수렴하는 값으로 힘이 적어지는 것을 계산할 수 있다. 따라서 $r = r_0$부터 $r = r''$까지 두 이온의 결합력을 끊는데 필요한 힘이 크게 되며, 변곡점인 $r = r''$에서 결합을 끊는데 최대의 힘이 필요한 것을 알 수 있다. 이 최대의 힘을 결합강도(bond strength or cohesive strength)라고 한다. 즉 결합을 끊어내기 위해서는 결합강도에 해당하는 힘이 주어져야 한다. 그림 4.3의 (b) 곡선의 모양은 싸인곡선으로 묘사할 수 있다.

$$F = F_{max}\sin(\pi x/2r'')$$

만약 각도가 매우 작다면 $\sin\theta \sim \theta$로 쓸 수 있으므로,

$$F = (F_{max}\pi/2r'')x$$

가 되므로 F = kx의 형태로 나타낼 수 있다. 이를 후크의 법칙이라고 한다. 힘과 거리의 관계는 다음과 같이 응력과 거리의 관계로도 바꿀 수 있다.

$$\sigma = (\sigma_{max}\pi/2r'')x$$

위 식에서 σ_{max}를 재료의 최대강도, 즉 인장강도(tensile strength)라고 한다. 한편 변형률의 식 ($\varepsilon = x/L_0$)으로부터,

$$\sigma/\varepsilon = (L_0\pi\sigma_{max}/2r'') = E$$

의 식을 유도할 수 있고 괄호안의 상수 값이 탄성계수 값과 관련이 있음을 알 수 있다. 즉 재료의 탄성계수는 최대강도 값에 비례한다.

한편 거리에 따른 힘을 다시 거리에 대해서 미분하면

$$S = dF/dr = (d^2U/dr^2)$$

으로서 강성(stiffness)인 S값을 얻을 수 있다. r_0인 점에서 두 이온간 에너지가 가장 낮을 때 두 이온이 평형의 상태(equilibrium)라고 한다. 원자를 완전히 떼어내는데 필요한 r = r''까지는, 움직이는데 필요한 힘 F는 거리 x에 비례하게 되는데 (F = kx) 이를 "선형적 탄성거동"이라고 한다. 한편 이러한 탄성계수 값은 재료의 녹는점과도 관계한다. 탄성계수는 강성에 비례하고 강성은 원자간 결합을 끊는데 필요한 힘과 관련되고, 재료의 녹는점은 원자간 결합을 끊는데 필요한 열과 관련되기 때문이다. 탄성계수와 재료의 관계식을 표현하면 다음 식과 같다. 다양한 재료에 대해 녹는점과 탄성계수 값을 표시한 그래프는 그림 4.4와 같다.

$$E/E_0 = [1 - \alpha(T/T_m)]$$

위 식에서 E는 온도 T에서의 탄성계수이고, E_0는 0K에서의 탄성계수 값이다. T_m은 녹는점이며, 비례상수 α는 결정질 고체의 상수 값이다.

그래프에서와 같이 탄성계수가 큰 재료는 녹는점도 높음을 알 수 있으며 이는 두 특성 모두 원자의 결합력과 밀접한 관련이 있음을 나타내는 결과이다.

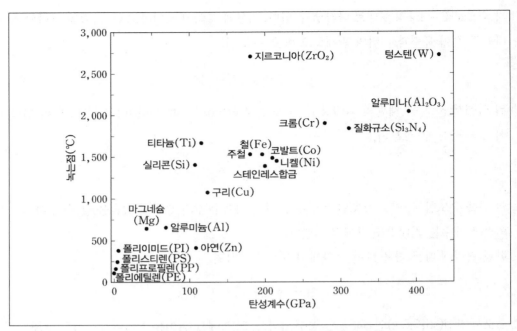

그림 4.4 재료의 탄성계수와 녹는점간의 관계를 나타낸 그래프

4.2 탄성계수의 방향성

4.2.1 등방성 탄성

앞 장에서 살펴본 대로 일반적인 선형탄성거동은 응력과 변형률간에 다음과 같은 관계식이 있음을 기술한다.

$$\sigma = E \times \varepsilon$$

위 식은 1차원에서의 후크의 법칙이라고 할 수 있다. σ와 ε은 각각 재료에 가해진 힘에 의해 발생한 응력과 변형률을 나타내며, E는 응력을 변형률로 나눈 값이며 탄성계수라고 한다. 선형거동이란 응력에 대한 재료의 반응이 변형으로 나타날 때 변형률이 응력에 비례하여 선형적으로 변화한다는 뜻이다. 1차원에서의 후크의 법칙은 등방성 탄성을 가정한다. 즉 탄성적 특징이 모든 방향에 대해 동일하다고 가정하는 것이다. 등방성 탄성은 모든 특성이 모든 방향에 대하여 동일하지만 단지 1차원이 아닌 3차원 상태를 고려하여야 한다.

⠏ 3축 응력상태에서의 탄성계수

그림 4.5에서와 같이 힘을 받는 재료 내의 3차원적 정육면체 체적요소에서 x축 방향으로의 변형률만을 생각해보자.

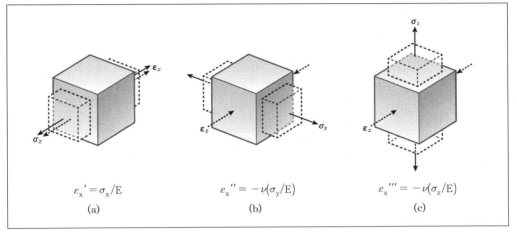

$$\varepsilon_x' = \sigma_x/E$$
(a)

$$\varepsilon_x'' = -\nu(\sigma_y/E)$$
(b)

$$\varepsilon_x''' = -\nu(\sigma_z/E)$$
(c)

그림 4.5 3차원 응력에서 발생하는 x축의 변형률

(a)와 같이 x축 방향으로 가해지는 힘에 의해 발생하는 변형 뿐만 아니라, (b), (c)와 같이 y축 및 z축 방향으로 가해지는 반작용의 힘에 의해 발생하는 변형도 고려하여야 한다. (a)에서의 변형률은 1차원적 후크의 법칙을 고려하면,

$$\varepsilon_x' = \sigma_x/E$$

가되며, (b)에서의 y축에 평행한 힘, (c)에서의 z축에 평행한 힘에 의한 변형률은, 다음과 같은 포아슨 비(Poission's ratio), ν의 정의에 의해

$$\varepsilon_x = -\nu\varepsilon_y = -\nu\varepsilon_z$$

이므로 각각

$$\varepsilon_x'' = -\nu\varepsilon_y = -\nu(\sigma_y/E)$$
$$\varepsilon_x''' = -\nu\varepsilon_z = -\nu(\sigma_z/E)$$

가 된다. 따라서 x축 방향의 변형률은

$$\varepsilon_x = \varepsilon_x{}' + \varepsilon_x{}'' + \varepsilon_x{}'''$$
$$= \sigma_x/E - \nu(\sigma_y/E) - \nu(\sigma_z/E)$$
$$= 1/E\{\sigma_x - \nu(\sigma_y + \sigma_z)\}$$

으로 구할 수 있다. 마찬가지로,

$$\varepsilon_y = 1/E\{\sigma_y - \nu(\sigma_z + \sigma_x)\},$$
$$\varepsilon_z = 1/E\{\sigma_z - \nu(\sigma_x + \sigma_y)\}$$

와 같이 3차원 응력상태에서의 변형률 식들을 유도할 수 있다. 위의 세가지 식을 3축 응력상태에서의 후크의 법칙이라고 한다. 이와 같이 3차원 적 수직응력상태에 따라 수직변형률은 세가지로 나타나게 되며, 뿐만 아니라 수직응력에 의해 발생하는 전단응력에 의한 전단변형률을 고려하면 다음과 같은 식이 된다.

$$\gamma_{xy} = \tau_{xy}/G,$$
$$\gamma_{yz} = \tau_{yz}/G,$$
$$\gamma_{zx} = \tau_{zx}/G$$

⃞ 탄성계수 E, 전단계수 G, 포아슨 비 ν간의 관계식

다음과 같은 주응력 식에서,

$$\sigma_{1,2} = \frac{\sigma_x + \sigma_y}{2} \pm \sqrt{\left(\frac{\sigma_x - \sigma_y}{2}\right)^2 + \tau_{xy}^2}$$

순수전단을 고려한다면,

$$\sigma_x = \sigma_y = \sigma_z = 0$$

이 되고, z성분이 들어간 전단응력,

$$\tau_{yz} = \tau_{zx} = 0$$

이 된다. 위 주응력 식에서 $\sigma_x = \sigma_y = 0$이므로 최대 주응력 및 최소 주응력은 다음과 같다.

$$\sigma_{max} = \tau_{xy}, \ \sigma_{min} = -\tau_{xy}$$

따라서 위 최대 및 최소응력과 그 사이의 응력 중 $\sigma_{int} = 0$을 채택하여 3축 후크의 법칙에

서 정의된 변형률 식에 대입하면,

$$\varepsilon_x = 1/E\{\sigma_x - \nu(\sigma_y + \sigma_z)\} = 1/E\{\tau_{xy} + \nu\tau_{xy}\} = (\tau_{xy}/E)(1+\nu)$$

한편 3축 응력에 의한 변형률 식에서 앞에서와 같이 $\sigma_x = \sigma_y = \sigma_z = 0$을 가정하였으므로, $\varepsilon_x = \varepsilon_y = 0$이 되므로, 이를 주 변형률 식에 대입하면,

$$\varepsilon_1 = \varepsilon_{\max} = \gamma_{xy}/2 = 1/2(\tau_{xy}/G)$$

위 식을 앞에서 구한, $(\tau_{xy}/E)(1+\nu)$과 비교하면,

$$(\tau_{xy}/2G) = (\tau_{xy}/E)(1+\nu)$$

이 되고 이를 정리하면,

$$G = E/\{2(1+\nu)\}$$

가 되어, 전단계수 G를 E와 ν의 함수로 구할 수 있다.

이번에는 그림 4.6과 같이 $\sigma_x = 0$인 평면 응력상태를 생각해본다. z축 방향으로 $\sigma_z = \sigma$이 작용하면 $\sigma_y = -\sigma$가 작용하고, bc방향의 경사면을 따라 τ의 전단상태가 작용한다고 생각해 보자. 이 때의 τ값은

$$\tau = 1/2(\sigma_z - \sigma_y) = 1/2(\sigma + \sigma) = \sigma$$

가 된다.

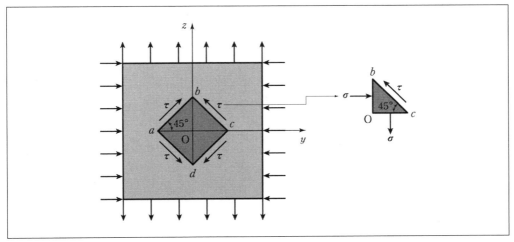

그림 4.6　$\sigma_x = 0$인 체적 요소의 응력상태

정육면체의 요소가 변형할 때의 변형량은 $\pi/2 - \gamma$만큼 변형이 일어나고, bd에 대해 ob는 1/2이므로,

$$oc/ob = \tan(\pi/4 - \gamma/2) = (1+\varepsilon_y)/(1+\varepsilon_z)$$

한편 3축 응력상태에서의 후크의 법칙에 의해,

$$\varepsilon_z = 1/E\{\sigma_z - \nu(\sigma_x + \sigma_y)\} = 1/E\{\sigma - \nu(0 - \sigma)\} = (1+\nu)\sigma/E,$$
$$\varepsilon_y = 1/E\{\sigma_y - \nu(\sigma_z + \sigma_x)\} = 1/E\{-\sigma - \nu\sigma\} = -(1+\nu)\sigma/E$$

이므로

$$(1+\varepsilon_y)/(1+\varepsilon_z) = \tan(\pi/4 - \gamma/2) = \tan(\pi/4) - \tan(\gamma/2)/\{1 + \tan(\pi/4)\tan(\gamma/2)\}$$
$$= \{1 - (\gamma/2)\}/\{1 + (\gamma/2)\}$$

의 식과 비교하면,

$$\gamma/2 = (1+\nu)\sigma/E$$

가 되므로

$$\gamma = 2(1+\nu)\sigma/E$$

와 같이 된다. 앞에서 $\sigma = \tau$이었고, $\tau = G\gamma$이므로

$$\gamma = 2(1+\nu)\sigma/E = 2(1+\nu)\tau/E = 2(1+\nu)G\gamma/E$$

가 되므로

$$G = E/\{2(1+\nu)\}$$

의 식을 유도할 수 있다.

:: 탄성계수 E, 체적계수 K, 포아슨 비 v간의 관계식

그림 4.7에서와 같은 직육면체의 요소가 3축의 응력을 받아 각 변의 길이가 변화하여 변형이 일어났다.

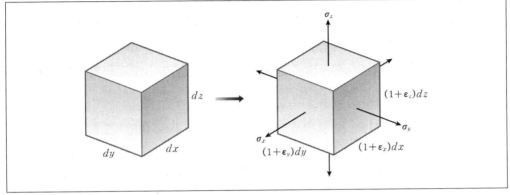

그림 4.7 체적 변화를 나타내는 모식도

변형 후 x축에 평행한 변의 길이는

$$dx + \delta = dx + \varepsilon_x dx$$

가 되고 마찬가지로, y, z축에 평행한 변의 길이가 변화한다. 요소의 체적변화량은

$$\Delta V = (1+\varepsilon_x)(1+\varepsilon_y)(1+\varepsilon_z) dxdydz - dxdydz$$

이 되고, 작은 체적을 가정하여 $V = dxdydz = 0$이라고 가정하면,

$$\Delta V / V \sim \varepsilon_x + \varepsilon_y + \varepsilon_z$$

으로 가정할 수 있다. 즉 부피변화가 작다면, 변형 후 각 변의 변형률을 합한 것과 거의 같다. ε_x, ε_y, ε_z에 3축에서의 후크의 법칙의 식을 적용하고 정리하면,

$$\Delta V / V = \{(1-2\nu)/E\} \times \{\sigma_x + \sigma_y + \sigma_z\}$$

가 된다. 만일 체적요소가 균일압력 $\sigma_x = \sigma_y = \sigma_z = p$를 받는다면,

$$\Delta V / V = \{3(1-2\nu)/E\} \times p$$

가 되므로,

$$p/(\Delta V / V) = K = E/3(1-2\nu)$$

Chapter 1
Chapter 2
Chapter 3
Chapter 4
Chapter 5
Chapter 6
Chapter 7
Chapter 8

로서, 체적계수 K를 E와 ν의 함수로 구할 수 있다.

이상에서와 같이 재료 내 체적요소가 z축 방향의 힘만이 작용할 경우에도 z축에 평행한 σ_z의 응력과 이에 의한 ε_z의 변형률만이 발생하는 것이 아니라, 힘의 작용, 반작용 법칙과 재료의 포아슨비 ν에 의해 2장 응력주제에서 살펴본 바와 같이 3개의 수직응력과 6개의 전단응력, 또 이에 따른 변형률이 발생할 뿐만 아니라 체적의 변화도 발생한다. 각각의 응력－변화율의 직선적 거동에 의해 정의되는 수직 탄성계수 E, 전단계수 G, 체적계수 K는 재료의 포아슨 비 ν와 함께 일정한 상호 관계가 있음을 관계식으로부터 이해할 수 있다. 역학자들은 이들 계수간의 다양한 관계식을 유도하였는데 몇 가지 예를 들면 다음 식과 같다.

$$E = 2G(1+\nu) = 3K(1-2\nu) = 9KG/(G+3K)$$
$$\nu = E/(2G) - 1 = 1/2 - E/6K = 1/2 - (3/2)G/(3K+G)$$
$$G = E/\{2(1+\nu)\} = 3EK/(9K-E) = (3/2)E(1-2\nu)/(1+\nu)$$
$$K = E/\{3(1-2\nu)\} = EG/\{3(3G-E)\} = (2/3)G(1+\nu)/(1-2\nu)$$

4.2.2 이방성 탄성

등방성 탄성은 재료의 모든 부위의 탄성거동이 동일하다는 의미이다. 탄성계수가 방향에 관계없이 모든 부위에서 같다고 가정한다. 앞 절에서의 3축 응력 상태에서도 모두 동일한 값의 탄성계수 E를 고려하였다. 그러나 실제로는 방향에 따라 탄성계수가 차이가 있다.

이방성 탄성의 발생이유

그림 4.8은 입방정(cubic) 정육면체 구조를 갖는 일부 금속에 대해 [100], [110], [111]의 서로 다른 방향에 따른 탄성계수 값을 나타낸 것이다. 텅스텐(W)과 같이 방향에 따라 탄성계수가 동일한 등방성 탄성을 나타내는 경우도 있으나, 대부분의 소재는 방향에 따라 서로 다른 탄성계수 값을 나타낸다는 것을 알 수 있다. 이와 같이 방향에 따라 탄성계수가 다른 것을 이방성 탄성(anisotropic elasticity)이라고 한다. 이는 원자배열이나 충진밀도가 방향에 따라 차이가 발생하기 때문이다.

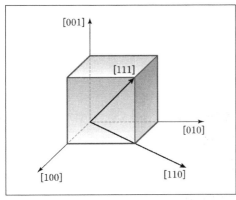

방 향	Cu	Al	Fe	Mo	W
[100]	67	64	125	360	390
[110]	130	72	210	305	390
[111]	190	76	272	292	390

그림 4.8 방향에 따른 금속의 탄성계수 (상온, 단위 : GPa)

탄성계수의 방향성은 제조방법의 차이에 따라 발생하기도 한다. 그림 4.9는 제조방법에 따른 탄성계수의 이방성의 사례를 나타낸 것이다. (a)와 같은 가스터빈의 블레이드는 일방향 주조로 만들어진다. 즉 세로 방향으로는 단결정으로서 입자의 경계면이 형성되지 않는다. 그러나 단결정도 결정학적 방향에 따라 탄성특성이 다르다. 또한 다결정은 입자들의 선택적 방향이 다르므로 탄성특성이 다르게 된다. 이와 같은 특징 때문에 방향에 따라 서로 다른 탄성계수 값을 나타낸다. (b)는 압연 롤러 사이에 금속판을 통과시켜 두께를 감소시키는 압연가공의 모식도이다. 두께 방향이 얇아지기 때문에 두께 방향과 그 방향에 수직한 방향 간의 탄성계수에는 이방성이 나타난다. (c)는 섬유를 직조하여 제조한 복합재료로서 섬유의 배열이 하중의 방향에 평행한가 수직한가에 따라 서로 다른 탄성계수 값을 나타낸다. 섬유의 배열방향이 하중에 평행할수록 복합재의 탄성계수는 상대적으로 크다.

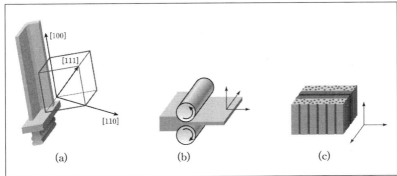

방 향	E(GPa)
[100]	93.8
[110]	162
[111]	214

그림 4.9 제조방법에 따른 탄성계수의 이방성, (a) 주조, (b) 압연, (c) 직조

Chapter 1
Chapter 2
Chapter 3
Chapter 4
Chapter 5
Chapter 6
Chapter 7
Chapter 8

⌨ 이방성 탄성의 행렬식

이방성 탄성의 일반식은 다음과 같다.

$$\varepsilon_{ij} = C_{kl} \times \sigma_{mn}$$

텐서(tensor)형태로 표현하여 행렬식으로 표현한다. 위 식에서 C는 탄성계수의 역수로서 컴플라이언스(compliance)라고 하며, 소재가 변형하기 쉬운 정도를 나타내는 양이다. 다음과 같이 6 x 6행렬으로 후크의 법칙을 표현할 수 있다.

$$\varepsilon_{11} = c_{11}\sigma_{11} + c_{12}\sigma_{22} + c_{13}\sigma_{33} + c_{14}\sigma_{23} + c_{15}\sigma_{31} + c_{16}\sigma_{12}$$
$$\varepsilon_{22} = c_{21}\sigma_{11} + c_{22}\sigma_{22} + c_{23}\sigma_{33} + c_{24}\sigma_{23} + c_{25}\sigma_{31} + c_{26}\sigma_{12}$$
$$\varepsilon_{33} = c_{31}\sigma_{11} + c_{32}\sigma_{22} + c_{33}\sigma_{33} + c_{34}\sigma_{23} + c_{35}\sigma_{31} + c_{36}\sigma_{12}$$
$$\gamma_{23} = c_{41}\sigma_{11} + c_{42}\sigma_{22} + c_{43}\sigma_{33} + c_{44}\sigma_{23} + c_{45}\sigma_{31} + c_{46}\sigma_{12}$$
$$\gamma_{31} = c_{51}\sigma_{11} + c_{52}\sigma_{22} + c_{53}\sigma_{33} + c_{54}\sigma_{23} + c_{55}\sigma_{31} + c_{56}\sigma_{12}$$
$$\gamma_{12} = c_{61}\sigma_{11} + c_{62}\sigma_{22} + c_{63}\sigma_{33} + c_{64}\sigma_{23} + c_{65}\sigma_{31} + c_{66}\sigma_{12}$$

위 식에서 $\sigma_{ij} = \sigma_{ji}$, $\gamma_{ij} = 2e_{ij} = 2e_{ji}$를 이용하면 보다 단순화시킬 수 있다.

$$\varepsilon_{11} = c_{11}\sigma_{11} + c_{12}\sigma_{22} + c_{13}\sigma_{33} + c_{14}\sigma_{23} + c_{15}\sigma_{31} + c_{16}\sigma_{12}$$
$$\varepsilon_{22} = c_{12}\sigma_{11} + c_{22}\sigma_{22} + c_{23}\sigma_{33} + c_{24}\sigma_{23} + c_{25}\sigma_{31} + c_{26}\sigma_{12}$$
$$\varepsilon_{33} = c_{13}\sigma_{11} + c_{23}\sigma_{22} + c_{33}\sigma_{33} + c_{34}\sigma_{23} + c_{35}\sigma_{31} + c_{36}\sigma_{12}$$
$$\gamma_{23} = c_{14}\sigma_{11} + c_{24}\sigma_{22} + c_{34}\sigma_{33} + c_{44}\sigma_{23} + c_{45}\sigma_{31} + c_{46}\sigma_{12}$$
$$\gamma_{13} = c_{15}\sigma_{11} + c_{25}\sigma_{22} + c_{35}\sigma_{33} + c_{45}\sigma_{23} + c_{55}\sigma_{31} + c_{56}\sigma_{12}$$
$$\gamma_{12} = c_{16}\sigma_{11} + c_{26}\sigma_{22} + c_{36}\sigma_{33} + c_{46}\sigma_{23} + c_{56}\sigma_{31} + c_{66}\sigma_{12}$$

만일 결정구조가 입방정(cubic)이라면, $c_{11} = c_{22} = c_{33}$, $c_{13} = c_{23} = c_{12}$, $c_{44} = c_{55} = c_{66}$ 이고, 첨자 중 1,2,3만 입방정 축이므로 다음과 같이 더욱 간단히 정리된다.

$$\varepsilon_{11} = c_{11}\sigma_{11} + c_{12}\sigma_{22} + c_{12}\sigma_{33} + 0 + 0 + 0$$
$$\varepsilon_{22} = c_{12}\sigma_{11} + c_{11}\sigma_{22} + c_{12}\sigma_{33} + 0 + 0 + 0$$
$$\varepsilon_{33} = c_{12}\sigma_{11} + c_{12}\sigma_{22} + c_{11}\sigma_{33} + 0 + 0 + 0$$
$$\gamma_{23} = c_{44}\sigma_{23}$$
$$\gamma_{13} = c_{44}\sigma_{31}$$
$$\gamma_{12} = c_{44}\sigma_{12}$$

4.3 점탄성(viscoelasticity)

4.3.1 점탄성 개요

점탄성(viscoelasticity)은 하중을 주었을 때 변형이 되고, 하중을 제거한 후에는 원래의 상태로 되돌아오는 탄성회복은 있으나 시간이 필요하다는 점에서 강성이 있는 소재의 탄성거동과 차이가 있다. 즉 원래의 상태로 되돌아오기는 하는데 시간이 걸린다.

그림 4.10에 점탄성 거동을 나타내는 폴리머 구조의 모식도를 나타내었는데, 폴리머는 일정한 부피를 규칙적인 배열이나 단위정의 반복적인 배열로 이루어지지 않고 그림에서와 같이 불규칙적인 사슬구조를 갖고 있다. 특히 그림의 점선의 원으로 표시한 바와 같이 서로 사슬이 엉켜 있는 구조는 소재의 점성을 높여서 탄성회복에 시간이 소모되는 원인이 된다.

즉 점탄성은 시간에 의존하는 탄성변형으로써, 소성변형이 아니다. 반면에 소성거동에서 살펴볼 크리프(creep)특성은 시간에 의존하는 소성변형이다. 이러한 점탄성은 진동의 감쇄거동과 관계된 특성이므로 점탄성 변형은 바람직하지 않은 특성이다.

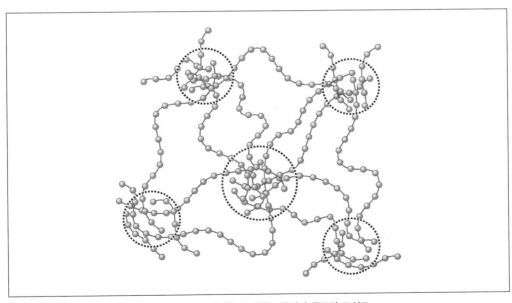

그림 4.10 점탄성 거동을 나타내는 폴리머 구조의 모식도

4.3.2 점탄성 모델

탄성이 있는 소재의 거동은 다음 그림 4.11의 (a)에서와 같은 스프링 모델이 주로 사용된다. 천장에 매달려 있는 스프링을 잡아당기면 길이가 늘어나는 변형을 하다가, 스프링을 놓으면 진동을 하다가 원래의 상태로 회복이 일어난다. 후크의 법칙에 의해 탄성변형률은 다음의 식과 같이 표현된다.

$$\varepsilon_e = F_e/k_e$$

위 식에서 F_e는 스프링에 작용하는 힘, k_e는 스프링 상수이다.

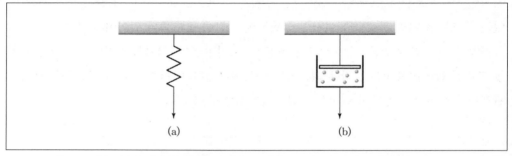

그림 4.11 (a) 탄성거동을 나타내는 스프링 모델 및 (b) 점탄성 거동을 나타내는 점성유체 모델

반면 점탄성 소재의 거동은 그림 4-11의 (b)에서와 같은 점성유체 모델이 주로 사용된다. 천장에 매달려 있는 점성유체를 잡아당기면 길이가 역시 늘어나 변형을 하다가도, 하중을 제거하면 진동을 하다가 원래의 상태로 회복이 일어나기는 하지만 (a)에서 보다 훨씬 긴 시간이 요구된다. 점탄성이 있는 소재의 변형률은 시간을 고려하여 다음 식과 같이 표현된다.

$$d\varepsilon_v/dt = F_v/k_v$$

위 식에서 ε_v는 점성유체의 길이와 관련된 변형률이고 t는 시간이다. F_v는 점성유체에 작용하는 힘, k_v는 점성유체와 관련된 재료상수 값이다.

점탄성거동을 나타내기 위한 여러 모델이 제시되어 활용되고 있다. 그림 4.12는 맥스웰 모델을 나타내며 스프링과 점성유체가 직렬로 연결되어 있다. 즉 스프링의 탄성에 의해 회복은 되나 점성유체와 직렬 연결되어 있기 때문에 시간이 걸려 회복된다는 개념이다. 힘은 시간에 따라 일정하게 가하며, 변형률은 이에 비례하여 발생한다.

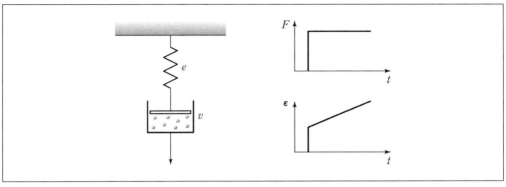

그림 4.12 점탄성 거동에 대한 맥스웰(Maxwell) 모델

이 때 변형률은 직렬 연결되어 있으므로 스프링에 의한 변형률과 점성유체에 의한 변형률의 합으로 주어진다.

$$\varepsilon = \varepsilon_e + \varepsilon_v = F/K_e + F_t/K_v$$

이 때 F는 t = 0 일 때의 힘이고, F_t는 시간 t일 때의 힘이다. $\varepsilon = \varepsilon_e + \varepsilon_v$에서 $\varepsilon_e = \varepsilon - \varepsilon_v$이고, $d\varepsilon_v/dt = F_v/k_v$의 식을 참고하면,

$$F = K_e\varepsilon_e = (\varepsilon - \varepsilon_v)K_e = K_v(d\varepsilon_v/dt)$$

위 식을 변형하면,

$$(K_e/K_v)dt = \{1/(\varepsilon - \varepsilon_v)\}d\varepsilon_v$$

양쪽을 적분해주면,

$$\ln(\varepsilon - \varepsilon_v)/\varepsilon = -(K_e/K_v)t$$

위 식에서
$\varepsilon - \varepsilon_v = F/K_e$, $K_e \times \varepsilon = F_0$에서 $\varepsilon = F_0/K_e$이므로,

$$\ln(F/F_0) = -t/(K_v/K_e) = -t/\tau$$

의 식으로 쓸 수 있다. 여기서 $\tau = (K_v/K_e)$이다. 따라서

$$F = F_0\exp(-t/\tau)$$

의 식으로 힘을 시간에 대한 변화로 표시할 수 있어서 점탄성 거동을 묘사할 수 있다.

Chapter 1
Chapter 2
Chapter 3
Chapter 4
Chapter 5
Chapter 6
Chapter 7
Chapter 8

스프링과 점성유체가 직렬이 아닌 병렬로 연결된 구조를 보이그트(Voigt)가 그림 4.13과 같이 모델로 제시하였다.

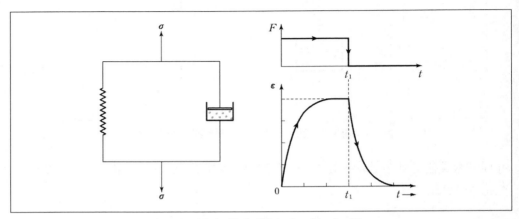

그림 4.13 점탄성 거동에 대한 보이그트(Voigt) 모델

힘은 앞의 맥스웰 모델에서와 같이 $F = F_o \exp(-t/\tau)$이므로, $t = 0$일 때는 $F = F_o$가 되고, t가 무한대일 때는 $F = 0$이 된다. 한편 변형률은 보이그트 모델에 의하면,

$$\varepsilon = \varepsilon_\infty [1 - \exp(-t/\tau)]$$

으로 표현되며, 위 식에서 $\varepsilon_\infty = (F/K_e)$이다. 위 식에 의하면 $t = 0$일 때는 $\varepsilon = 0$이 되고, t가 무한대일 때는 $\varepsilon = \varepsilon_\infty$가 된다.

점탄성 거동에는 이 밖에도 혼합 모델(combined model) 등 여러 가지 모델이 제시되고 있다.

4.3.3 진동감쇠

악기와 같은 경우는 진동이 있어야 소리가 난다. 반면 대부분의 기계요소는 소리가 나지 않는 것이 좋다. 따라서 진동이 없어야 한다. 즉 악기와 같은 경우 낮은 감쇠능(damping capacity)을 갖는 것이 좋고, 기계요소의 경우는 높은 감쇠능(damping capacity)을 갖는 것이 좋다.

점탄성거동은 변형률이 빠르게 원래의 상태로 회복되지 않기 때문에 감쇠(damping)을 일으킨다. 감쇠(damping)란 원래의 상태로 되돌아오지만 시간이 걸린다는 측면에서 점탄성 거동과 비슷하며 탄성의 일종이라고 말할 수 있다. 일반적으로 점탄성이 일으키는 감쇠는 따라서 바람직하지 않는 것으로 생각할 수 있다.

점탄성의 감쇠는 다음 그림 4.14에서와 같이 시간에 따른 응력곡선 대비 변형률곡선에서 위상차 δ가 발생하기 때문에 일어난다.

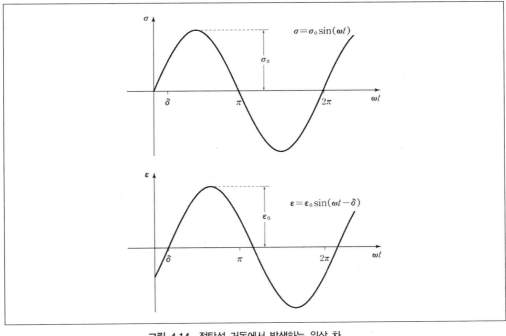

Chapter 1

Chapter 2

Chapter 3

Chapter 4

Chapter 5

Chapter 6

Chapter 7

Chapter 8

그림 4.14 점탄성 거동에서 발생하는 위상 차

점탄성 재료에 싸인 곡선 형태의 싸이클 하중이 가해지면 이에 의해 발생하는 시간에 따른 응력은 다음 식으로 묘사할 수 있다.

$$\sigma = \sigma_0 \sin(\omega t)$$

반면 변형률은 위상차 δ에 의해 다음 식과 같이 묘사된다.

$$\varepsilon = \varepsilon_0 \sin(\omega t - \delta)$$

변형률에 δ만큼의 위상차가 발생하면 다음 그림 4.15에서와 같은 면적만큼 에너지 손실이 발생한다.

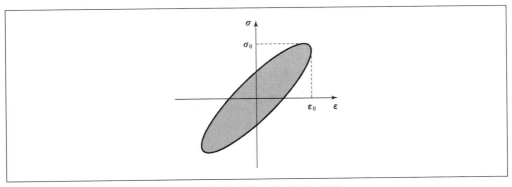

그림 4.15 점탄성 거동에 의한 에너지 손실

이 때 재료의 일정부피에서 싸이클 당 발생하는 에너지 손실은 다음 식과 같으며,

$$\Delta U = \pi (\sigma_o \varepsilon_o) \sin\delta$$

이 때 에너지 변화는

$$\Delta U / U = [\pi(\sigma_o \varepsilon_o)\sin\delta]/[(1/2)(\sigma_o \varepsilon_o)] = 2\pi\sin\delta \sim 2\pi\delta$$

과 같이 되며 이 때 δ는 작은 값이라고 가정한다. 따라서 진동은 그림 4.15에서와 같은 면적만큼 에너지 손실이 발생하며, 에너지 변화는 위 식과 같이 위상차 δ와 관계하여 위상차가 클수록 에너지 손실이 크다. 이 때 에너지는 열로 방출되어 온도상승을 가져올 수 있으므로 바람직하지 않다고 말할 수 있다.

스프링을 당겼다가 놓으면 처음에는 큰 흔들림이 있다가 점차 흔들림이 감소하는데 이러한 현상을 감쇠라고 말할 수 있으며 이를 그래프로 나타낸 것이 그림 4.16이다. 감쇠의 감소량 Δ는 다음 식으로 묘사된다.

$$\Delta = \ln(\varepsilon_n / \varepsilon_{n+1}) \sim \pi\delta$$

감쇠해야 할 양 역시 δ와 관계함을 알 수 있다. 자유진동의 경우 진폭은 점차 감소하여 제자리로 돌아오지만 이는 시간의 함수이며, 탄성거동이지만 시간이 소모되므로 감쇠를 일으키는 탄성이다.

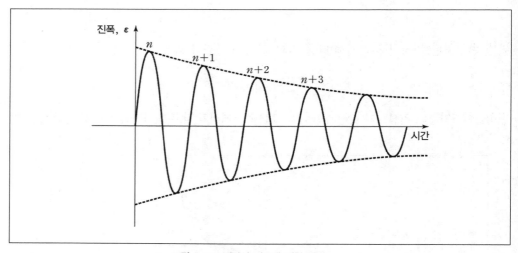

그림 4.16 점탄성 거동에 의한 감쇠

Chapter 1

Chapter 2

Chapter 3

Chapter 4

Chapter 5

Chapter 6

Chapter 7

Chapter 8

4.4 열팽창 거동

4.4.1 열팽창계수

변형은 힘에 의해서도 일어나지만, 온도의 변화에 의해, 즉 열에 의해 일어날 수도 있다. 균질하고 등방성인 재료의 온도가 변하는 경우, 열팽창계수의 정의

$$\alpha = (1/L)(dL/dT)$$

로부터

$$\Delta L/L = \epsilon = \alpha \Delta T$$

이므로

$$\varepsilon_x = 1/E \{\sigma_x - \nu(\sigma_y + \sigma_z)\} + \alpha \Delta T$$

를 부가적으로 고려하여야 한다. 위 식들에서 α는 선형 열팽창계수 (linear coefficient of thermal expansion)이고 단위는 단위 온도 당 변형률로서 $1/^\circ C$ 또는 $1/^\circ K$ 를 사용한다. dT 또는 ΔT는 재료가 경험하는 온도 변화를 의미하고 L은 원래 부재의 길이, dL 또는 δ는 부재의 길이변화이다.

일반적으로 온도가 상승하면 재료는 팽창하고 온도가 감소하면 재료는 수축한다. 이 팽창이나 수축은 온도의 변화에 따라 선형적인 관계가 있다. 재료를 구성하는 원자들은 $0^\circ K$ 의 온도에서도 진동하고 있으며, 온도가 높아지면 그 진동 폭이 커진다. 온도가 증가하면 원자들 간의 길이도 증가하다가, 온도가 더욱 높아져서 이웃원자들 간의 결합에너지 이상의 열에 노출되면 원자간 거리가 크게 멀어지게 된다.

그림 4.17에 거리에 따른 원자간 포텐셜 에너지를 나타내었다. 그림 4.3에서 살펴본 포텐셜 우물의 곡선의 최소점은 원자간 결합이 가장 안정한 에너지가 가장 적은 결합의 구조이다. 온도가 상승하면 원자간 거리가 점차 증가하며, 융점 T_m 에서 원자간 거리가 멀어진다.

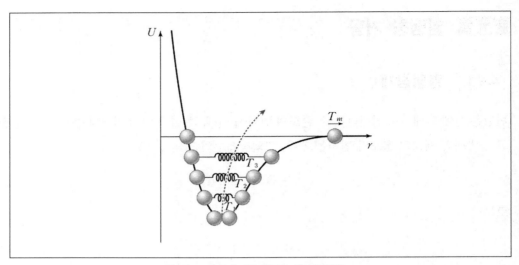

그림 4.17 온도에 따른 원자간 거리의 변화

포텐셜 우물과 융점이 관련이 있다는 것은 탄성계수가 녹는점과 상호관계가 있다는 뜻이다. 일반적으로 다음 식과 같이 탄성계수는 융점 T_m에 비례하는 관계가 있다.

$$E \sim (100kT_m)/\Omega$$

위 식에서 k는 볼츠만 상수이고, Ω는 원자당 부피이다. 한편 열팽창계수와 탄성계수는 다음 식과 같은 관계가 있다.

$$\alpha = (Y_G \rho C_p)/3E$$

위 식에서 ρ는 재료의 밀도, C_p는 단위질량당 비열$(J/g \cdot K)$이다. Y_G는 그루나이젠 상수로서 대부분의 고체에서는 1에 가까운 값이다. α는 재료의 열팽창계수로서 앞에서 살펴본 바와 같이 온도에 따른 길이변화를 단위 길이로 나눈 값으로서

$$\alpha = (1/L)(dL/dT)$$

열팽창계수는 재료마다 서로 다른 특성 값이 된다. 예를 들면 대표적인 범용 플라스틱인 폴리에틸렌(PE)은 $150 \sim 300 \times 10^{-6}/^{\circ}C$, 기계재료의 대표적인 금속인 강(steel)은 $12 \times 10^{-6}/^{\circ}C$, 엔지니어링세라믹스로 많이 활용되는 알루미나(alumina, Al_2O_3)는 약 $8.5 \times 10^{-6}/^{\circ}C$의 열팽창계수 값을 갖는다.

재료의 부피비열은 $3 \times 10^{-6} J/m^3 \cdot K$의 일정한 값을 갖는데 이 식과 앞의 식들을 적절히 활용하면 열팽창계수와 융점과의 관계식인 다음 식을 도출할 수 있다.

$$\alpha = Y_G / (100 T_m)$$

즉 재료의 열팽창계수는 융점에 반비례하는 관계를 수식화할 수 있다.

한편 재료의 열팽창계수와 탄성계수의 관계를 도시한 그래프는 그림 4.18과 같으며, 그래프에서와 같이 상호 반비례의 관계가 있다.

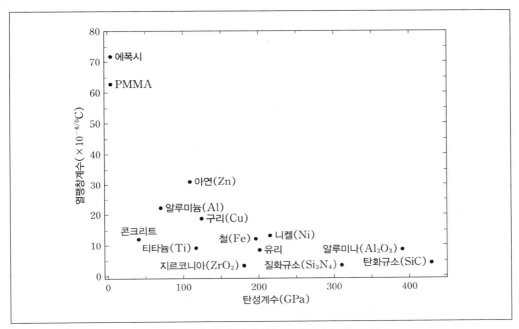

그림 4.18 재료의 열팽창계수와 탄성계수의 관계를 나타낸 그래프

4.4.2 열응력

재료가 사용되는 부품들은 조립되고 설계되어 기계시스템에 적용된다. 이 때 조립되는 부품들은 상호 구속의 상태이다. 즉 서로 조립되어 있기 때문에 상호 영향을 받으며 움직인다. 특히 열이 수반된 기계시스템의 경우 서로 다른 재료로 부품들이 조립되어 있다면, 열팽창계수 차이에 의해 이러한 구속의 상태가 응력으로 작용하게 된다.

만약 부품들이 조립되어 있지 않아서 구속의 상태가 아니라면, 다음과 같은 열팽창계수 식으로 부터

$$\alpha = (1/L)(dL/dT),$$

$$dL = \delta = \alpha \times \Delta T \times L$$

과 같이 온도의 변화 ΔT로부터, 즉 열에 의해 부재의 길이변화가 발생한다. 만약 임의의 길이

요소 dx에 대해서는 길이 0부터 L까지

$$\delta = \int (\alpha \times \Delta T) dx$$

로서, 온도변화를 받을 때 자유롭게 팽창하거나 수축하므로 그 길이변화를 위 식들로부터 계산할 수 있다.

그러나 부재의 양쪽 끝단이 구속되어서 열 팽창이나 수축이 자유롭지 못하는 경우를 가정하면,

$$\delta_{total} = 0$$

이 되고, 축하중에 의한 변형률

$$\delta' = -(PL)/(AE)$$

가 반대방향으로 작용하므로 (부호가 마이너스), 총 변형률은

$$\delta_{total} = 0 = \alpha \Delta TL - (PL)/(AE)$$

이 되고 $P/A = \sigma$이므로 이에 대해 식을 재배열하면,

$$\sigma = E \times \alpha \times \Delta T$$

의 식이 유도된다. 따라서 구속을 받는 재료의 탄성계수 E, 열팽창계수 α, 온도변화 ΔT를 안다면 재료 내에 열에 의해 작용하는 열응력 σ값을 알 수 있다. 만약 이 응력 값이 재료의 강도보다 크다면, 변형이나 파손이 일어날 수 있으므로 외부 온도를 제어하거나, 재료의 강도를 높이는 방향으로 재설계를 수행하여야 한다.

Chapter 1

Chapter 2

Chapter 3

Chapter 4

Chapter 5

Chapter 6

Chapter 7

Chapter 8

■ 연습문제

4.5.1 다음 중 세 방향을 고려한, σ_x에 기인한 변형율 ε_x를 맞게 제시한 식은 ?

① $\varepsilon_x = 1/\mathrm{E}\,[\sigma_x - \nu(\sigma_y + \sigma_z)]$

② $\varepsilon_x = 1/\mathrm{E}\,[\sigma_x + \nu(\sigma_y + \sigma_z)]$

③ $\varepsilon_x = 1/\mathrm{E}\,[\sigma_y - \nu(\sigma_x + \sigma_z)]$

④ $\varepsilon_x = 1/\mathrm{E}\,[\sigma_y + \nu(\sigma_x + \sigma_z)]$

4.5.2 다음 중 탄성계수 E, 체적계수 K, 전단계수 G, 포아슨비 ν와의 관계식을 맞게 제시한 식은 ?

① $\mathrm{K} = \mathrm{E}/[2(1-\nu)]$ ② $\mathrm{G} = \mathrm{E}/[3(1-2\nu)]$

③ $\mathrm{G} = \mathrm{E}/[2(1+\nu)]$ ④ $\mathrm{K} = \mathrm{E}/[3(1+2\nu)]$

4.5.3 위 우측 그림과 같은 두께 1mm의 강철시트가 곡률반경 $\rho = 50\mathrm{cm}$를 갖도록 굽힘이 일어난다. 강철의 탄성계수 $\mathrm{E} = 208\mathrm{GPa}$과 포아슨비 $\nu = 0.29$를 알고 있다면, 표면에서의 응력값, ① σ_x, ② σ_y를 구하시오. 시트의 면에서의 힘의 합은 없다고 가정하시오.

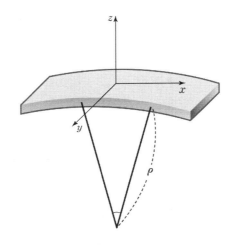

4.5.4 문제 3의 그림에서 변형률 e_z를 σ_x, E, ν의 함수로 나타내시오.

4.5.5 탄성계수 E, 강성계수 G, 포아슨비 ν와의 관계식을 유도하시오.

4.5.6 다음 그림과 같이 세라믹 도자기에 유약을 칠한 후 1000℃의 온도로 가열하였다. 그 후 냉각했는데 유약은 600℃의 온도부터 굳어진다. 유약과 도자기의 열팽창계수는 각각 $4.0 \times 10^{-6}/℃$, $5.5 \times 10^{-6}/℃$ 이다. 유약의 탄성계수 $E_g = 70Pa$, 포아슨비 $\nu_g = 0.3$ 이다. 20℃의 온도까지 냉각할 때 유약에 작용하는 응력을 계산하라.

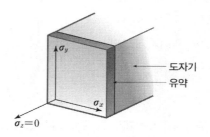

4.5.7 다음 중 열적변형률에 해당하는 식은?

① 열팽창계수×온도차이

② 탄성계수×열팽창계수×온도차이

③ 응력×열팽창계수×온도차이

④ 시험편의 길이×열팽창계수×온도차이

4.5.8 양끝이 단단히 고정된 강철보를 상온에서 100℃의 온도로 가열하였다. 열응력 식을 맞게 표시한 것은 ?

① 탄성계수×열팽창계수×온도변화   ② 탄성계수×열팽창계수×100℃

③ 열팽창계수×온도변화×보의 길이   ④ 열팽창계수×100℃×보의 길이

⑤ 온도변화×길이변화×보의 길이

4.5.9 점탄성에 해당하는 그림 4.13의 곡선에 대하여 설명하시오

4.5.10 점탄성(viscoelasticity)에 대해 설명한 다음 내용 중 틀린 것은?

① 시간에 따라 탄성계수가 달라질 수 있다.

② 점탄성은 시간에 의존하는 변형이다.

③ 원래의 상태로 회복은 되지만 시간이 걸린다.

④ 감쇠(damping)의 폭이 시간에 따라 증가한다.

제5장

소성 거동

5.1 서론 및 개요

재료에 힘이 가해져 얻을 수 있는 응력－변형률 곡선에서 직선적인 거동을 벗어나 곡선의 거동을 나타 구간을 소성구간이라고 한다. 다음 그림 5.1은 전형적인 금속재료의 응력－변형률 곡선을 나타낸다. (a)의 그래프에서와 같이 탄성영역은 직선적인 거동을 나타내는 반면, 소성영역에서는 응력－변형률 구간이 더 이상 직선적이지 않음을 알 수 있다.

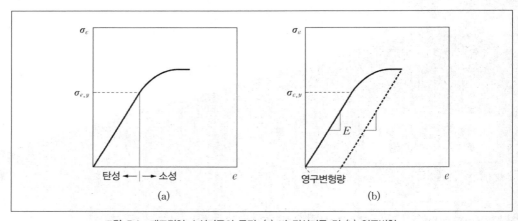

그림 5.1 대표적인 소성거동의 특징, (a) 비 직선거동 및 (b) 영구변형

소성구간의 특징은 비직선적인 응력－변형률 곡선의 거동을 나타낸다는 것 이외에도 소성구간에서 하중을 제거하면 원래의 상태로 회복되지 않고 변형된 상태로 남게 된다는 특징이 있다. 이 변형된 상태를 영구변형(permanent deformation)된 상태라고 정의한다. 즉 탄성한계를 넘어서면 재료는 비가역적인 변형(irreversible deformation)이 일어나게 된다. 그래프 (b)에서와 같이 곡선구간의 한 점까지 하중을 가하였다가, 소성구간 지점에서 하중을 제거한 경우, 곡선을 따라 회복이 일어나지 않고 탄성구간의 기울기에 해당하는 점선을 따라 회복이 되므로 원점의 상태로 회복되지 않는다. 하중을 주면 일정량 변형하였다가 힘을 제거해도 원래상태로 회복이 되지 않는 이러한 특성을 소성(plasticity)이라고 한다. 고무줄을 잡아 늘였다가 놓을 때 고무줄의 강도 이상의 응력을 가하였다가 하중을 제거하면 늘어난 상태로 그대로 남아있게 된다. 연성이 있는 소재의 경우 완전 소성상태에 이르게 되면 일정하게 가해진 하중에서 변형이 지속적으로 발생할 수 있다. 즉 이 경우 변형량은 가해진 응력이 작용한 시간에 의존하게 되며, 변형률 속도(strain rate)라는 개념을 도입한다.

소성설계에 중요한 재료상수 중의 하나는 항복강도(yield strength) 또는 항복응력(yield stress)이며, 이는 응력－변형률 곡선에서 직선구간과 곡선구간의 경계점에 해당하는 응력 값이다. 항복강도이후로 변형이 일어나게 되므로 항복강도 $\sigma_{e,y}$ 는 탄성설계에 있어서 중요한 재료변수로 활용된다. 탄성영역과 소성영역간의 경계점이 명확하지 않는 경우는 0.2%오프셋 방법으로 항복강도를 구하게 된다. 이는 변형률이 0.002인 점에서 시작하여 탄성계수의 기울기와 같은 선을 긋고, 응력－변형률 곡선과 만나는 교점에 해당하는 응력 값을 읽는 방법이다. 일반적으로 항복강도가 크면 변형에 대한 재료의 저항성이 높다고 말할 수 있다.

항복응력 이상의 힘을 받아 소성구간에서 재료의 변형이 일어나는 이유는 미시적으로 재료 내에 전위(dislocation)라는 결함이 발생하기 때문이다. 전위는 원자의 위치가 바뀌어 발생하는 결함으로서 전자현미경으로 관찰가능한 선결함이다. 힘의 방향에 따라 이동하는 슬립(slip)이 발생할 수 있으며 전위밀도가 증가하기도 하는데, 항복강도 이후에도 재료를 변형시키는데 응력이 필요한 이유가 전위의 증식이 일어나기 때문이다. 전위의 증식으로 재료의 경도는 향상되는 변형경화 또는 가공경화현상이 일어난다. 전위의 존재는 시스템의 에너지를 높이므로 부가적인 힘이 주어졌을 때 재료의 변형이 일어나게 된다. 고온에서는 이러한 변형이 보다 가속화될 수 있는데 이러한 변형을 크리프(creep)라고 한다.

5.1.1 결정의 이론 항복강도

그림 5.2에서와 같이 원자를 거리 b만큼 이동시키기 위한 이론적 강도를 구해보자. 거리 x에 따른 응력은 다음 식과 같이 싸인함수로 쓸 수 있다.

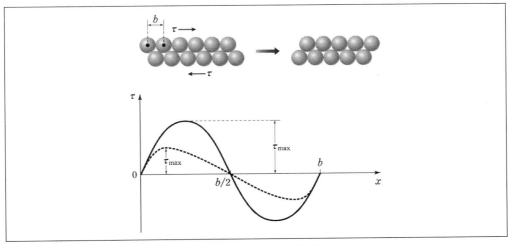

그림 5.2 원자를 이동시키기 위한 응력

$$\tau = \tau_{max}\sin(2\pi x/b)$$

위의 식을 x에 대해 미분하면,

$$d\tau/dx = (2\pi/b)\tau_{max}\cos(2\pi x/b)$$

이 되고, 매우 작은 변위에서는

$$\gamma = x/a$$

로 쓸 수 있는데, 여기서 a는 슬립면 간의 거리이다.

$$d\tau/dx = (d\tau/d\gamma)(d\gamma/dx)$$

로 표현할 수 있으므로 이를 $d\tau/d\gamma$로 재배열한 후 $x = 0$을 대입하고, 또 앞의 $d\tau/dx$식에 $x = 0$을 대입하면

$$(d\tau/dx)_{x=0} = (2\pi/b)\pi_{max} \times 1$$

$$(d\tau/d\gamma)_{x=0} = (d\tau/dx)/(d\gamma/dx) = (d\tau/dx)_{x=0}/(1/a) = (2\pi a/b)\tau_{max} = G$$

가 된다. 이 식으로부터 원자를 b만큼 이동시키는데 필요한 응력 값을 다음과 같이 구할 수 있다.

$$\tau_{max} = (G/2\pi)(b/a) \sim G/30$$

으로서 즉 완전결정의 이상적 항복강도 값은 전단계수 G를 30으로 나눈 값이 된다.
표 5.1에는 몇몇 재료별 전단응력을 나타내었고 그 값을 이상강도와 비교하였다.

표 5.1 재료별 전단강도와 이상강도와의 비교

구분	재료	전단응력(강도), MPa	이상강도와의 비교
다결정	구리	0.58	4.2×10^{-4}
	철	13.8	5.1×10^{-3}
	염화나트륨	2.0	4.2×10^{-3}
전위가 없는 경우	구리	610	0.45
	철	6550	2.4

철의 경우 13.8MPa의 힘을 주면 변형이 일어나는데 이러한 값은 이상강도와 비교하면 5.1×10^{-3}배 만큼 낮은 값이다. 마찬가지로 구리나 NaCl의 경우도 이상강도에 비하면 실제강도가 매우 낮은 값을 나타낸다. 반면 구리와 철에서 전위라는 결함이 없는 경우 그 전단강도 값은

610, 6,550MPa로서 이상강도와 비슷한 값으로 향상됨을 알 수 있다. 따라서 이상강도에 비하여 전단강도 값이 낮은 이유는 재료 내에 전위(dislocation)라는 결함이 포함되어 있기 때문인 것을 알 수 있다. 즉 전위가 있으면 낮은 전단력에 의해서도 쉽게 변형이 되기 때문이다. 이는 전위가 존재하면 에너지 적으로 높은 상태가 되어 시스템은 에너지를 낮추는 방향으로 진행되기 때문으로, 외부의 힘이 전위를 없애는데 집중되기 때문이다. 재료 내에 강한 곳과 약한 곳이 있을 때 힘이 약한 곳에 집중됨으로써 보다 쉽게 변형을 일으킬 수 있는 것과 같은 원리이다. 재료별 소성거동을 살펴보면, 금속의 경우는 대부분 항복강도가 존재하므로 그 이상의 힘을 가하면 변형이 발생한다. 폴리머의 경우는 낮은 힘에서도 쉽게 항복이 일어나고, 응력을 지속적으로 가하면 꾸준한 변형이 일어난다. 반면 세라믹스 소재는 강성이 매우 높아 변형이 일어나지 않아 고온을 제외하고는 상온에서는 전위가 거의 발생하지 않는다. 따라서 항복강도는 일반적으로 고분자가 가장 낮고, 금속, 세라믹스 순으로 높다.

5.1.2 전위와 소성

재료의 항복강도 이상의 응력을 가하고 하중을 제거하면 영구변형이 발생하게 되는데 영구변형이 일어나는 이유의 출발점은 미시적으로 전위(dislocation)가 발생하기 때문이다. 따라서 거시적 소성거동은 미시적으로는 전위라는 선결함과 관계가 있다.

전위란 원자의 위치가 바뀌어 발생하는 선결함이다. 그림 5.3 (a)에서와 같이 원자들이 제 격자 위치에 있는 완전결정 상태에서 전단응력을 받음으로써 원자들의 위치가 이동하여 (b)와 같이 마치 새로운 판(그림에서 ⓓ로 표시된 부분)이 끼어든 것 같은 상태가 된다. 이 때 이 판을 위에서 관찰하면 선의 형태로 보이게 된다. 전단응력이 계속 부과되면 원자들 간의 거리가 바뀌게 되고, 판의 하부의 원자와의 거리가 가까워지면 상호인력이 증가하여 기존의 결합을 끊고 새로운 결합을 함으로써 (c)와 같이 선결함이 이동하는 것처럼 보인다. 이와 같이 선결함의 원자들과 기존의 원자들 간의 위치가 계속 바뀌고 결합이 바뀜으로써 마치 선이 움직이는 것처럼 보이는 것을 '전위가 이동한다'고 표현한다.

Chapter 1
Chapter 2
Chapter 3
Chapter 4
Chapter 5
Chapter 6
Chapter 7
Chapter 8

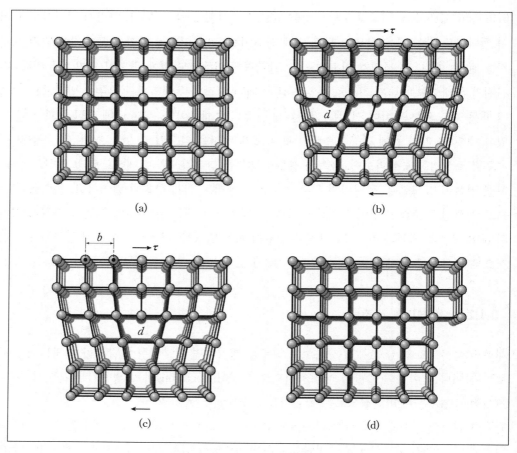

(a)

(b)

(c)

(d)

그림 5.3 전위의 정의 및 이동

전위가 있으면 응력이 발생하고 부가적인 에너지가 발생한다. 따라서 에너지를 낮추는 방향으로 진행시키고자, 전위를 없애려고 응력이 전위에 집중된다. 따라서 외부의 전단응력의 힘은 전위의 이동에 집중되고 궁극적으로는 그림 5.3의 (d)와 같이 스텝(step)이 형성되면서 영구변형이 발생한다. 미시적인 전위의 움직임으로 거시적인 영구변형과 소성이 발생하게 되는 것이다. 그림 5.4에는 전위의 형성에 의해 정의되는 버거스 벡터(Burgers vector)의 개념에 대해 나타내었다. (a)와 같이 전위가 없는 완전결정의 경우 한 원자를 택하고 우측으로 세칸, 위로 세칸 움직이고 이동한 만큼 좌측으로 세칸, 아래로 세칸 움직이면 원래의 상태로 돌아온다. 그러나 (b)와 같이 전위에 의해 뒤틀린 결정의 경우는 출발점으로부터 동일하게 움직이고 움직인만큼 반대로 되돌아 올 때 원래의 상태로 돌아오지 못한다. 이 때 최초 출발점과 최종점간의 차이만큼을 '버거스 벡터'라고 정의한다.

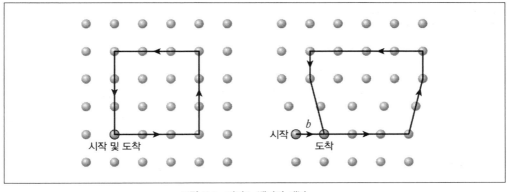

그림 5.4 버거스 벡터의 개념

그림의 5.5에는 전위의 종류를 나타내었다. 전위는 재료의 단면적에 평행하게 작용하는 전단력에 의해 (a)와 같이 칼날전위(edge dislocation)이 생성되며, 계속적인 전단력 부과에 의해 재료의 한 파트가 아랫면에 대해 완전히 슬립이 일어나 스텝이 형성된다. 두 번째는 (b)와 같은 스크루 전위(screw dislocation)으로서, 전단 모멘트에 의해 형성되는 선결함을 말한다. 칼날 전위의 경우 버거스 벡터는 선결함에 수직한 방향이며, 스크루 전위의 경우 버거스 벡터는 평행한 방향이다.

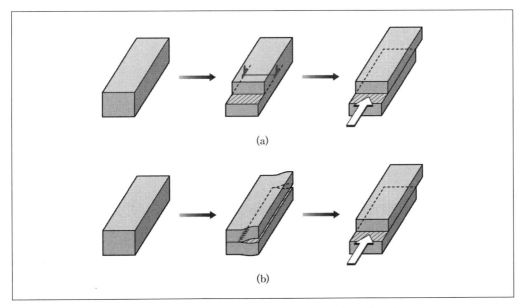

그림 5.5 전위의 종류, (a) 칼날(edge) 전위, (b) 스크루(screw) 전위

Chapter 1

Chapter 2

Chapter 3

Chapter 4

Chapter 5

Chapter 6

Chapter 7

Chapter 8

5.2 소성 이론

지금까지 재료의 거시적 소성거동이 일어나는 이유를 미시적 선결함 측면에서 설명하였다. 항복강도에서 재료의 소성이 일어난다고 하였는데 역학적으로 언제 소성을 나타내는지를 결정하는 것이 중요하다. 금속에서는 항복 상태가 곧 수명을 다하는 상태라고 보는 경우도 있기 때문이다. 따라서 다양한 항복기준(yield criteria)을 살펴보는 것이 필요하다. 또한 폴리머에서의 항복을 점도(viscosity)의 관점에서도 살펴볼 필요가 있다.

5.2.1 항복기준

2장에서 우리는 z축방향의 수직한 힘에 의한 응력만 발생하였을 때, 3축의 체적요소에서는 총 3개의 수직응력과 6개의 전단응력이 발생한다는 것을 살펴보았다. 만약 $\tau_{xy} = \tau_{yx}$, $\tau_{yz} = \tau_{zy}$, $\tau_{zx} = \tau_{xz}$이라고 가정하면 항복이 일어나는 기준은 수학적으로 다음과 같다.

$$f(\sigma_x, \sigma_y, \sigma_z, \tau_{xy}, \tau_{yz}, \tau_{zx}) = C$$

즉 발생한 응력이 어떤 기준 C에 도달하게 되면 항복이 발생한다. 이 C값은 재료의 특성 값이며, 재료상수 값과 같다. 만약 전단응력이 존재하지 않는 등방성 재료의 주응력을 고려하면 항복기준은

$$f(\sigma_x, \sigma_y, \sigma_z) = C$$

와 같다. 이 때 항복은 다음 식과 같은 평균응력과는 관계가 없다고 가정한다. 즉 평균응력보다는 어느 한 응력 값이 중요하다.

$$\sigma_m = (\sigma_x + \sigma_y + \sigma_z)/3$$

또 항복은 응력의 방향이나 부피변화와도 무관하다고 가정한다. 모어원에서는 위치가 아니라, 모어원의 크기가 항복에 중요하다.

또 다음 식과 같이 세 응력의 차이가 어느 기준에 도달할 때 항복이 일어난다는 이론도 있다.

$$f[(\sigma_x - \sigma_y), (\sigma_y - \sigma_z), (\sigma_z - \sigma_x))] = C$$

Chapter 1

Chapter 2

Chapter 3

Chapter 4

Chapter 5

Chapter 6

Chapter 7

Chapter 8

5.2.2 항복이론

항복이론에는 크게 두 가지가 있으며, 가장 큰 전단응력이 임계값에 도달할 때 항복이 일어난다는 트레스카(Tresca) 최대 전단응력 기준이 있고, 본 마이스(Von Mises) 응력의 최대값이 항복강도에 도달할 때 항복이 일어난다는 이론이 있다. 한편 소성유동을 점도의 함수로 고려한 역학식 일부를 소개하고자 한다.

⠒ 트레스카(Tresca) 최대 전단응력 기준

트레스카(Tresca)가 제시한 항복기준에 의하면 최대 전단응력이 어떤 기준에 도달할 때 항복이 일어난다. 최대 전단응력은 다음 식과 같이 정의된다.

$$\tau_{\max} = (\sigma_{\max} - \sigma_{\min})/2 = Y/2$$

Y는 항복응력이다. 즉 최대전단응력이 항복응력의 1/2에 도달할 때 소성변형이 발생한다. 최대응력과 최소응력의 차이가 다음 식과 같이 어떤 재료의 상수 값에 도달할 때 항복이 발생한다.

$$\sigma_{\max} - \sigma_{\min} = C$$

만약 3개의 수직응력 간에 다음의 관계식이 있다면,

$$\sigma_1 \geq \sigma_2 \geq \sigma_3$$

다음과 같은 항복기준이 성립된다.

$$\sigma_1 - \sigma_3 = C$$

또 단순화를 위해 한 축 방향의 인장응력만 고려하고, $\sigma_2 = \sigma_3 = 0$이라면,

$$\sigma_1 = Y$$

일 때 항복이 일어난다. 만약 순수전단이면,

$$\sigma_1 = -\sigma_3 = 2k = C$$

이며,

$$k = Y/2$$

이고 여기서 k는 전단항복강도 값이다. 즉 k가 Y/2보다 작은 값이어야 변형이 일어나지

않는다.

한편 모어원의 관점에서의 항복기준을 살펴보면 항복이 모어원 3개의 직경에 의존한다고 가정하면

$$[(\sigma_1 - \sigma_2) + (\sigma_2 - \sigma_3) + (\sigma_1 - \sigma_3)]/3$$

을 고려하며, 여기서 σ_2를 평균에서 고려하지 않는다면,

$$[(\sigma_1 - \sigma_2) + (\sigma_2 - \sigma_3) + (\sigma_1 - \sigma_3)]/3 = (2/3)[(\sigma_1 - \sigma_3)]$$

의 값이 된다.

본 마이스(Von Mises) 기준

본 마이스(Von Mises)는 항복이 모어원 3개 직경의 1/2승에 의존한다고 가정하여 다음 식을 제시하였다.

$$\left\{[(\sigma_2 - \sigma_3)^2 + (\sigma_3 - \sigma_1)^2 + (\sigma_1 - \sigma_2)^2]/3\right\}^{1/2} = C$$

$\sigma_1 = Y$ 인 인장시험을 고려하고, $\sigma_2 = \sigma_3 = 0$이면

$$[(0)^2 + (-Y)^2 + Y^2]/3 = C^2$$

따라서

$$C = (2/3)^{1/2} \times Y$$

로 정의된다. 이를 맨 앞의 식에 대입하면,

$$(\sigma_2 - \sigma_3)^2 + (\sigma_3 - \sigma_1)^2 + (\sigma_1 - \sigma_2)^2 = 2Y^2$$

으로 정리할 수 있다. 또, $\sigma_1 = -\sigma_3 = k$이고, $\sigma_2 = 0$인 순수전단을 고려한다면,

$$(k)^2 + (-k-k)^2 + (k)^2 = 2Y^2$$

이므로,

$$k = Y/(3^{1/2})$$

을 얻을 수 있다. 또 만약 단순화를 위해 $\sigma_3 = 0$으로 평면응력상태를 가정하면,

$$\sigma_1^2 + \sigma_2^2 - \sigma_1\sigma_2 = Y^2$$

이 되고, σ_1에 대해 재배열하면,

$$\sigma_1 = \mathrm{Y} / [1 - \alpha + \alpha^2]^{1/2}$$

이고 여기서 $\alpha = \sigma_2/\sigma_1$이다.

그림 5.6에 두 항복이론을 그림으로 나타내어 비교하였다. 그림의 (a)는 트레스카 항복이론이며, (b)는 본마이스 항복이론에 의해 작도된 것이다. 안쪽으로 칠해진 영역이 항복이 일어나지 않는 안전한 영역이며, 경계치를 벗어나면 재료의 항복이 발생하여 변형이 일어나게 된다.

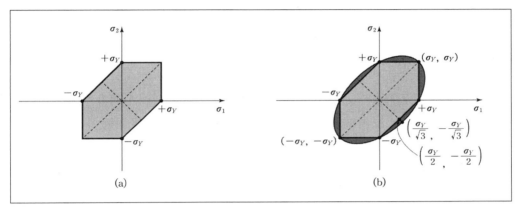

그림 5.6 항복이론의 비교, (a) Tresca 기준, (b) Von Mises 기준

⁝⁚ 비금속 재료에서의 항복

일반적으로 세라믹스는 강성이 크고 취성이 있어서 항복이 일어나기 전에 파괴가 먼저 일어난다. 즉 전위보다는 균열이 먼저 생성되고 성장하여 급작스럽게 파손이 발생한다. 고온 등 특별한 경우에서만 전위에 의한 소성변형이 발견된다. 그러나 경도시험 등 국부적인 파손이 일어날 때는 소성변형이 일어날 수 있다.

폴리머의 경우는 항복과 함께 소성유동(plastic flow)이 발생한다. 고체인 폴리머는 먼저 점성이 낮아지면서 소성유동이 일어나게 되는데, 여기서 점도(viscosity)가 그 흐름에 대한 저항을 나타내는 특성으로 정의된다. 점성계수 η는 다음 식과 같다.

$$\sigma_{zy} = \eta(d\gamma_{zy}/dt)$$

유동방정식은 일정 부피에서 흐름이 일어나는 나비에르−스토우크(Navier−Stokes) 방정식을 활용하면 다음 식들과 같다.

Chapter 1
Chapter 2
Chapter 3
Chapter 4
Chapter 5
Chapter 6
Chapter 7
Chapter 8

$$d\varepsilon_x/dt = (1/3\eta) \times [\sigma_x - 1/2(\sigma_y - \sigma_z)]$$
$$d\varepsilon_y/dt = (1/3\eta) \times [\sigma_y - 1/2(\sigma_z - \sigma_x)]$$
$$d\varepsilon_z/dt = (1/3\eta) \times [\sigma_z - 1/2(\sigma_x - \sigma_y)]$$

전단변형률의 변화속도는 다음 식으로 주어진다.

$$d\gamma_{zy}/dt = (1/\eta) \times \sigma_{yz}$$
$$d\gamma_{zx}/dt = (1/\eta) \times \sigma_{zx}$$
$$d\gamma_{xy}/dt = (1/\eta) \times \sigma_{xy}$$

5.2.3 이방성 소성

앞에서 살펴본 항복기준과 항복이론은 소성거동이 응력의 방향에 관계가 없다고 가정하였으나 실제로는 결정구조의 이방성(preferred orientation)이나 압연에 의한 가공공정, 섬유의 직조방향에 의한 이방성이 나타난다. 탄성계수와 마찬가지로 항복강도도 방향에 따라 그 값이 변하게 된다. 여기서는 몇 가지 사례만 살펴보고자 한다.

본 마이스(Von Mises)기준에 의한 일반화된 식은 다음과 같다.

$$F(\sigma_y - \sigma_z)^2 + G(\sigma_z - \sigma_x)^2 + H(\sigma_x - \sigma_y)^2 + 2L\tau_{yz}^2 + 2M\tau_{zx}^2 + 2N\tau_{xy}^2 = 1$$

x-y평면에서의 특성은 변하지 않는다고 가정하면,

$$(\sigma_y - \sigma_z)^2 + (\sigma_z - \sigma_x)^2 + R(\sigma_x - \sigma_y)^2 = (R+1)X^2$$

의 식이 비등방적 소성(anisotropic plasticity)의 식으로 제시되었다. 여기서 X는 항복강도이며, R은 이방성과 관련된 지수이다. 다음 그림 5.7(a)와 같이 R이 증가하면 항복이 일어나는 영역의 경계가 이동하는 것을 볼 수 있으며 방향성에 차이가 있음을 발견할 수 있다. R이 증가하면 인장강도는 증가하게 되는데 인장시험에서 얇아지는 것에 저항한다.

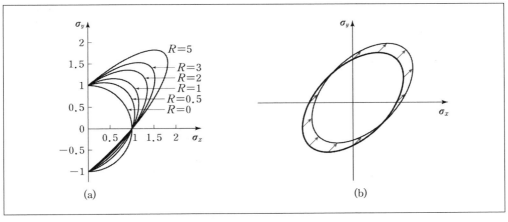

그림 5.7 비등방적 소성의 예

그림 5.7의 (b)에는 가공경화에 따른 항복강도의 영역의 변화를 나타낸다. 예를 들면 압연공정을 반복하게 되면 전위의 증식에 의해 재료의 경화현상이 일어나게 되는데, 이 때 두께방향과 두께에 수직한 방향은 경도 값이 서로 다르다. 따라서 소성영역이 그림과 같이 변화가 발생하게 된다.

5.3 전위 역학

거시적 소성거동은 미시적으로 전위의 발생, 움직임 및 밀도증가가 수반되어 일어난다. 일정 슬립면을 통해 슬립이 먼저 일어나면 그 경계에 전위가 발생하고, 부가적인 힘에 의해 전위가 움직여 이동하고, 불순물을 만나게 되면 전위루프를 형성하여 전위의 수가 증식되어 밀도가 증가한다. 이는 모두 전위에 작용하는 힘과 에너지의 상호작용의 결과이다.

5.3.1 슬립

재료의 소성변형은 어느 면 위에서 어느 방향으로 슬립(slip)이 일어나 발생한다. 슬립이 일어난 면과 슬립이 일어나지 않은 면 간의 경계에 전위가 발생한다. 발생한 전위 또한 일정한 면 위를 미끄러져 움직이는 슬립이 일어난다. 이러한 전위의 움직임에 의하여 궁극적으로 변형이 일어난다. 이 전위의 움직임은 일정한 면을 따라 미끄러지듯이 움직이므로 전위의 슬립(slip)이라고 한다. 슬립은 전위의 움직임으로 일어나게 되며, 궁극적으로 소성변형은 전위의 움직임에 의해 설명된다.

그림 5.8에 슬립 면(slip plane) 위에서 일정한 방향으로 (이를 슬립방향이라고 한다, slip direction) 움직여 발생하는 슬립을 모식도로 나타내었다. 이와 같이 소성변형은 어느 원자 면을 따라 미끄러짐이 발생하며, 변형된 고체를 관찰하면 슬립선(slip line)이 관찰된다.

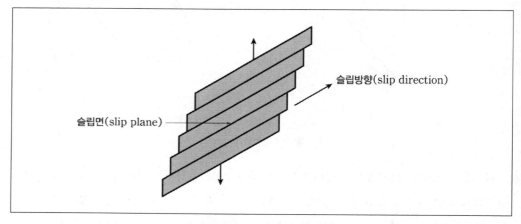

그림 5.8 소성변형 시 발생하는 슬립

슬립방향과 면은 결정구조에 따라, 소재에 따라 서로 다르다. 다음 표 5.2에는 결정구조 및 소재에 따른 슬립방향과 슬립 면을 나타내었다.

표 5.2 결정구조 및 소재에 따른 슬립 방향과 슬립 면

결정구조 또는 소재	슬립방향	슬립면
FCC	$<110>$	$\{111\}$
BCC	$<111>$	$\{110\}, \{112\}, \{123\}$
HCP	$<11\bar{2}0>$	$(0001), \{1\bar{1}00\}, \{1\bar{1}01\}$
NaCl	$<11\bar{2}3>$ $<110>$	$\{1\bar{1}01\}$ $\{110\}$
CsCl	$<001>$	$\{100\}$

표에서와 같이 결정구조가 FCC(face centered cubic, 면심입방구조), BCC(body centered cubic, 체심입방구조), HCP(hexagonal closed packed, 육방최밀충진구조)인가에 따라 슬립 방향과 슬립면이 서로 다른 것을 알 수 있다. 일반적으로 슬립 면은 밀도가 높은 면 위를 따라, 슬립방향은 거리가 짧은 방향으로 일어난다. 이 중 FCC와 BCC구조에서 일어나는 슬립의 예에 대하여 다음 그림 5.9에 나타내었다.

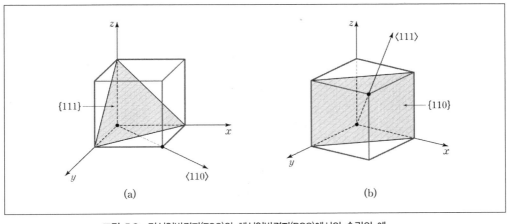

그림 5.9 면심입방격자(FCC)와 체심입방격자(BCC)에서의 슬립의 예

FCC구조는 그림(a)의 빗금친 {111} 면 위에서 <110>방향으로 미끄러져 슬립이 일어나며, BCC구조는 그림 (b)와 같이 {110} 면 위에서 <111>방향으로 슬립이 일어난다.

쉬미드(Schmid)는 슬립이 임계전단응력 τ_c에서 시작된다는 것을 발견하였다. 수직방향을 n, 슬립방향을 d라고 했을 때,

$$\tau_{nd} = l_{nx} l_{dx} \sigma_{xx}$$

로 주어지며, 임계전단응력은

$$\tau_c = \pm \sigma_x \cos\lambda \cos\varPhi$$

와 같이 제시하였다. 여기서 λ는 다음 그림 5.10에서와 같이 인장축과 슬립방향 d간의 각도, $\varPhi$는 인장축과 슬립면에 수직한 방향 간의 각도이다. 위 식에서 수직응력에 대해 재배열하면,

$$\sigma_x = \pm \tau_c / m_x$$

이고 위 식에서 m_x를 schmid factor라고 하며,

$$m_x = \cos\lambda \cos\varPhi$$

로 정의한다.

슬립은 큰 힘을 받으면 격자가 뒤틀리거나 원자의 배열방향이 바뀔 수 있다. 따라서 슬립방향 역시 변화될 수 있다. 표 5.3은 다양한 결정구조를 갖는 단결정과 다결정이 인장이나 압축력을 받았을 때 원자의 배열방향이 서로 다르게 변하는 것을 나타낸다. 삽입그림과 같이 연성재료가 압축력을 받았을 때 원자 배열방향이 빗금친 것과 같이 각도가 변화되므로 따라서 슬립의 방향이 변하게 된다.

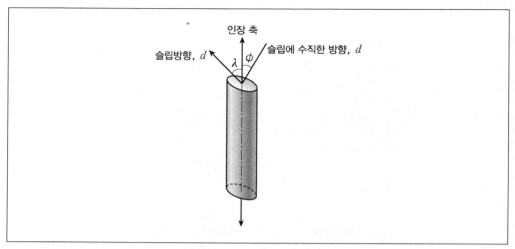

그림 5.10 임계전단응력에 의한 슬립발생 모식도

표 5.3 단결정과 다결정에서 인장/압축력에 의한 원자배열의 변화

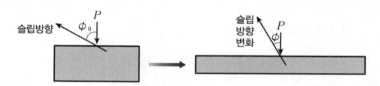

결정구조와 슬립시스템	단결정		다결정	
	인장	압축	인장	압축
fcc{111}<110>	<112>	<110>	<100> & <111>	<110>
bcc<111> · pencil glide	<110>	<100> & <111>	<110>	<100> & <111>
hcp(0001)<11$\bar{2}$0>	<11$\bar{2}$0>	[0001]	<11$\bar{2}$0>	[0001]
hcp{1$\bar{1}$00}<11$\bar{2}$0> & {110$\bar{1}$}<11$\bar{2}$0>	<10$\bar{1}$0>	[0001]	<10$\bar{1}$0>	[0001]

다음 표 5.4에는 결정구조별 전단응력의 값과 항복강도의 온도의존성을 나타내었다.

표 5.4 결정구조별 전단응력과 항복강도의 온도의존성

결정구조	전위의 폭	전단응력	항복강도의 온도의존성
FCC	넓다	매우 작다	작다
BCC	좁다	보통	크다(전이금속)
이온결합고체	좁다	보통	보통이상
공유결합고체	매우좁다	크다	보통이상

이온, 공유결합고체는 전위가 고온에서 생성된다 하더라도 그 폭이 매우 좁고 움직이기 어려우므로 전단응력 값이 크다. 이온, 공유결합은 결합력이 높아서 전단에 의한 변형이 어렵다. 주목해야 할 것은 FCC구조이다. 4장에서 충진 밀도가 높은 것이 탄성이 높다고 하였는데, FCC는 BCC보다 충진 밀도가 높음에도 불구하고 (FCC, 74% > BCC 68%), FCC의 전단응력은 매우 작은 것을 알 수 있다. 그림 5.11에는 연강(BCC구조)와 알루미늄(FCC)의 응력−변형률 곡선을 나타내었는데, 충진밀도가 낮은 BCC구조의 항복강도가 오히려 높은 것을 볼 수 있는데 이는 상대적으로 항복에 큰 전단응력이 요구되기 때문이다.

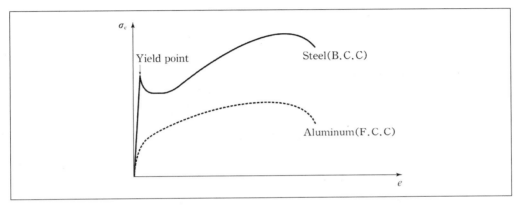

그림 5.11 결정구조가 다른 금속의 응력−변형률 곡선

즉 슬립이 최밀충진면 즉 밀도가 높은 면에서 쉽게 일어나기 때문이다. 슬립이 일어날 때 에너지를 최소화하는 방향으로 움직이게 되는데, 최밀충진면이 버거스 벡터가 작으므로 최밀충진면을 따라 슬립이 일어나는 것이 유리하기 때문이다. 원자결합력이 높아도 충진이 잘되어 조밀하여 슬립이 잘 일어나면 변형이 쉽게 일어날 수 있으므로, 충진 구조가 높다고 하더라도 슬립 발생 여부가 소성변형을 결정할 수 있음을 유의해야 한다. 한편 전위의 속도는 외부 전단응력에 의존하며 다음 식이 제시되었다.

$$(V_D/V_o) = (\tau/\tau_o)^P$$

위 식에서 τ_o와 P는 실험적으로 결정될 수 있는 상수이다. V_o는 응력 τ_o에서의 전위속도이고, V_D는 가해진 응력에서의 전위속도이다. 또 전단응력은 다음 식으로도 주어진다.

$$\tau_y = G \exp(-2\pi w/b)$$

위 식에서 τ_y는 항복을 일으키는 전단응력, G는 재료의 전단계수, w는 전위의 폭, b는 버거스 벡터이다.

일반적으로 슬립은 온도가 낮을수록, 변형속도가 클수록, 순도가 낮을수록 잘 일어나지 않으며 전위를 움직이려면 전단응력 τ를 증가시켜야 한다.

5.3.2 전위의 이동 및 증식

재료의 소성변형은 슬립이 일어나 발생하고, 슬립의 경계부근에 전위가 발생하게 되며, 이 전위 또한 일정한 면을 따라 슬립이 일어난다고 하였다. 그러나 슬립이 일어나는 것을 방해하는 것이 있다. 재료 내에 존재하는 불순물, 석출물, 제 2상의 입자들이다. 이러한 물질을 만나게 되면 전위의 슬립은 쉽게 일어나지 못한다. 이 장에서는 전위는 왜 움직이는지? 슬립이 왜 균일하게 일어나지 않는지? 전위의 수가 늘어나는 이유는 무엇인지? 에 대하여 답을 찾아보고자 한다.

⸬ 전위에 작용하는 힘

재료 내에 전위라는 선결함이 발생하면 외부의 힘은 전위에 작용하게 된다. 전위가 발생하면 응력이 존재하게 된다. 칼날전위의 경우 전위선 윗면에는 압축력이, 아래면에는 인장력이 작용한다. 형성된 응력장에 의해 에너지는 높은 상태가 되므로 따라서 에너지를 낮추는 방향으로 진행시키려고 외부의 힘은 전위를 없애려고 한다. 즉 전위길이를 감소시키려고 소성변형이 발생하며, 이러한 경향은 영구변형이 발생할 때까지 계속된다.

그림 5.12의 (a)에는 전위에 작용하는 힘에 대한 모식도를 나타내었다. 재료 내에 전위가 존재하면 이를 없애려고 외부의 전단력 τ는 전위에 가해지게 된다.

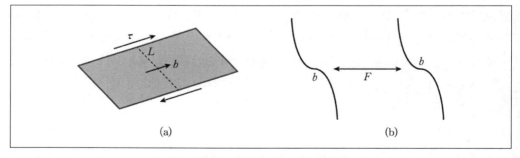

그림 5.12 전위에 작용하는 힘(a) 및 상호작용(b)

이 때 단위길이 당 전위에 작용하는 힘 F는

$$F = \tau \times b$$

와 같으며, b는 버거스 벡터이다. 칼날전위와 연관된 응력은 다음 식들과 같이 제시되었다.

$$\sigma_x = -\,G\,b/\left[2\pi\{1-\nu\}r\right] \times \sin\theta\,(2+\cos2\theta)$$

$$\sigma_y = -\,G\,b/\left[2\pi\{1-\nu\}r\right] \times \sin\theta \times \cos2\theta$$

$$\sigma_z = -\,G\,b\nu/\left[\pi\{1-\nu\}r\right] \times \sin\theta$$

$$\tau_{xy} = \tau_{yx} = G\,b/\left[2\pi\{1-\nu\}r\right] \times \cos\theta \times \cos2\theta$$

또 스크루 전위와 연관된 전단응력은 다음 식과 같이 제시되었다.

$$\tau = G\,b/(2\pi r)$$

위 식에서 r은 코어(core)로부터의 방사적 거리(radial distance)를 의미한다.

재료 내에 전위가 두 개 이상 존재하면 전위 간에는 상호작용을 한다. 이는 탄성응력장이 전위 간 힘에 영향을 주기 때문이다. 그림 5.12의 (b)와 같이 두 개의 전위가 있으면, 두 전위의 버거스 벡터의 제곱에 비례하고 전위 간 거리에는 반비례한다. 따라서 전위간의 힘은

$$F = G\,b^2/(2\pi r)$$

의 식에 의해 계산할 수 있다. 마찬가지로 두 개의 평행한 칼날 전위 간의 힘은

$$F = -\left[G\,\mathbf{b_1} \cdot \mathbf{b_2}/\{2\pi(1-\nu)\}\right] \times (x^2-y^2)/(x^2+y^2)^2$$

으로 주어지고, 두 개의 스크루 전위가 인력으로 당기는 힘은

$$F = -\,G\,\mathbf{b_1} \cdot \mathbf{b_2}/(2\pi r)$$

로 구할 수 있다.

전위에너지

재료 내에 전위가 존재하면 에너지가 증가한다고 하였다. 그 값은 얼마인지 살펴보자. 스크루 전위의 에너지를 먼저 고려해보면, 스크루 전위의 전단 변형률(shear strain) γ는 그림 5.13을 고려할 때

$$\gamma = b/(2\pi r)$$

이 된다.

Chapter 1
Chapter 2
Chapter 3
Chapter 4
Chapter 5
Chapter 6
Chapter 7
Chapter 8

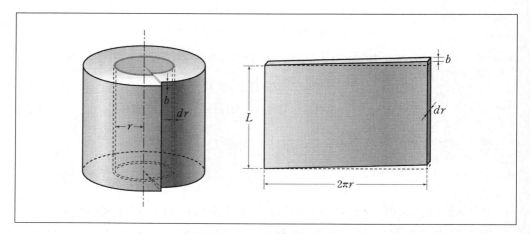

그림 5.13 스크루 전위를 포함하는 재료

탄성뒤틀림(distortion)과 연관된 부피당 에너지는 전단응력－변형률선도의 선형구간 직선 밑의 면적과 같으므로,

$$U = (1/2)\tau\gamma$$

가 된다. 한편 $\tau = G\gamma$이므로,

$$U = G\gamma^2/2 = (1/2)Gb^2/(2\pi r)^2$$

이 된다. 체적요소와 관련된 탄성에너지 dU는 부피에 부피당 에너지를 곱한 값이 되므로,

$$dU = [(1/2)Gb^2/(2\pi r)^2] \times (2\pi rLdr) = (Gb^2L/4\pi)dr/r$$

이며 이는 길이 L당 전위의 총에너지가 된다. 이를 r_0부터 r_1까지 적분해주면,

$$U/L = Gb^2 \times \ln(r_1/r_0)/(4\pi)$$

r_0값을 대략 0.25b, r_1값을 대략 10^5b로 잡으면, $\ln(r_1/r_0) \sim 4\pi$이므로 스크루 전위의 길이당 에너지

$$U \sim Gb^2$$

이 되며, 또는 r_0, r_1에 따라

$$U \sim (1/2)Gb^2$$

으로 제시된다. 또한 칼날 전위의 에너지는 다음과 같이 제시된다.

$$U \sim G b^2 / (1 - \nu)$$

또는

$$U \sim G b^2 / \{2(1 - \nu)\}$$

위 식에서 $1/(1-\nu) \sim 1.5$이므로 칼날전위의 에너지는 스크루 전위의 약 1.5배가 된다. 에너지의 단위는 J/m로서 Nm/m이므로 N이 된다. 따라서 선결함에 인장력이 작용하여 전위가 이동할 때 에너지를 낮추려면 길이를 줄이는 방향으로 휘어지게 된다.

전위밀도의 증가

전위가 재료 내에 발생하면 앞에서 살펴본 대로 에너지가 증가하므로, 슬립이 일어날 때 에너지를 없애는 방향으로 움직인다. 따라서 에너지 U를 감소시키려면 b의 크기를 감소시키는 것이 유리하다.

전위가 이동하려다가 그림 5.14의 (a), (b)에서와 같이 불순물에 의해 전위의 양 끝 AB가 고정(pinning)되면, 에너지를 줄이는 방향, 즉 길이를 줄이는 방향으로 움직이려 하여 (c)~(e)처럼 활처럼 휘게 된다. (d), (e)와 같이 루프가 형성된 후에는 (e)와 같이 일부가 끊어지고, (f)와 같이 불순물로부터 독립된 루프는 슬립이 일어나 이동하고, 남은 전위는 다시 불순물 등에 의해 전위가 고정되어 (b)이후의 상황이 반복된다. 이러한 전위 증식 모델은 프랑크-레드가 제시하여 이를 프랑크-레드(Frank-Read source)이론이라고 한다. 이 메커니즘에 의하여 전위의 수가 증가되며, 재료 내 일정 부피 내 전위의 밀도가 증가된다.

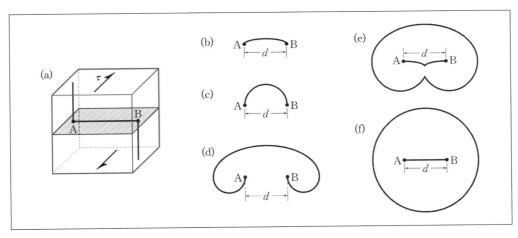

그림 5.14 전위의 증식

전위를 움직이는데 필요한 힘은

$$F = \tau \times b \times d$$

로 주어진다. 여기서 τ는 전단응력, d은 불순물 간의 거리이다. 그림 5.15에서와 같이 위 식과 같은 인장력을 받는 경우, 힘의 평형에 의해

$$F = \tau \times b \times d = 2Gb^2 \sin\theta$$

가 되며 인장력이 클수록 그 저항력도 증가하게 된다.

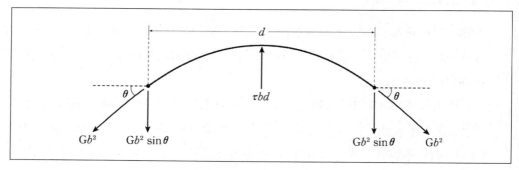

그림 5.15 인장력을 받는 전위

가장 최대의 힘은 $\theta = 90$도 일 때 이므로, 이 때의 전단응력을 구하면,

$$\tau_y = 2Gb/d$$

이 된다. 따라서 전단 항복강도는 불순물 간 거리인 d에 반비례하게 된다.

$$R = 2F/d$$

위 식에 의하면 불순물간의 거리가 작을수록, 인장력이 증가할수록 저항력 R은 증가하게 된다. 전단 항복강도 역시 저항력에 비례하게 되고 저항력을 버거스 벡터로 나눈 값으로 정의된다.

$$\tau_y = 2F/(bd)$$

위와 같은 프랑크-레드가 제시한 불순물 등에 의해 슬립이 균일하게 일어나지 못하는 이유가 되며, 또한 재료 내에 전위의 수가 늘어나는 이유가 된다.
전위 증식에 의하여 전위간 거리는 밀도의 1/2승에 반비례한다고 알려져 있다. 전위 밀도가 증가하면 전위간 거리는 감소하게 되는 것이다.

프랑크─레드가 제시한 불순물에 의해 발생한 전위들은 불순물 뿐만 아니라 재료 내 석출물(precipitates), 입계(grain boundary), 고체 용질(solid solute) 등을 만나면 전위의 슬립이 어려워지고 전위 밀도가 증가하게 된다. 이는 열처리 과정 등 재료를 제조하는 과정에서 생긴 것으로 미세한 단위에서 관찰된다. 그림 5.16과 같이 전위가 쌓이는 현상(pile─up), 구부러지는 현상(kink), 울퉁불퉁해지는 현상(jog) 등에 의해서도 전위의 밀도가 증가한다. 반면 고온이 되면 에너지가 활성화되어 전위가 수직방향으로 상승되는 현상(climb)등이 발생하면 전위밀도가 감소하는 경우도 있다.

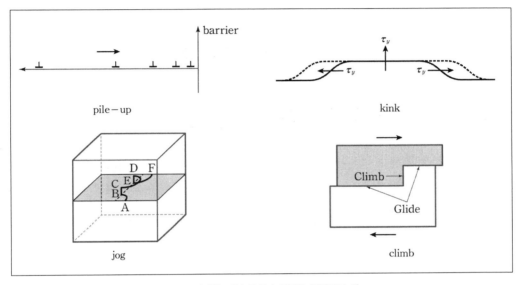

그림 5.16 다양한 전위 증식과 관련한 움직임의 예

한편 전위는 변형의 유일한 이유는 아니다. 그림 5.17은 쌍정(twinning)에 의해 변형된 예를 보여준다. 평행사변형으로 배열된 원자들 중 중간 지점에 존재하는 원자들이 동시에 움직여 마치 중앙부위를 기준으로 거울면과 같이 양쪽이 같은 형상을 만들어내었다 하여 쌍정이라고 불리운다. 이와 같은 변형은 다양한 전위의 움직임이 일어나 발생하는 경우도 전혀 불가능하지는 않지만, 일반적으로 큰 응력 하에서 원자들이 동시에 움직여 이러한 변형이 발생한다. 따라서 이 경우는 전위에 의한 변형은 아니라고 말할 수 있다.

Chapter 1
Chapter 2
Chapter 3
Chapter 4
Chapter 5
Chapter 6
Chapter 7
Chapter 8

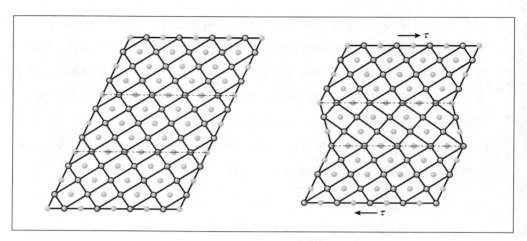

그림 5.17 쌍정에 의한 변형의 예를 나타낸 그림

5.4 변형경화 및 가공경화

재료가 항복한 이후에도 변형을 증가시키는데 응력의 증가가 필요하다. 그림 5.18과 같은 응력
−변형률 곡선에서 항복강도 이후의 소성영역은 비직선구간을 나타내지만, 여전히 e_1에서 e_2
로 변형률을 증가시키기 위해서는 응력이 $\sigma_{e,1}$에서 $\sigma_{e,2}$로 증가가 필요하다.

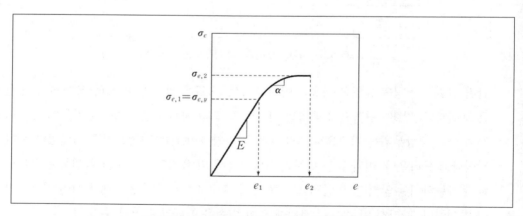

그림 5.18 항복 이후의 전형적인 응력−변형률 곡선

그 이유는 미시적 관점에서 보면 전위의 수가 증가하여 밀도가 증가하기 때문이다. 소성영역에
서의 기울기를 가공경화계수 (strain hardening coefficient)라고 하며, 전위의 밀도가 높을수
록 가공경화계수는 증가한다.

5.4.1 　변형경화 및 모델

변형경화 또는 가공경화는 탄성한계 또는 항복응력 이후에도 변형률 증가에 필요한 응력이 증가되는 특성을 말한다. 재료의 전위 밀도 증가에 의한 미세한 변형들에 기인하여 경화현상이 일어나기 때문이다. 그림 5.19에 전위밀도와 임계전단응력과의 관계를 나타내었다. 전위밀도가 증가할수록 항복을 일으키는 임계 전단응력이 증가함을 알 수 있다.

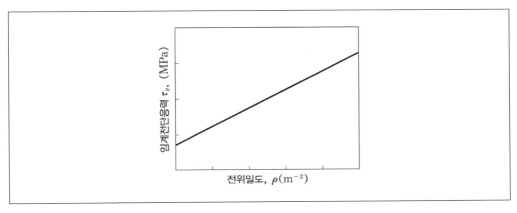

그림 5.19　전위밀도와 임계전단응력과의 관계

변형경화 역학모델은 그림 5.20과 같이 제시되었다. 가공경화가 없는 경우는 그래프는 일정한 응력 값을 가지며,

$$\sigma = Y$$

가 된다.

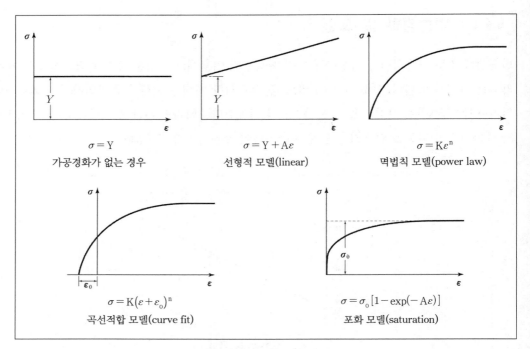

그림 5.20 변형경화 역학모델

선형 모델은 응력과 변형률간의 관계가 선형적이며,

$$\sigma = Y + A\varepsilon$$

의 식이 적용된다. 멱법칙(power law) 모델은,

$$\sigma = K\varepsilon^n$$

의 식이 적용되고 이를 실제 실험치와 접근시키기 위해 곡선적합(curve fit)모델을 적용한 식은

$$\sigma = K(\varepsilon + \varepsilon_0)^n$$

과 같다. 한편 포화모델

$$\sigma = \sigma_0[1 - \exp(-A\varepsilon)]$$

의 식이 제시되었다.

변형경화 역학모델 중 멱법칙에 의한 모델을 보다 상세히 살펴보면, $\sigma = K\varepsilon^n$ 에서 n의 크기에 따른 진응력－진변형률 간의 그래프를 그림 5.21에 나타내었다.

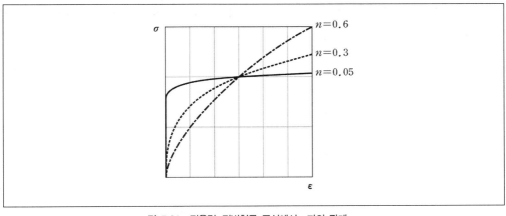

그림 5.21 진응력–진변형률 곡선에서 n과의 관계

n은 경화에 저항하는 척도이며, 그래프의 기울기 값이다. n이 작은 값이면 초기에 경화속도가 크지만 그 속도는 변형률에 따라 급격히 감소한다. 일반적으로 고강도 재료는 저강도 재료보다 낮은 n값을 갖는다. 반면 n이 큰 값이면, 그 속도는 초기에는 적지만 변형률에 따라 꾸준히 증가하는 것을 알 수 있다. 멱급수 식에서,

$$n = d(\ln\sigma)/d(\ln\varepsilon) = (\varepsilon/\sigma)(d\sigma/d\varepsilon)$$

이 된다.

이러한 변형경화 또는 가공경화는 재료의 중앙부위의 단면적이 급속히 감소하는 네킹이 시작될 때까지 계속된다. 네킹이 일어나는 조건은 응력의 증가와 단면적의 감소가 평형이 되는 다음 식과 같다.

$$A\,d\sigma + \sigma\,dA = 0$$

위 식을 재배열하면,

$$d\sigma = (-\sigma)(dA/A)$$

한편 응력 및 단면적의 변화가 있어도 부피의 변화는 없다. 즉 부피는 일정하므로,

$$dA/A = -dL/L = -d\varepsilon$$

따라서,

$$d\sigma/d\varepsilon = \sigma$$

의 식이 유도되며 이 식이 네킹이 일어나는 조건의 식이 된다. 그림 5.22의 (a)에 진응력−진변

형률에서 네킹이 시작되는 점을 나타내었다. σ의 곡선과 $d\sigma/d\varepsilon$이 만나는 교점에서 네킹이 시작된다.

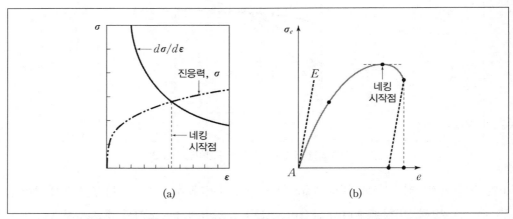

<u>그림 5.22</u> (a) 진응력–진변형률, (b) 공칭응력–공칭변형률 곡선에서 네킹조건을 나타내는 그래프

한편 위 식을 적분해주면,

$$\ln\sigma = \varepsilon$$

이 되며 이를 공칭응력, 공칭변형률과의 관계식으로 바꾸어주면,

$$\ln\{\sigma_e(1+e)\} = \ln(1+e)$$

따라서

$$\sigma_e = 1$$

이 되며,

$$d\sigma_e/de = 0$$

이 또 다른 네킹 조건이 된다. 즉 공칭응력–공칭변형률선도에서는 그림 5.21의 (b) 그림에서와 같이 곡선의 최대 점에 해당하는 곳이 네킹 조건이 된다. 변형경화는 네킹이 시작되는 이 교점까지 계속되어, 변형에 필요한 응력이 증가하게 된다.

5.4.2 강화 메커니즘

재료를 압연, 압출, 단조, 인발 등 소성가공을 해주면 전위밀도가 증가한다. 압연은 반대방향으로 회전하는 롤러(roller)에 판재를 통과시켜 전단력을 받게 하는 공정인데 이 공정을 반복하면 전위의 밀도가 증가한다. 압출은 직경이 큰 곳에서 작은 직경으로 소재를 밀어내는 것이며, 인발은 직경이 매우 작은 홀로 소재를 뽑아내는 것이다. 직경이 상대적으로 작은 곳으로 밀어내거나 뽑아낼 때 전단력이 작용하여 전위밀도가 증가한다. 또한 소재를 두드리거나 금형에 의해 압축할 때 전단력이 작용할 수 있다. 그림 5.23에 압연공정에 의한 강화현상을 모식도로 나타내었다. 두꺼운 판재를 회전방향이 반대인 롤러에 통과시켜 두께를 얇게 만들게 된다. (a)와 같이 초기의 입자크기는 둥글고 크며 전위의 밀도가 낮아 전위의 이동이 빠르고 강도는 약하다. 그러나 이 압연공정을 반복하면, (b)와 같이 입자들은 압연방향에 평행하게 배열하게 되고, 전위가 많이 발생하여 그 이동이 서로 방해받으며 강화현상이 발생한다. 전위의 밀도가 증가하여 n개의 전위가 이동하지 못하고 쌓이게 되면, 그 응력은

$$\tau_n = n \times \tau$$

만큼 증가하게 된다. 여기서 n은 전위의 수이고, τ는 전위 한 개를 이동시키기 위한 전단력이다. 또 다음 식과 같이 전단력은 평균 전위밀도 ρ에 의존한다.

$$\tau = \tau_o + \alpha G b (\rho)^{1/2}$$

위 식에서 τ_o는 전위밀도가 충분히 낮을 때의 전위를 이동시키기 위한 전단력이고 α는 재료상수로서 BCC구조는 0.4, FCC구조는 0.2의 값을 갖는다.

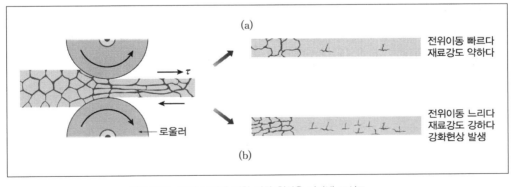

그림 5.23 압연 공정에 의한 강화 현상을 나타낸 모식도

압연공정은 재료에 전단력을 부가하여 두께를 감소시키게 되므로 두께방향인가 롤링방향인가에 따라 다음 그림 5.24와 같이 응력차이를 유발한다. 이에 의한 응력의 이방성이 나타난다.

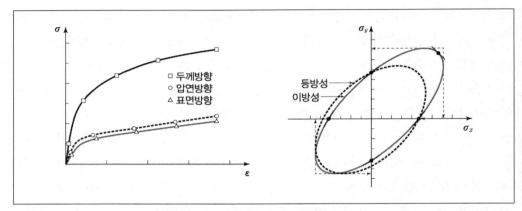

그림 5.24 압연 공정에 의한 응력의 이방성

일련의 이러한 소성가공 공정을 거치게 될 때 재료의 미세구조가 변하여 강화가 일어나게 된다. 전위의 이동이 어려워지게 되면 강도나 경도가 증가하게 되는 것이다. 미세구조 적으로 재료 내부에 존재하는 입자들 (particles) 혹은 분산상(dispersant), 고용체(solid solution), 입자와 입자간의 경계인 입계(grain boundary)들은 전위의 움직임을 방해하여 강화현상이 일어난다.

분산상 강화메커니즘

분산상에 의한 강화현상은 재료 내부에 석출(precipitation), 고용체(solid solution), 시효 (age hardening)에 의해 형성된 분산상들이 재료 내부에 존재하여 전위의 움직임을 방해해서 일어난다. 재료 강도를 높이기 위해 분산상을 고의로 혼합하여 열이나 압력을 가하기도 하고, 산화를 일으켜 분산상을 제어하기도 한다. 그림 5.25의 (a)에는 철강재료에 Ni, Si, Mn, Cr, Co를 혼합하여 분산상을 혼합한 경우 강도가 증가한 예를 보여준다. (b)에서는 철에 탄소를 첨가하였을 때 강도가 증가하는 실험결과의 한 예를 보여준다.

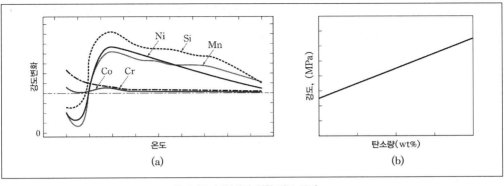

그림 5.25 분산상에 의한 강도 증가

분산상간의 거리가 d일 때 전단력은 다음과 같이 증가한다는 것을 앞에서 살펴보았다.

$$F = \tau \times b \times d = 2G b^2$$

만일 분산상의 부피분율이 V_f일 때,

$$\tau = 2G b(V_f/\pi)^{1/2}/r$$

의 관계식으로부터 분산상의 부피가 많을수록 전단력은 증가한다. 분산상에 의해 변화하는 강도 값은 다음 식과 같다.

$$\Delta\sigma = \alpha G b(V_f/\pi)^{1/2}/r$$

위 식에서 α는 상수이다.

분산상들이 존재하면 장애물을 극복하고 전위가 움직이려면 힘이 많이들게 되므로 항복강도가 증가한다. 그림 5.26에서 전위간 각도를 ϕ, 분산상 간의 거리를 L'이라고 하면, 이에 의한 전단력은 다음 식과 같이 표현된다.

$$\tau \sim (G b/L') \cos(\phi/2)$$

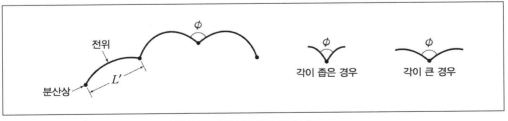

그림 5.26 분산상과 전위 간의 각도

따라서 전위간의 각도 ϕ가 작을수록 전단력은 더 큰 힘이 필요하다. 강한 장애물이 있다면 $\phi \sim 0$에 가깝게 되고, $L' = L$이 되므로,

$$\tau_{max} = Gb/L$$

이 된다. 만일 장애물이 약하다면,

$$\tau = (Gb/L)\{\cos(\phi/2)\}^{3/2}$$

과 같이 구해진다.

석출물(precipitation) 강화는 제 2의 상이 고용이 아니라 석출물의 형태로 존재하여 부피 분율이 낮더라도 전위의 운동을 방해하여 항복강도를 증가시킨다. 특히 석출물의 크기가 커서 기존의 원자와 잘 결합되지 못할 때 전위의 통과가 어렵고 활처럼 휘게 되며 따라서 경화현상이 일어난다.

▚ 고용체 강화메커니즘

다음은 고용체 강화(solid solution hardening)에 대해 살펴보고자 한다. 고용체는 다음 그림 5.27과 같이 고체가 용해되어 들어갈 때 기존의 원자들과 크기가 비슷하다면 기존의 격자 자리를 밀어내고 대체하거나, 기존의 원자들보다 크기가 작다면 기존 격자 사이로 들어가 용해된다. 전자를 대체 고용체(substitutional solid solution)이라고 하고, 후자를 침입 고용체(interstitial solid solution)이라고 한다.

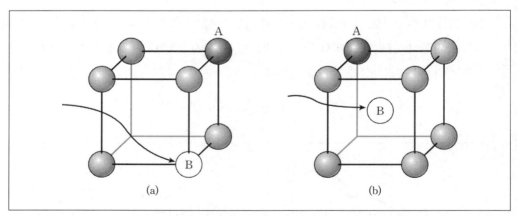

그림 5.27 고용체의 종류 (a) 대체고용체, (b) 침입고용체

강(steel)에 코발트(Co)나 크롬(Cr)을 혼합해 합금화 할 때 이러한 고용체 강화가 일어난다. 혼합된 용질원자는 전위의 움직임을 방해하여 항복강도를 증가시킨다. 또한 응력 장을

변화시켜 전위와의 상호작용을 증가시킨다. 항복강도는 용질의 농도에 따라 증가한다.

$$\tau = F_{max}/(bL')$$

$$\tau_{tetragonal} = \gamma G b(c^{1/2}/b) = \gamma G c^{1/2}$$

위 식에서 c가 용질원자의 농도이다.

고용되어 들어갈 때 다음 식과 같이 기존 원자와의 크기차 (misfit) Θ 의 (4/3) 제곱에 비례하게 된다.

$$\Delta\tau/\Delta c = C G \Theta^{4/3}$$

위 식에서 C는 재료상수이고 G는 전단강도이다. 그림 5.28에 용질원자의 종류 및 첨가량에 따른 항복강도의 차이를 그래프로 나타내었다. 용질원자의 크기에 따라 기존 용매원자와의 크기차가 서로 다르게 되고, 용질원자와 전위간의 응력장의 상호작용으로 경화가 일어난다.

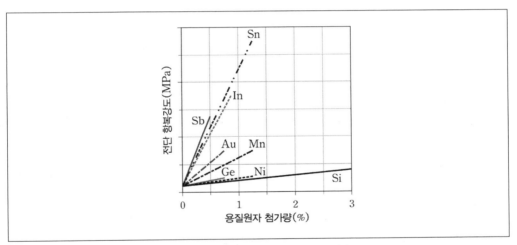

그림 5.28 용질의 종류에 따른 항복강도의 차이

용질의 에너지가 낮으면 전위를 끌어당겨 보다 강화에 기여하고 용질의 에너지가 크면 전위를 반발, 배척한다. 이 때 용질의 에너지 U_D^E 는

$$U_D^E = [4(1+\nu)G b r^3 \Theta \sin\theta]/[3(1-\nu)R]$$

로 구할 수 있다. 위 식에서 r은 용질원자의 크기, θ 는 전위의 중심(core)과 용질원자를 연결하는 선과 슬립방향간의 각도, R은 전위의 중심과 용질원자간 거리이다. 한편 온도가 증가하면 다음 식과 같이 슬립은 쉬워진다.

$$(\tau^*/\tau_0)^{1/2} = 1 - (T/T_c)^{1/2}$$

다음 그림 5.29는 철(Fe) 소재의 결정구조 및 온도의 영향을 나타낸 그래프로서 결정구조에 따라 경도 값이 다른 것을 알 수 있고 온도의 증가에 따라 경도의 감소가 일어나는 것을 확인할 수 있다.

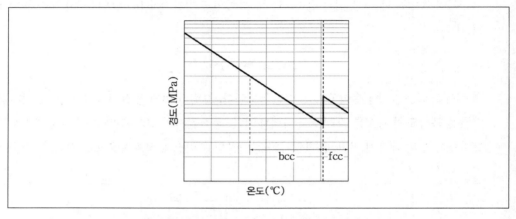

그림 5.29 철(Fe)의 결정구조와 온도에 따른 경도 값의 변화

⠿ 입계 강화메커니즘

재료의 대부분은 다결정(polycrystal)으로 존재한다. 즉 재료는 입자(grain)들로 구성되는데 입자와 입자 간에 경계면(입계, grain boundary)이 존재하며 이러한 입계를 포함하는 고체를 다결정이라고 한다. 그림 5.30에 다결정인 고체의 현미경 구조를 나타내었다. 입계는 원자들의 배열이 달라서 경계가 생기는 것이며 이 경계는 공간이 있는 구조이므로 전위가 이동하다가 입계에 모이기 쉽다. 따라서 전위밀도는 입계에서 높게 된다. 그러므로 입계가 많을수록 (입자크기가 작을수록) 전위밀도는 증가하게 되고, 따라서 항복강도나 경도도 증가하게 되며 변형에 힘이 필요하다.

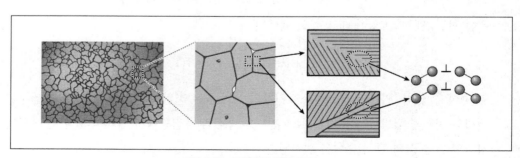

그림 5.30 다결정의 현미경구조

입계강화를 나타낸 모식도를 그림 5.31에 나타내었다. 전위가 이동하다가 입계부근에서 밀도가 증가하여 입계들이 전위 운동의 장애물로 작용하게 되며 따라서 항복강도도 증가한다.

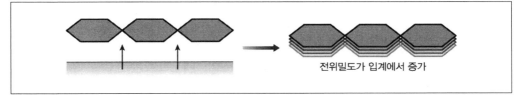

그림 5.31 입계강화를 나타내는 모식도

일반적으로 $5\mu m$ 이하의 크기를 갖는 입계들이 전위의 운동 억제에 효과적이다. 입계부근에서는 슬립이 잘 일어나지 않고, 힘에 대해 저항하므로 강화가 일어난다. 입계부근에 이러한 전위들이 쌓이면서 거시적으로 항복강도 이후에도 변형에 필요한 응력이 증가하게 된다. 입계강화에 의한 전단력의 증가에 대한 다음 식이 제시되었다.

$$(\tau_{app} - \tau_o)\{d/(4r)\}^{1/2} = \tau^*$$

위 식에서 τ_o는 전위밀도가 낮을 때의 전단응력, { } 안에 있는 식은 전위밀도 증가에 의해 일어난 응력집중, d는 입계의 직경, τ^*는 전위운동을 활성화시키는데 필요한 응력이다. 위 식을 재배열하면,

$$\tau_{app} = \tau_o + 2\tau^* r^{1/2} d^{-1/2} = \tau_o + k_y d^{-1/2}$$

의 식과 같이 정리할 수 있다. 응력(강도) σ과 경도 H 역시 위 식과 같이 유사한 형태로 쓸 수 있으며 이를 홀-페치(Hall-Petch) 방정식이라고 부른다.

$$\sigma = \sigma_o + k_y d^{-1/2}$$

$$H = H_o + k_y d^{-1/2}$$

따라서 전단응력이나 강도, 경도 모두 입자의 직경의 1/2에 반비례하는 것을 알 수 있다. 이는 고체 다결정을 구성하는 입자들의 크기가 작을수록 재료의 강도나 경도는 증가하는 것을 의미한다. 그림 5.32에 입자크기에 따른 전위밀도의 차이를 나타낸 결과를 보면, 입자크기가 $15\mu m$로서 $100\mu m$보다 작으면 입계면적이 많게 되며 전위의 밀도가 증가하는 것을 알 수 있다. 따라서 입자크기가 미세해질수록 재료의 항복강도는 증가한다.

Chapter 1
Chapter 2
Chapter 3
Chapter 4
Chapter 5
Chapter 6
Chapter 7
Chapter 8

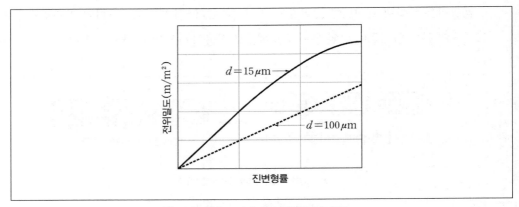

<u>그림 5.32</u> 입자 크기에 따른 전위밀도의 차이

:: 기타 강화메커니즘

앞에서 살펴본 이외에도 다양한 강화메커니즘이 제시되고 있다. 만약 재료 내에 소성변형
이 일어난 구간과 그렇지 않은 구간이 있다면 두 구간의 기울기 차이가 크면 클수록 가공경
화가 보다 일어나 강도가 증가하는데, 이러한 메커니즘을 변형률 기울기 강화(strain—
gradient strengthening)이라고 한다.

부피비가 비슷하고 현미경적으로 두 입자들이 크기가 비슷할 때는 상대적으로 탄성이 있는
상이 하중을 보다 지지하며 강화된다. 이 때 강화효과는 입자로 강화된 합금보다 더 크다고
알려져 있다. 예를 들면 탄화텅스텐(WC)과 소성의 코발트(Co)가 혼합되어 있는 상에서는
현미경적으로 전위가 발생될 때 보다 탄성이 있는 탄화텅스텐에 의해 강화가 일어난다.

5.4.3 변형률 속도

지금까지 살펴본 변형률의 변화는 시간을 고려하지 않았지만, 실제로는 변형률은 시간에 따라
변화한다. 이를 고려한 것이 변형률 속도이다. 대부분의 재료는 네킹 현상이 없다면 변형률을
증가시키려면 응력 역시 증가시켜야 한다. 이 변형의 정도는 재료의 종류나 온도뿐만 아니라
시간에 의존하게 된다. 변형률 속도는 금속의 경우 상온에서는 무시할 만큼 작은 양이지만, 고
온에서는 중요해진다. 변형률 속도가 10정도 증가하면 응력—변형률 곡선이 상온에서는
1~2% 증가하는 방향으로 이동한다. 반면, 고온에서는 50%까지도 증가한다. 또 어떤 조건 하
에서는 초소성(superplasticity)이 일어나기도 한다. 초소성은 1000%까지의 변형도 가능하다
고 알려져 있다. 변형률 속도는 다음 식과 같이 정의된다.

$$d\varepsilon/dt = d/dt\{(L(t)-L_o)/L_o\} = d/dt\{(L(t)/L_o)-1\} = (1/L_o)(dL(t)/dt)$$
$$= V(t)/L_o$$

가 된다. 위 식에서 L은 길이, V는 속도이다.

만일 0.3의 변형률로 변화시키는데 5분이 걸린다면, 변형률 속도의 값은 $0.3/(5 \times 60) = 10^{-3}/sec$ 가 된다.

응력과 변형률간의 관계는 다음과 같은 식으로 주어진다.

$$\sigma = C(d\varepsilon/dt)^m$$

위 식에서 m값을 변형률 속도 민감도(strain−rate sensitivity)라고 한다.

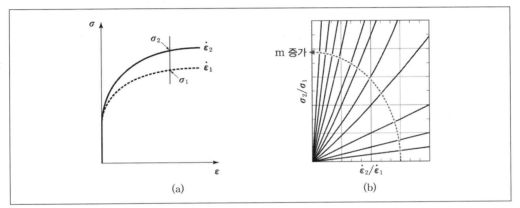

<u>그림 5.33</u> 변형률 속도가 서로 다른 (a) 응력−변형률 곡선 및 (b) 변형률 지수 m값(기울기)를 나타낸 그래프

그림 5.30의 (a)와 같이 서로 다른 응력−변형률 곡선의 임의의 두 응력 σ_1, σ_2에서,

$$\sigma_2/\sigma_1 = \{(d\varepsilon_2/dt)/(d\varepsilon_1/dt)\}^m$$

양변에 자연로그를 취하면,

$$\ln(\sigma_2/\sigma_1) = m\ln\{(d\varepsilon_2/dt)/(d\varepsilon_1/dt)\}$$

σ_2가 σ_1보다 아주 크지 않다면, 다음과 같은 식으로 쓸 수 있다.

$$\Delta\sigma/\sigma = m\ln\{(d\varepsilon_2/dt)/(d\varepsilon_1/dt)\}$$

일반적인 금속의 m값의 범위는 −0.005부터 +0.015사이의 값을 갖으며, m이 0.5이상이면 초소성이 발생한다고 알려져 있다. 그림 5.33의 (b)에 기울기 m값의 변화에 따른 그래프를 도시하였다.

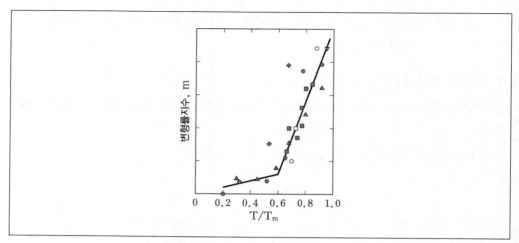

그림 5.34 온도에 따른 변형률 지수 m 값의 변화

그림 5.34에는 융점과 비교하여 나타낸 온도의 변화에 따른 변형률지수 m값의 변화를 나타내었다. 온도에 따라 m값이 증가하므로 보다 고온에서 변형률 속도가 증가한다는 것을 의미한다. 변형률 속도와 관련한 식은 위의 식 이외에도 다양한 역학식이 제시되었다.

$$\sigma = C' \times \varepsilon^n \times (d\varepsilon/dt)^m$$

위 식은 변형률 속도 $d\varepsilon/dt$ 뿐만 아니라 변형률 ε의 관계식을 혼합한 식이다.

$$\sigma = C + m' \times \ln(d\varepsilon/dt)$$

의 식은 변형률 속도 민감도를 m'으로 수정한 식이다.

$$\Delta\sigma = m'\ln\{(d\varepsilon_2/dt)/(d\varepsilon_1/dt)\}$$

의 식은 변형률 속도 식보다 σ의 증가분을 강조한 식이다.

$$(d\varepsilon/dt) = A \times \exp\{-Q/(RT)\}$$

의 식은 온도 T에 따른 변형률 변화를 나타낸 식으로서, 온도의존성을 강조하였다. R은 기체상수, Q는 활성화에너지를 나타낸다. 온도가 T_1에서 T_2로 변화할 경우 변형률 속도는

$$(d\varepsilon_2/dt)/(d\varepsilon_1/dt) = \exp\{(-Q/R)(1/T_2 - 1/T_1)\}$$

의 식으로 부터 그 변화량을 구할 수 있다.

Chapter 1

Chapter 2

Chapter 3

Chapter 4

Chapter 5

Chapter 6

Chapter 7

Chapter 8

5.5 크리프

5.5.1 서론 및 개요

앞 절에서 변형률은 고온과 시간에 의존한다는 것을 살펴보았다. 고온이나 시간에 의존하는 소성변형(time−dependent plastic deformation)을 크리프(creep)라고 한다. 크리프는 특히 고온일수록 잘 일어난다. 크리프의 속도는 응력이 크고, 고온일 때 증가하기 때문이다. 다음 그림 5.35는 시간에 따른 변형률의 변화를 나타낸 크리프 거동을 보인다. 그래프 (a)에서와 같이 하중이 가해지면 순간적으로는 탄성적 거동을 나타내다가 (단계 I), 변형률 정도가 감소하여 일정한 속도로 변형된다 (단계 II). 그 이후 변형률 속도는 증가하여 (단계 III) 파괴시까지 가속되는 거동을 나타낸다. 이 단계에서는 진응력이 시간에 따라 증가하기 때문에 가속이 일어난다.

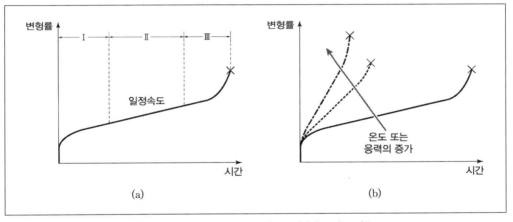

그림 5.35 시간에 따른 변형률의 변화를 나타낸 크리프 거동

크리프의 속도는 그래프 (b)에서와 같이 온도가 증가할수록 또는 응력이 증가할수록 증가한다. 낮은 응력과 온도에서 크리프 속도는 감소하지만 장시간 하중을 가하면 낮은 응력 하에서도 파괴가 일어날 수도 있다.

일반적인 크리프 시험은 일정하중, 즉 일정한 공칭응력 하에서 고온에서 수행한다. 크리프 시험도중 일반적으로 단면적의 감소가 일어나므로, 진응력은 증가하게 된다.

크리프 메커니즘

크리프를 일으키는 메커니즘은 크게 다섯가지 종류가 있다.

⠿ 점성유동

첫 번째는 점성유동(viscous flow)에 의해 크리프가 일어나는 것이다. 전단응력과 변형률 간의 관계에 시간의 함수와 재료의 점도 η가 변수로 들어가게 되는데, 다음 식과 같은 관계가 있다.

$$d\gamma/dt = \tau/\eta$$

즉 재료의 점도가 낮아지면 일정한 응력 하에서 시간에 대한 변형률의 변화가 증가하게 되며, 점도가 커지면 그 반대가 된다. 따라서 재료의 유동정도는 재료의 점성에 의존하게 된다. 인장의 경우 시간에 따른 변형률은,

$$d\varepsilon/dt = \sigma/\eta'$$

와 유사한 식이 되고, 여기서 $\eta' = 3\eta$가 된다. 폴리머 소재의 경우 불규칙한 구조의 비정질 고체이므로 크리프가 일어날 때 점성유동으로 변형이 일어난다. 원자간 결합의 파괴가 일어나면 모든 원자들이 원자간 공간으로 움직이면서 연속적인 변형이 일어난다.

⠿ 입계슬립

두 번째는 입계슬립에 의한 변형으로 크리프가 일어난다.

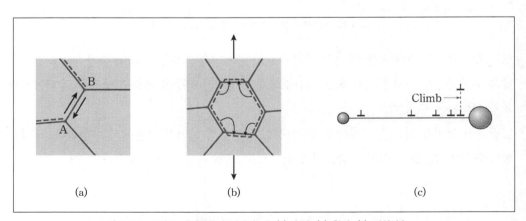

(a)　　　　　　　(b)　　　　　　　(c)

그림 5.36 크리프 메커니즘의 몇가지 예. (a) 슬립, (b) 확산, (c) 전위상승

그림 5.36의 (a)처럼 입계가 서로 화살표 모양대로 반대방향으로 미끄러지는 슬립에 의해 공동(cavity)이 발생할 수 있으며, 공동은 속인 빈 공간(void)이 생성되고 합쳐져서 일어난다. 그 공간을 원형으로 생각한다면 표면에너지는,

$$E_s = 4\pi r^2 \times \gamma_s$$

가 되고 여기서 γ_s가 표면에너지이다. 표면에너지에 의한 변화는

$$dU_s = 8\pi r \times \gamma_s$$

가 되며 이 값이 음이 되어야 공동으로 성장한다. 즉 외부의 응력 σ와 표면에너지 γ_s간의 비교에서 공간의 성장여부가 결정된다.

$$r^* = 2\gamma_s / \sigma$$

즉 $r > r^*$일 때 공간이 성장하여 공동이 된다.

입계슬립에 의해 dx만큼 요소가 늘어났다면, 부피증가는

$$x^2 dx = 4\pi r^2 dr$$

이 되고, dx를 다음 식에 대입하면,

$$d\varepsilon = dx/x = 4\pi r^2 dr / x^3$$

과 관련된다. 이 때 에너지 변화는 체적이 x^3이므로,

$$dU = \sigma \times d\varepsilon = x^3 \times 4\pi\sigma r^2 dr / x^3 = 4\sigma\pi r^2 dr$$

이 된다.

확산이 지배하는 크리프

크리프 메커니즘의 세 번째는 Nabarro−Herring이 제시한 크리프와 네 번째 메커니즘으로서 Coble이 제시한 입계를 따라 확산하는 메커니즘이 있다 (그림 5.36의 (b)). 모두 확산이 지배하는 크리프이지만 Nabarro−Herring이 제시한 것은 고온에서 원자들이 격자를 통해 확산하는 것이 지배적으로 일어난다는 점이 차이가 있다. Nabarro−Herring이 제시한 크리프는 다음과 같은 식에 의존하여 변형이 일어난다.

$$d\varepsilon/dt = A_L(\sigma/d^2)D_L$$

위 식에서 A_L은 재료상수이고 d는 입자의 직경크기, D_L은 격자확산계수를 의미한다. 한편 Coble이 제시한 크리프는 다음 식에 의존한다.

$$d\varepsilon/dt = A_G\,(\sigma/d^3)D_{GB}$$

A_G은 재료상수이고 D_{GB}는 입계확산계수를 의미하며, Nabarro−Herring의 변형률은 d^2에 반비례하는 반면, Coble 크리프의 변형률은 d^3에 반비례한다는 차이가 있다. 어느 것이든 입자가 작아지면 변형률이 증가하므로 큰 입자일수록 크리프에 대한 저항성이 높다. 세라믹스 소재의 크리프는 고온에서 이와 같은 원자들이 확산하는 입계확산이 주된 메커니즘으로 일어난다.

∷ 전위 상승

지금까지 살펴본 대로 금속은 전위가 발생하기 쉽고 전단응력에 의해 전위가 이동하기 쉽다. 따라서 앞에서 살펴본 점성유동이나 입계확산 등에 의한 변형보다는 전위의 움직임에 의해 크리프 변형이 일어난다. 특히 고온에서는 전위의 움직임이 보다 활성화되므로, 불순물에 의한 장벽에 이동이 막히게 되면 그림 5.36의 (c)와 같이, 위로 전위가 상승하는 메커니즘(dislocation climb)에 의해 상온보다 쉽게 변형이 가능하다. 전위 상승에 의한 변형률과 관련된 식은 다음과 같다.

$$d\varepsilon/dt = A_s\,(\sigma^m)$$

위 식에서 A_s와 m은 재료상수 값이므로, 크리프 변형률은 응력에 의존하는 함수가 된다.

Chapter 1

Chapter 2

Chapter 3

Chapter 4

Chapter 5

Chapter 6

Chapter 7

Chapter 8

5.5.3 크리프의 온도 및 응력의존성

앞 절에서 살펴본 크리프 메커니즘들을 온도와 인장응력의 함수로서 그림 5.37에 나타내었다.

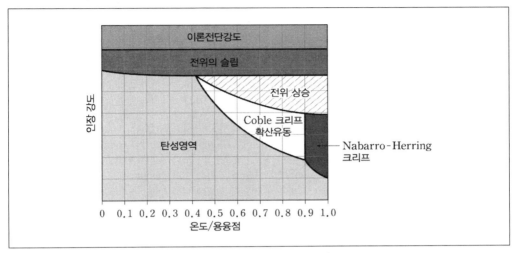

그림 5.37 크리프 메커니즘 지도(map)

그래프에서 온도를 용융점을 기준으로 비교하여 나타내었다. 이는 크리프가 재료의 용융점과 밀접한 관련이 있기 때문이다. 용융점의 30%이하에서는 크리프는 일어나지 않고 탄성거동을 나타낸다. 그러나 응력이 작용한 상태에서 용융점이 40%정도에 이르게 되면 용융점의 온도와 인장응력에 따라 서로 다른 메커니즘으로 크리프가 일어난다. 물론 그림에서는 표시되어 있지 않으나 폴리머의 경우는 상온에서도 장시간 큰 응력을 받게 되면 점성유동에 의한 크리프가 발생할 수 있다. 아주 큰 응력에서는 온도에 상관없이 전위의 슬립에 의해 변형이 일어날 수 있다. 보다 고온에서 입자 확산에 의한 크리프의 영역의 크기가 증가함을 알 수 있으며, 보다 높은 응력까지 가해지면 전위상승에 의한 크리프가 일어난다.

크리프의 온도와 응력에 대한 의존성을 식으로 나타내면 다음과 같다.

$$d\varepsilon/dt = f(\sigma) \times \exp(-Q/RT) = A \times \sigma^n \times \exp(-Q/RT)$$

위 식에서 σ가 응력, T가 온도이다. A는 재료상수, Q는 활성화에너지, R은 기체상수이다. 식에 의하면 온도가 상승하고 응력이 증가하면 변형률이 시간에 따라 증가함을 알 수 있다. 한편

$$d\varepsilon/dt = (A/T) \times \exp(-Q/RT) \times f(\sigma, d)$$

의 식도 제시되었는데, 크리프 변형률이 온도 및 응력의 함수일 뿐만 아니라 재료의 입자크기 d

의 함수로써 제시된 식이다. 앞 절에서 확산에 의한 크리프를 생각할 때 입자크기가 주요한 변수로 제시되었는데, 이를 고려한 식이라고 할 수 있다. 일반적으로 입자가 미세해지면 기계적 강도는 증가하지만 크리프변형에는 불리해짐을 알 수 있다. 이는 입자가 미세해지면 입계가 많이 존재하게 되고 입계분율이 크면 입계확산이 쉽게 일어날 수 있기 때문이다.

Chapter 1

Chapter 2

Chapter 3

Chapter 4

Chapter 5

Chapter 6

Chapter 7

Chapter 8

■ 연습문제

5.6.1 σ_1, σ_2, σ_3, 3축 응력을 받는 요소에서 Von Mises의 항복(yield)조건을 나타내는 식을 제시하시오.

5.6.2 어떤 재료의 요소에 $\sigma_1 = 5\text{kPa}$, $\sigma_2 = 0$, $\sigma_3 = -5\text{kPa}$의 응력이 작용한다. 재료의 항복강도는 6kPa이다. Tresca 최대 전단응력 기준을 제시하고, 이에 의해 항복이 일어날지를 판단하시오.

5.6.3 평면응력 상태에서의 항복기준이 다음 식을 따른다. 평면응력의 상태에서 $\sigma_2 = 0$임을 고려하기로 한다.

$$(\sigma_2 - \sigma_3)^2 + (\sigma_3 - \sigma_1)^2 + (\sigma_1 - \sigma_2)^2 = 2Y^2 (\text{Y=재료의 항복강도})$$

① 항복이 일어날 수 있는 가장 큰 σ_1/Y를 구하시오.
② 또 그 때의 응력비 σ_2/σ_1을 구하시오.

5.6.4 스크루전위에서 전단력에 의해 변형이 발생하여 전위가 생성되었다. ① 중심으로부터의 거리 r에 따른 전위의 부피당 에너지 식을 제시하고, ② 부피당 에너지가 기화열 Hv와 같을 때, 스크루 전위의 중심으로 부터의 거리 r을 구하시오. 이 재료의 밀도 $\rho = 8.93$ Mg/cm^3, G $=77\text{GPa}$, b $=0.255\text{nm}$, Hv $=4.73\text{MJ/kg}$임을 참고하시오.

5.6.5 입방정 결정에서 [234] 방향에 평행하게 인장응력 $\sigma = 10\text{kP}$ 이 작용한다. (112) 면위에 [110] 방향으로 작용하는 임계응력을 계산하시오.

5.6.6 다음 그래프를 참조하여 Hall—Petch equation의 초기강도 σ_0값과 재료상수 K_Y를 구하시오.

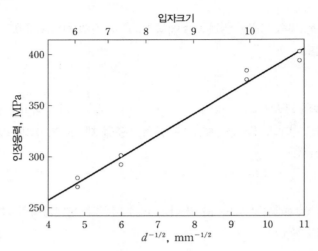

5.6.7 Zn 합금의 변형률 의존성은 $\sigma = C\dot{Y}^m$의 식에 의존한다. 여기서 m은 0.01이다. 변형률 속도 $\dot{Y}$가 $10^3/s$에서 $10^{-3}/s$까지 변할 때 $\varepsilon = 0.2$에서의 응력의 비는 얼마인가?

5.6.8 진응력—변형률 곡선은 다음과 같은 관계식을 갖는다.

$\sigma = Y + A\varepsilon$

위의 식을 참고하여 공칭변형률 e를 A와 Y의 함수로 나타내시오.

5.6.9 전위의 거리 r에 따른 부피당 에너지는 $U = 0.5Gb^2/(2\pi r)^2$이다. 부피당 에너지가 기화열 Hv와 같을 때, 전위의 중심으로 부터의 거리 r을 구하시오. 이 재료의 밀도는 1000 kg/m^3, 기화열은 $10^{-6}J/kg$, 전단계수는 $80GPa$, 버거스 벡터(burgers vector)길이는 $0.2nm$이다.

5.6.10 일정한 하중 하에 놓여있는 알루미늄 합금의 사용온도가 $70℃$에서 $80℃$로 증가하였다. 이 때 합금의 고온에 의한 변형률 속도(strain rate)가 2배가 되었다면, 합금의 활성화 에너지를 구하시오. 기체상수 $R = 8.314J/mole \cdot K$임을 참고하시오.

5.6.11 어느 결정에서 슬립은 임계전단응력값이 2MPa일 때 일어난다. 이 응력이 가장 큰 Frank—Read source를 일으키는데 필요한 응력이라고 가정할 때, 전위의 spin간의 거리 d를 그 계산하시오. 버거스 벡터 b = 0.2nm, 알루미늄의 전단계수는 25GPa이다.

5.6.12 변형경화와 관련된 설명이 아닌 것은 ?

① 초기변형에 의해 형성된 전위가 Frank—read source에 해당하는 입계, 석출물, 입자등을 만나면 pile—up이 발생한다.

② 전위는 입계에 모이기 어려우므로 입자크기(grain size)가 클수록 변형에 따른 경화현상이 일어난다.

③ $\sigma = K\varepsilon^n$의 변형경화 식에서 $n = (\varepsilon/\sigma)d\sigma/d\varepsilon$이다.

④ 압연, 압출공정은 전단력을 지속적으로 받으므로 전위밀도의 증가에 의해 변형경화가 일어난다.

5.6.13 변형경화역학에 대한 설명 중 틀린 것은?

① 변형경화 역학에서 잘 맞는 식은 power law인 $\sigma = K\varepsilon^n$이다.

② n이 크면, 가공경화속도는 초기에는 적지만, 변형률에 따라 꾸준히 증가한다.

③ 고강도재료는 저강도재료보다 높은 n값을 갖는다.

④ n값은 $(\varepsilon/\sigma) \times (d\sigma/d\varepsilon)$이다.

5.6.14 니켈의 평균입자크기 $d = 200\mu m$이다. Coble 크리프와 Nabarro—Herring 크리프의 경계선에서의 온도를 결정하여라. 그림 5.37의 지도와 각 크리프 메커니즘의 식, 그리고 $d = 32\mu m$, $T = 1553K$의 조건을 활용하라. Ni의 격자(lattice) 확산과 입계(grain boundary) 확산의 활성화에너지는 각각 $Q_L = 286kJ/mole$, $Q_{gb} = 115kJ/mole$이다.

제6장
파괴 거동

6.1 서론 및 개요

6.1.1 파괴의 정의

힘에 대한 재료의 거동은 내력보다 큰 외력을 받을 때 변형 또는 파괴로 나타난다고 1장에서 살펴보았다. 4장에서 살펴본 대로 재료의 내력이 외력에 저항하여 내력보다 작은 힘에는 탄성 거동을 나타내다가, 5장에서 배운 대로 재료 내에 전위가 발생하는 순간부터 소성 거동을 나타내며 변형을 하게 된다. 그러나 재료에 따라 소성영역이 크지 않고, 직선적인 탄성 거동만 나타내다가 파괴가 일어나는 경우가 있다. 이러한 거동은 강성이 높은 재료에서 주로 발견된다. 밀도가 높고 원자결합력이 강해서 소성 변형이 거의 일어나지 않다가, 어느 순간 급작스럽게 파손이 일어나는 경우이다.

변형이 재료 내에 발생하는 전위에 의해 시작된다면, 파괴는 재료 내에 발생하는 균열(crack)에 의해 시작된다. 강성이 있는 소재에 인장응력을 가하면 가장 큰 응력이 걸리는 지점에서 원자들의 결합이 끊어지기 시작해 균열을 생성시키고 발생한 균열이 성장하여 그 크기가 증가하다가 재료의 분리가 일어난다. 넓은 의미의 파괴는 균열이 시작되는 경우라고 할 수 있고, 좁은 의미의 파괴의 정의는 재료가 완전히 두 개의 파트로 분리된 경우라고 할 수 있다. 강성이 있는 소재나 온도가 낮은 환경에 있는 금속은 급작스럽게 파괴가 일어날 수 있으므로 균열이 개시되는 자체를 방지하여야 한다. 이 경우는 균열의 생성자체를 파괴가 일어났다고 볼 수 있다. 생성된 균열의 끝 부분에 응력이 작용하면 급작스럽게 균열의 전파가 일어날 수 있기 때문이다. 반면 연성이 있는 소재나 온도가 높은 환경에서는 전위가 균열 주위에 존재할 수 있으므로 균열이 생성되었다 하더라도 균열이 완전히 전파하는데 시간이 걸린다. 이 경우의 파괴의 정의는 두 부분으로 완전히 나누어지게 될 때이다. 파괴가 일어나는 이와 같은 양상으로 파괴를 취성파괴와 연성파괴로 구분하여 말하기도 한다.

파괴에 저항성이 높은 재료의 특성을 인성 또는 파괴인성이라고 하며, 파괴 시까지 소모되는 에너지를 의미한다. 파괴인성(fracture toughness, K_{IC})이라는 이러한 재료의 특성은 재료를 설계하는 주요한 변수 중 하나가 된다. 이밖에도 파괴가 일어날지를 결정하는 변수로서 응력확대계수(stress intensity factor, K)와 변형에너지방출률(mechanical energy release rate, G)가 제안되었다(앞에서는 같은 기호 G가 전단계수였으나, 파괴 주제에서는 변형에너지방출률을 나타내는 기호임에 유의). 가해지는 하중이 변동 적이고 주기적일 때는 재료의 강도 이하의 응력에서도 피로파괴가 일어날 수 있다.

취성을 나타내는 소재의 인성을 향상시키기 위해 많은 노력이 진행되고 있으며, 다양한 인성향상 메커니즘 들이 제시되었다.

6.1.2 파괴의 종류

:: 연성파괴, 취성파괴

재료의 특성에 따라 파괴를 연성파괴와 취성파괴로 분류한다. 연성이 있는 소재에서 나타나는 파괴의 양상이 연성파괴이고, 강성 또는 취성이 있는 소재에서 나타나는 파괴의 양상이 취성파괴이다. 일반적으로 취성이 있는 소재에 비하여 연성이 있는 소재는 파괴인성, 즉 파괴 시까지 소모되는 에너지가 크다. 초기면적 대비 파단면의 면적변화가 50%이상인 특징이 있다.

연성파괴의 특징은 일반적으로 균열선단 근처에 소성변형이 일어난 영역이 존재하여 균열전파가 상대적으로 느리다는 것이다. 인성이 높은 소재에 대하여 주로 나타나는 파괴양상이며 파단 후에는 한 쪽 파단면은 컵 모양으로, 다른 쪽 파단면은 원뿔(cone) 모양으로 파괴가 일어나 컵-콘 파괴(cup-and-cone fracture)라고 부른다. 이러한 파괴는 먼저 네킹이 일어난 단면적이 좁아진 영역 내에 기공들이 형성되어 성장하고, 기공(pore) 또는 공공(void)들이 결합되면서 성장하여 균열이 되고 이들이 전단슬립 방향으로 성장하면서 파괴가 일어나게 된다. 그 결과 파단 된 재료의 상부는 컵 모양으로 하부는 원뿔형 모양을 이루며 파손되는 것을 관찰할 수 있다. 그림 6.1에 연성파괴가 발생하는 양상을 모식도로 나타내었다.

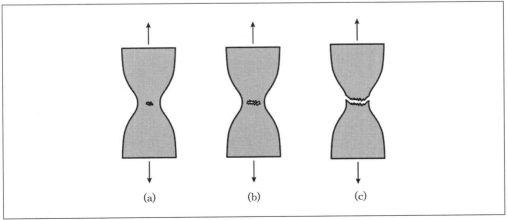

(a) (b) (c)

<u>그림 6.1</u> 연성파괴가 발생하는 양상을 나타낸 모식도, (a) 기공 성장, (b) 기공의 결합, (c) 전단 슬립에 의한 최종파괴

Chapter 1
Chapter 2
Chapter 3
Chapter 4
Chapter 5
Chapter 6
Chapter 7
Chapter 8

다음 그림 6.2에는 인장력 또는 전단력에 의해 기공 들이 힘이 가해지는 방향으로 성장하다가 합체가 일어나는 양상을 모식도로 나타내었다.

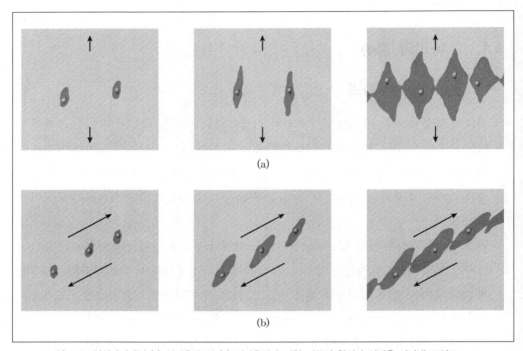

그림 6.2 연성파괴에서 (a) 인장응력 및 (b) 전단응력에 의한 기공의 형성과 성장을 나타낸 모식도

반면 취성파괴는 균열선단에 소성영역이 일어난 영역이 없거나 크지 않아서 균열 전파가 상대적으로 빠르기 때문에 응력집중이 일어나면 급작스럽게 파손이 일어난다. 일반적으로 저 인성재료에서 발견되는 파괴양상으로서 주로 입자(grain)를 가로지르는 입내파괴(transgranular fracture)나, 입자간 경계면을 따라 균열이 진행되는 입계파괴(intergranular fracture)로 나눌 수 있다. 어느 경우이든 연성파괴에 비하여 파단이 일어난 후 단면적의 변화가 거의 없다는 특징이 있다. 그림 6.3에 취성파괴가 일어날 때 입내파괴와 입계파괴의 양상으로 일어나는 모식도 및 파괴가 일어난 샘플의 단면을 전자현미경(SEM, 주사전자현미경)으로 관찰한 사진을 같이 나타내었다. 파단면을 관찰할 때 각이 진 입자의 경계들이 그대로 보이는 경우가 입계를 따라 파괴가 일어난 경우이며, 그렇지 않은 경우가 입내파괴가 일어난 부분으로 파악할 수 있다.

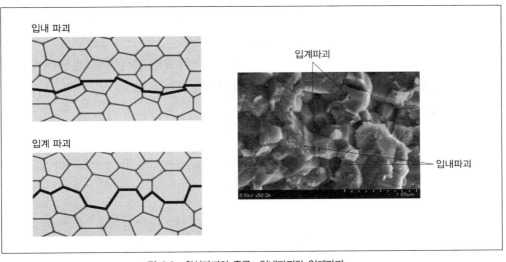

그림 6.3 취성파괴의 종류; 입내파괴와 입계파괴

금속소재는 일반적으로 연성파괴를 나타내지만 회주철 등 경도가 높은 금속이나, 상온보다 온도가 낮은 경우에는 취성파괴거동을 나타내기도 한다. 그림 6.4에 금속소재의 파괴의 종류를 모식도로 나타내었다.

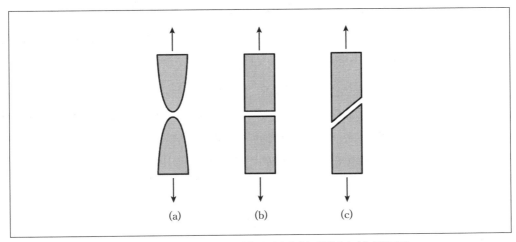

그림 6.4 금속소재의 파괴의 종류, (a) 연성파괴, (b) 취성파괴, (c) 전단파괴

금속소재는 그림 (a)의 과도한 소성변형에 의해 네킹이 일어난 이후 급격한 단면적의 변화를 수반하여 파괴되거나, (b)와 같이 단면적의 변화 없이 빠른 균열의 전파 및 성장에 의해 파손이 일어나거나, (c)와 같이 인장응력이 작용하였음에도 그에 수직한 단면적에 작용하는 인장응력보다 임의의 경사 각도를 따라 발생하는 전단응력이 더 크게 작용하여 전단파괴가 먼저 일어날 수 있다.

금속소재는 연성−취성전이(ductile−to−brittle transition)를 발생시켜 온도에 따라 전혀 다른 거동을 나타내기도 한다. 즉 상온에서는 연성거동을 나타내는 금속도 온도가 감소하면 취성 적으로 파괴가 일어날 수 있다. 이는 그림 6.5에서처럼 온도가 낮아지면 에너지도 낮아지기 때문이며 온도가 낮아짐으로써 탄성영역의 기울기가 증가하는 거동, 즉 탄성거동으로 변화가 일어나기 때문이다.

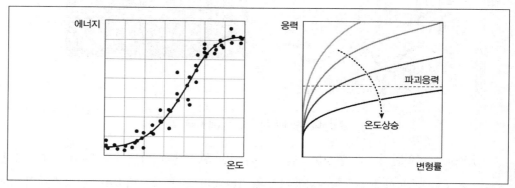

그림 6.5 파괴에 미치는 온도의 영향

⊞ 횡 좌굴(buckling), 파단(rupture), 균열성장(crack growth)

두 번째 파괴의 분류로서 횡 좌굴, 파단 그리고 균열성장에 의한 파괴가 있다. 횡 좌굴은 변형을 동반한 파괴이며 특정한 방향으로 재료가 이동하면서 발생한다. 이종의 소재가 접합되어있거나 코팅되어 있는 경우 횡 좌굴이 발생할 수 있다. 그림 6.6의 (a)에 횡 좌굴에 의한 파괴를 모식도로 나타내었다. 두 개의 재료가 접합 또는 코팅되어있을 때, 위의 층에 상대적으로 압축하중이 가해지는 경우 접합 또는 코팅 면에 수직한 방향으로 변위가 발생하는 변형이 일어나 계면이 박리(탈락)되는 현상이 발생하는데 이러한 양상을 횡 좌굴이라고 한다.

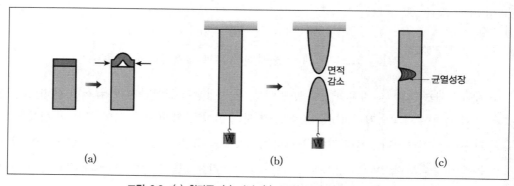

그림 6.6 (a) 횡좌굴, (b) 파단, (c) 균열성장에 의한 파괴

Chapter 1

Chapter 2

Chapter 3

Chapter 4

Chapter 5

Chapter 6

Chapter 7

Chapter 8

연성이 있는 소재의 경우 그림 6.6의 (b)와 같이 인장하중에 의해 샘플의 중앙부위의 단면적이 점점 감소하다가 파단이 일어난다. 처음에는 전위의 발생 및 밀도증가에 의해 경화현상이 일어나지만, 네킹이 일어나면서 단면적이 감소하고 따라서 하중을 지지할 면적이 점차 감소하여 응력이 증가하면서 파단이 일어난다. 네킹이 발생한 이후에는 비교적 빠른 시간 내에 파손이 발생한다.

가장 일반적인 파괴는 그림 6.6의 (c)와 같이 균열이 개시(initiation)되고 균열의 끝에 외부응력이 집중되어 전파(propagation)가 일어나 파손되는 것이다. 이 때 재료가 강성이 있는지 연성이 있는지에 따라 균열의 전파속도가 결정된다. 미시적으로는 균열의 선단 부위에 전위의 존재 여부가 중요하다. 변형에 의해 전위영역이 균열의 끝 부위에 형성된다면 균열의 전파가 어렵고 파괴가 지연된다. 반면 변형이 일어나지 않아 균열 끝 부위에 전위가 존재하지 않거나 그 영역이 넓지 않은 강성과 강도가 높은 소재의 경우는 응력집중에 의해 빠른 속도로 균열의 전파가 발생할 수 있다.

6.2 파괴 이론

6.2.1 재료의 이론 파괴강도

∷ 원자를 고려한 이론파괴강도

그림 6.7과 같이 완전한 이상적인 결정 내의 두 원자가 일정한 힘으로 결합되어 있다. 원자 간 거리는 $\lambda/2$이며, 두 원자를 떼어내려면 σ_c의 임계응력이 필요하다. 거리 x의 함수로 응력의 변화를 고려하면,

$$\sigma = \sigma_c \sin(2\pi/T)x = \sigma_c \sin(2\pi/\lambda)x$$

의 관계식이 성립된다. 여기서 T는 곡선의 주기를 말하며, 그림에서 싸인 곡선의 주기를 생각할 때 $T = \lambda$이다.

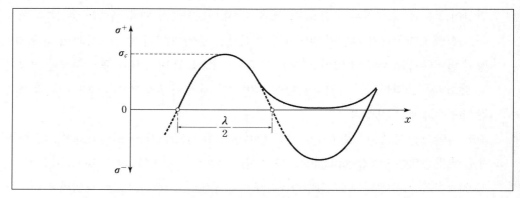

그림 6.7 원자간 거리에 따른 응력

한편 결정의 기본단위인 격자상수를 a_o라고 하고 후크의 법칙이 적용되는 탄성구간이라면, $\sigma = E\varepsilon = E(x/a_o)$의 관계식으로도 표시할 수 있다. σ는 같으므로 앞의 식과 같다고 놓고 거리 x가 매우 작으므로 $\sin x \sim x$라고 가정하면,

$$E(x/a_o) = \sigma_c \sin(2\pi/\lambda)x \sim \sigma_c(2\pi/\lambda)x$$

로 쓸 수 있다. 이 식을 σ_c에 대하여 정리하면,

$$\sigma_c = (\lambda/2\pi)(E/a_o) \sim E/10$$

이 된다. 따라서 재료의 이론 강도는 탄성계수의 약 1/10의 값이라고 말할 수 있다.

에너지문제로 접근한 이론파괴강도

취성재료의 이론 강도에 대해서는 에너지를 고려하여 접근한 그리피스(Griffith) 방정식이 제시되었다. 균열의 생성 시 발생하는 표면에너지의 생성과 동시에, 재료 내에 축적되었던 탄성에너지가 방출된다는 개념에서 출발하여 재료의 이론 강도를 식으로 제시하였다. 다음 그림 6.8에 직경 2a의 균열이 포함된 재료에 하중 σ를 가할 때, 균열의 길이 a의 성장에 따른 에너지 U의 변화를 나타내었다.

그래프에서와 같이 균열의 형성에 의해 생성된 표면에너지 U_s는 모두 양수의 값이고, 방출된 탄성에너지 U_E의 값은 음수의 값이다. 이들을 합한 총에너지 U_T는 균열이 성장하기 위한 임계크기 값 a_c를 제시해 주고 있다. 균열의 생성 시 위와 아래 2개의 표면이 생성되고 단위면적당 표면에너지를 γ_s라고 한다면,

$$U_s = 2a \times 2개 \times 1 \times \gamma s = 4a\gamma_s$$

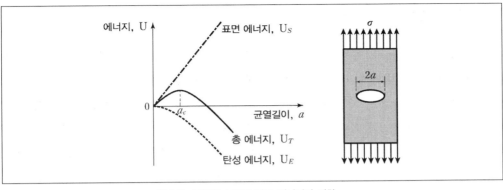

그림 6.8 균열의 성장에 따른 에너지의 변화

의 표면에너지 U_s가 생성된다. 여기서 $2a$는 균열 1개의 길이, 1은 균열의 단위두께를 의미한다. 균열의 길이 $2a$가 2개인 것은 균열을 윗부분과 아래 부분으로 나누어 생각할 수 있기 때문이다.

한편 방출되는 탄성에너지는 응력-변형률 곡선의 선형탄성구간의 방출에너지를 고려하면,

$$1/2 \times \sigma \times \varepsilon = 1/2 \times \sigma \times (\sigma/E) = 1/2 \times (\sigma^2/E)$$

의 탄성에너지가 균열의 면적만큼 방출된다고 생각한다. 여기서 균열의 면적을 원형으로 간주하면

$$U_E = \{\sigma^2/(2E)\} \times \pi a^2 \times 2\text{개} \times 1 = (\sigma^2 \pi a^2)/E$$

의 탄성에너지가 방출된다. 방출된 에너지는 음수로 놓을 수 있으므로 따라서 총에너지는

$$U_T = U_s + U_E = 4a\gamma_s - (\sigma^2 \pi a^2)/E$$

이 되고 임계의 균열길이 a_c는 위의 식을 a에 대해 미분해 준 값을 0으로 놓은 후 구하면 된다.

$$(dU_T/da) = 4\gamma_s - (2\sigma_c^2 \pi a)/E = 0$$

위의 식을 σ_c에 대하여 재배열하면,

$$\sigma_c = \{(2E\gamma_s)/(\pi a)\}^{1/2}$$

으로 균열전파가 일어나는 임계크기의 응력 값을 구할 수 있다. 이 값이 곧 재료를 파괴시키기 위한 이론 강도 값이 된다.

6.2.2 선형 파괴역학

파괴역학은 균열(crack)과 연관된 응용역학이라고 할 수 있다. 돌과 나무로 연장이나 전쟁무기를 제조할 때 힘에 대해 얼마나 강해야 하는지를 생각할 때 재료의 거동을 고려하였을 것이다. 19세기 산업혁명과 함께 발견된 철이나 강(steel)은 인장응력에 강한 재료의 거동을 파악함으로써 사회전반에 폭넓게 활용되기 시작하였다. 제 2차 세계대전 때는 급작스러운 파괴가 일어나 둘로 갈라진 선박의 사진이 타임지라는 시사 잡지의 표지사진에 게재되었다. 그 이후부터 왜 재료는 파괴가 일어나는가? 어떻게 파괴가 일어나는가? 어떻게 재료의 파괴를 방지할 수 있는가?에 대해 답할 수 있는 학문에 대한 연구가 이루어졌다. 위의 사례에서 알 수 있는 바와 같이 왜 항복응력보다 낮은 응력에서 파괴가 일어나는가? 라는 질문에 대해 답할 수 있는 학문이 활발히 연구되었는데 그 학문이 파괴역학이다. 역학자들은 이러한 질문에 답하기 위하여 응력 및 변형률, 그리고 재료 측면에서는 강도 및 파괴에 저항하는 인자로서 인성(toughness)을 고려하기 시작하였다.

이러한 파괴는 경제와 사회적 손실과 관계하고 있고 수송 기기에서는 생명과도 관계하기 때문에 매우 중요한 주제라고 할 수 있다. 예를 들면 많은 기계를 제작할 때 파괴를 응용하는 절삭가공공정 등에서 방출되는 먼지와 쓰레기 처리에 경제적 손실이 소모된다. 또 공장과 자동차 등에서 발생하는 미세먼지들은 사회적 손실을 야기한다. 자동차 및 항공기 엔진사고로 생명문제가 야기되는 것 역시 파괴역학과 관련된 중요한 문제가 아닐 수 없다. 구조나 시스템이 파괴에 의해 붕괴되는 이유는 잘못된 설계와 제조, 잘못된 작동에 의해 일어날 수 있으므로 파괴를 방지하기 위한 설계와 재료의 선택이 매우 중요하다. 파손과 관련한 충분한 현장시험과 데이터의 분석, 보완이 필요하다고 할 수 있다.

:: 파괴역학과 관련한 최초의 실험

16세기 레오나르도 다빈치는 철사 줄에 질량을 가해 파손시키는 실험을 수행하였다. 레오나르도 다빈치는 그림 6.9에서와 같이 철사의 길이 l 및 질량 m을 변화시켜가면서 철사 줄을 끊는데 필요한 임계 질량이 얼마인지를 측정하였다.

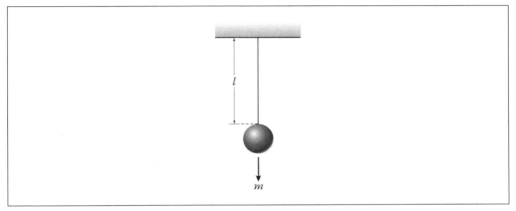

그림 6.9 레오나르도 다빈치의 실험

철사 줄의 파괴확률과 철사의 길이와의 관계를 규명한 결과, 철사 줄의 파손은 철사의 길이에 비례한다는 결과를 제시하였다. 이러한 실험결과는 철사 줄이 길수록 파괴를 시키기 위한 임계결함을 포함할 확률이 높다는 추후 파괴역학자의 이론과도 잘 일치하는 결과라고 할 수 있다.

:: 응력집중이론

6.2.1절에서 살펴본 이론적 파괴강도 값, E/10,보다 실제 강도 값은 100배에서 1000배 정도 낮은 값을 나타낸다. 1913년 잉글리스(Inglis)란 역학자는 하중을 받는 판이 그 내부에 결함을 함유하고 있을 때 결함 주위의 국부적인 응력이 평균적으로 가해진 하중에 의해 발생하는 응력보다 크다는 것을 수학적으로 밝혀내었다. 여기서 결함이란 미세한 구멍(hole), 날카로운 모서리(sharp corner), 노치(notch)나 균열(crack)이 될 수 있다. 잉글리스는 또한 탄성이론을 사용하여 결함의 선단에 작용하는 응력은 결함의 크기와 곡률반경에 의존한다는 것을 밝혀내었으며 따라서 파괴를 양적으로 정의하는데 기여하였다.

그림 6.10과 같이 균열의 크기 2a, 폭이 2b인 타원형의 균열이 포함된 재료가 σ_A의 하중을 받고 있다고 생각하자.

Chapter 1
Chapter 2
Chapter 3
Chapter 4
Chapter 5
Chapter 6
Chapter 7
Chapter 8

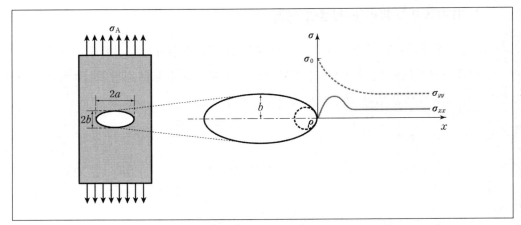

그림 6.10 응력집중이론과 연관된 균열의 모식도

이 때 탄젠트 방향의 응력(tangential stress) σ_Z은 다음 식과 같이 정의될 수 있으며,

$$\sigma_Z = \sigma_A e^{2\alpha_0}\left[\left\{\sinh 2\alpha_0(1+e^{-2\alpha_0})\right\}/\left\{\cosh 2\alpha_0 - \cos 2\eta\right\} - 1\right]$$

위 식에서 α_0는 수직응력이고 η는 곡률좌표 상수 값을 의미한다. 한편 최대응력은

$$\sigma_{\max} = \sigma_A e^{2\alpha_0}\left[\left\{\sinh 2\alpha_0(1+e^{-2\alpha_0})\right\}/\left\{\cosh 2\alpha_0 - 1\right\} - 1\right]$$

이 되고 위 두식으로부터 α_0를 없애고 균열의 기하학을 적용하여

$$\sigma_{\max} \sim \sigma_A\left\{1 + (2a/b)\right\}$$

의 근사값을 얻었다. 만약 $a/b \gg 1/2$이면,

$$\sigma_{\max} \sim 2\sigma_A(a/b)$$

가 된다. 또한 다음과 같은 곡률반경의 관계식

$$\rho = b^2/a$$

으로부터,

$$\sigma_{\max} \sim 2\sigma_A(a/\rho)^{1/2}$$

의 잉글리스 식이 유도된다. 따라서 균열 선단에 작용하는 최대의 응력 값 $\sigma_{\max}$은 외부에서 가해지는 하중 σ_A보다 $2 \times (a/\rho)^{1/2}$만큼의 큰 응력이 작용하게 된다. 이러한 응력의 작용으로 이론 강도 보다 실제 강도가 낮은 이유를 규명하였다. 또 균열의 선단에 작용하는

응력은 균열의 기하학에 의존함을 알 수 있다. 균열의 직경 a가 클수록, 곡률반경 ρ가 작을수록 균열의 선단에 작용하는 응력이 증가한다. 즉 끝이 날카로운 형상을 갖는 타원형 결함일수록 원형에 가까운 곡률반경을 갖는 결함보다 집중되는 응력이 증가하여 쉽게 파괴가 일어날 수 있다. 잉글리스는 근사 값 이전의 값을 응력집중계수(stress concentration factor) κ로 정의하여 파괴인성을 정량화하는데도 기여하였다.

$$\kappa = 1 + 2(a/\rho)^{1/2}$$

만약 원의 경우 $\rho = a$이므로 값은 3이 되고 따라서 최대응력 값은 가해준 하중 값의 3배가 된다. 만약 결함의 형상이 타원으로 바뀌고, 곡률반경이 작은 납작한 타원의 형상일수록 κ 값은 더욱 커지므로 균열선단에 작용하는 응력 값은 더욱 증가하게 된다. 따라서 응력집중은 결함의 크기도 중요하지만 결함의 모양(형상)에 더 크게 의존함을 알 수 있다.

에너지 이론

취성파괴역학에 탄성에너지와 표면에너지의 관계를 적용하여 1920년 그리피스(Griffith)는 취성파괴역학이론을 제시하였다. 이미 앞 6.2.1절에서 에너지의 상호관계를 적용하여 이론파괴강도를 구하는 방법을 살펴보았다. 1920년 그리피스는 변동하중을 받는 기계부품의 강도에 노치와 가공결함이 미치는 영향에 흥미를 가지기 시작하였다. 그리피스는 최소의 에너지관점에서 파괴의 이론분석을 행하여 재료의 임계강도를 구하는 식을 제시하였다. 그리피스는 균열성장에 필요한 두가지 조건을 제시하였는데, 첫째는 파괴 시 균열선단의 결함들이 응력을 받아야 한다는 것이다. 즉 균열선단에서의 응력은 잉글리스가 제안한 응력집중계수 κ의 함수이어야 하며 이는 균열의 길이와 곡률반경에 의존한다. 둘째로 균열성장을 위해서는 방출된 탄성에너지 U_E가 표면에너지 U_S보다 같거나 그 이상이어야 한다고 제시하였다. 이 두 번째의 조건을 식으로 표기하면 다음과 같다.

$$dU_E/da \geq dU_S/da$$

위 식에서 U_E는 탄성변형에너지, U_S는 생성된 표면에너지, da는 균열길이의 증가분이다. 이 식은 균열성장을 위해서는 방출되어야 하는 탄성에너지가 적어도 생성되는 표면에너지와 같아야 함을 의미한다. 앞의 이론 강도 식을 유도할 때를 참고하면 탄성에너지와 표면에너지는 다음과 같다.

$$U_E = (\sigma^2 \pi a^2)/E,$$
$$U_s = 4a\gamma_s$$

Chapter 1
Chapter 2
Chapter 3
Chapter 4
Chapter 5
Chapter 6
Chapter 7
Chapter 8

와 같이 유도되고 각 에너지의 단위는 J/m^2이다. 따라서 그리피스가 제안한 에너지의 관계는 다음 식이 요구되어진다.

$$2(\sigma_c^2 \pi a)/E \geq 4\gamma_s = (\sigma_c^2 \pi a)/E \geq 2\gamma_s$$

위 식에서 부등호 좌변의 항이 균열선단 당 방출되는 변형에너지 방출속도이다. 따라서 균열길이 증가분에 대한 변형에너지방출속도는 균열길이에 대해 선형적 함수임을 알 수 있다. 또한 그 속도는 표면에너지에 해당하는 일정한 값이다. 이 식은 그리피스가 제시한 에너지 보존에 의한 표면에너지, 탄성변형에너지, 균열길이 간의 상호관계를 나타낸다. 탄성에너지 방출속도가 요구되는 표면에너지와 같다면 균열전파는 일어나지 않을 것이다. 반면 균열성장에 필요한 표면 에너지보다 변형에너지 방출에 의해 더 큰 에너지가 가용 가능할 때, 균열은 불안정하게 성장하면서 재료의 파괴가 일어나게 된다.

그리피스 식에 의하면 균열의 길이가 다음과 같은 임계 길이에 도달하지 않으면 균열의 성장은 일어나지 않는다.

$$a_c = (2\gamma_s E)/(\pi\sigma^2)$$

위 식으로부터 불안정한 균열성장을 일으키는 임계 길이를 알 수 있으며, 또한 식을 변형하면,

$$\sigma(\pi a_c)^{1/2} = (2\gamma_s E)^{1/2} = (EG_c)^{1/2} = K_c$$

위 식에서 임계 응력확대계수(critical intensity factor) K_c를 정의할 수 있으며 이 값으로부터 재료의 인성(toughness)값을 예견할 수 있다.

⌃⌄ 응력확대계수, K

제 2차 세계대전 중 어윈(Irwin)이라는 역학자는 강철 방패의 파괴에 관심을 가지던 중 그리피스의 취성파괴를 연성에도 적용하여 그 역학 식을 다음 식과 같이 확장하였다.

$$\sigma_c = [\{2E(\gamma_s + \gamma_p)\}/\{\pi a\}]^{1/2}$$

위 식에서 γ_p는 균열성장 시의 소성변형 에너지이다. 또한 어윈은 균열선단의 끝 주위의 응력 장 $\sigma(r, \theta)$에 대하여 다음과 같은 수학식을 제시하였다.

$$\sigma_{ij} = \{K_I/(2\pi r)^{1/2}\}f_{ij}(\theta) + \sum A_m r^{m/2} g_{ij}^{(m)}(\theta) = K_I(2\pi r)^{-1/2} f_{ij}(\theta)$$

예를 들면 σ_{yy}의 경우,

$$\sigma_{yy} = \{K_I / (2\pi r)^{1/2}\} \cos(\theta/2)\{1 + \sin(\theta/2)\sin(3\theta/2)\}$$

로 균열선단으로부터의 응력상태를 나타낼 수 있으며, r의 1/2승에 반비례한다. 그림 6.11 에서와 같이 균열선단으로부터 일정거리 r과 각도 θ만큼 떨어진 거리에서의 응력상태는 위의 식과 같다는 의미이다. 따라서 위의 식에서 상수 K_I이 정의되며, 이 값을 응력확대계 수(stress intensity factor)라고 정의한다.

응력확대계수는 균열선단으로부터 일정한 거리 r, 각도 θ에서의 위치에서의 응력의 크기 가 외부에서 가해지는 응력과 균열길이의 1/2승에 의존한다. 예를 들면 외부응력을 2배 증 가하면 균열선단의 응력 역시 2배 증가함을 말해주고, 균열길이가 4배 성장하면 균열선단 의 응력은 2배 증가한다는 것을 의미한다.

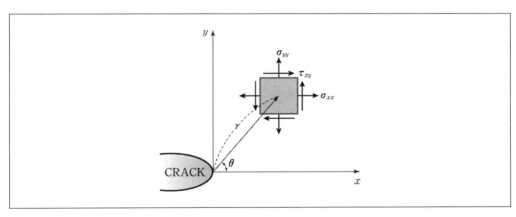

그림 6.11 균열선단 부위의 응력

응력확대계수에는 그림 6.12에서와 같이 세 가지 종류가 있다. 앞에서 I으로 표기한 것은 인장응력이 부과할 경우이다. 전단력이 작용하는 경우는 두 가지 경우가 있으며 평면 내로 전단이 작용하는 모드 II (shearing), 단면바깥으로 전단력이 작용하는 (tearing) 모드 III 의 경우에 대해 각각의 응력확대계수를 K_I, K_{II}, K_{III}로 정의한다.

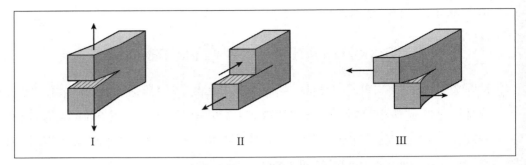

그림 6.12 응력확대계수(K)의 세 가지 유형

일반적으로 균열의 형상에 따라 K_I은 영향을 받는다. 따라서 앞에서 정의한 그리피스 식으로부터 정의한 K_I은 다음 식과 같이 수정되었다.

$$K_I = \sigma_A Y (\pi a_c)^{1/2} = \varphi \sigma_A a_c^{1/2}$$

위 식에서 σ_A는 가해진 외부하중 a_c는 임계균열길이이다. Y는 균열의 기하(geometry)에 의존하는 재료상수 값이다. 균열이 곧바로 나가고 양쪽 끝단이 있는 경우의 Y는 1의 값이며, 한쪽 끝만 닫혀있는 작은 표면균열의 경우의 Y는 1.12의 값으로 12%의 오차가 있다. 동전모양의 균열의 경우의 $Y = 2/\pi$의 값을 가지며, 동전모양의 1/2크기의 균열(half-penny crack)의 경우 $Y = 0.713$의 값을 갖는다.

응력확대계수는 임계치가 아닌, 변하는 하중 P에 의해 발생하는 임의의 응력 σ와 이 때의 균열길이 a의 함수로서 보다 일반화된 식으로 표현될 수도 있다.

$$K = \varphi \sigma a^{1/2}$$

위 식에서 φ는 K에 영향을 주는 기하학적 상수이다. 샘플이 무한의 크기를 갖고 균열이 똑바로 나가는 균열(straight crack)이라면, $\varphi = \pi^{1/2}$이고, 끝단이 있는 균열(edge crack)이라면, $\varphi = \alpha \pi^{1/2} = 1.12 \pi^{1/2}$의 값을 갖는다. 폭 w를 갖는 샘플에서 똑바로 나가는 균열이라면, $\varphi(a/w) = [\{2w/a\} \tan\{(\pi a)/(2w)\}]^{1/2}$의 값을 갖으며, 동전모양의 균열(penny crack)이라면, $\varphi = 2/(\pi^{1/2})$의 값을 갖는다. 즉 균열의 모양에 따라 K에 의존하는 φ 상수 값이 다 다르게 된다. 이와 같은 상수 φ 등을 고려하여 다음 그림 6.13의 (a)와 같이 똑바로 나가는 끝단의 균열(straight edge crack)에 균일한 하중이 가해지는 경우의 K는

$$K = (2\beta P)/(\pi a)^{1/2}$$

이고, 그림 (b)와 같이 반원형의 동전모양의 균열(half-penny crack)이 균일한 하중이 가해지는 경우의 K값은

$$K = (2\phi \text{P})/(\pi a)^{3/2}$$

의 값으로 정리될 수 있다. 두 식 모두 균열의 길이 a가 증가할수록 K는 감소됨을 알 수 있다. 따라서 균열의 끝단에서 최대의 값을 갖고, 그 값은 균열이 진전됨에 따라 감소하므로 균열의 성장은 어느 정도 진행되다가 멈추게 된다.

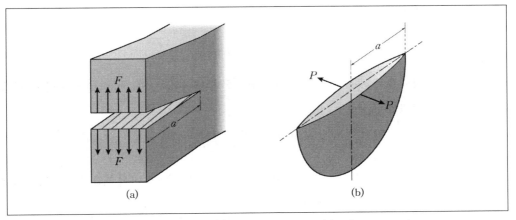

<u>그림 6.13</u> 균일 하중 하에서의 (a) straight edge crack, (b) half-penny crack

응력확대계수의 중요한 특성중 하나는 같은 하중모드에서는 가산적인 특징이 있다는 것이다. 복잡한 하중을 받을 경우 응력확대계수는 각 하중을 나누어 받는다고 생각하여 응력확대계수를 얻은 후 이들을 합해주면 된다. 또 불균일한 하중 하에 있는 균열의 응력확대계수는 그림 6.14에서와 같이 균열의 길이 a의 함수로 쓸 수 있고, 균열의 기하에 따라 똑바로 진전하는 균열(straight crack)인가, 동전모양의 균열(penny crack)인가에 따라 다른 값을 갖는다. x = 0 또는 r = 0에서 최대의 K값을 갖고

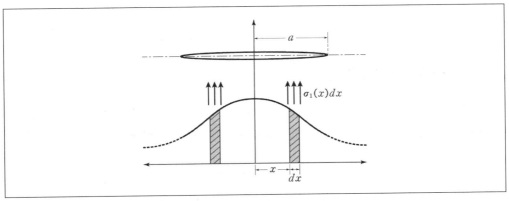

<u>그림 6.14</u> 불균일 하중 하에 있는 균열의 K의 분포도

$$K = 2\,(a/\pi)^{1/2} \times \int [\sigma(x)/(a^2 - x^2)^{1/2}]dx \ \text{(straight crack)},$$

$$K = [2/(\pi a)^{1/2}] \times \int [r\sigma(r)/(a^2 - r^2)^{1/2}]dr \ \text{(penny crack)}$$

이후 x 또는 r의 증가에 따라 감소하는 값을 갖는다.

한편 응력확대계수를 그림 6.15에서와 같이 평균응력에 대한 최대응력의 비율이라는 식으로도 제시되었다.

$$K = \sigma_{\max}/\sigma_{\mathrm{avg}}$$

위 식에서 평균응력 σ_{avg}는 가장 작은 단면적하에 작용하는 평균응력을 의미하며, 다음 식과 같이 정의된다.

$$\sigma_{\mathrm{avg}} = P/\{(w-2r)t\}$$

K값은 r/w이 감소함에 따라 증가함을 알 수 있다. 이는 높이 대비 홀(hole)의 직경이 작을수록 더 큰 응력이 집중되기 때문이다.

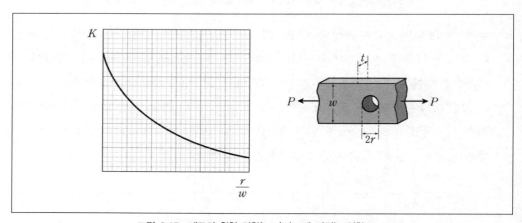

그림 6.15 재료의 원형 결함(hole)이 K에 미치는 영향

:: 변형에너지 방출률, G

어윈(Irwin)은 응력확대계수와 함께 기계적 에너지를 균열길이에 대해 미분한 변형에너지 방출률 (mechanical energy relase rate) G의 개념을 제안하였다.

$$G = -\,dU_{\mathrm{M}}/da$$

위 식에서 U_{M}은 다음 식과 같이 기계적 에너지로서 탄성변형에너지 U_{E}와 외부에서 가해지는 하중에 의한 에너지 U_A의 합이다.

$$U_M = U_E + U_A$$

그림 6.16과 같은 균열을 끝단(edge)에 포함하는 탄성시스템을 고려해보자.

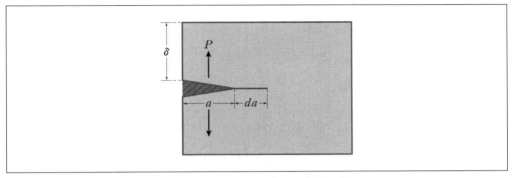

<u>그림 6.16</u> 균열을 끝단에 포함하는 탄성시스템

이 때 탄성체는 선형스프링과 같이 거동한다고 가정하면 후크의 법칙에 의하여 변위 δ는 다음 식과 같이 쓸 수 있다.

$$\delta = \lambda P$$

P는 균열 끝단에 가해진 하중이며, λ는 재료상수이다. 만일 균열이 성장하지 않는다면 이 때 탄성에너지는

$$U_E = \int P(\delta)d\delta = P\delta/2 = (P^2\lambda)/2 = \delta^2/(2\lambda)$$

이고, 만약 da의 균열성장이 허락된다면,

$$d\delta = \lambda(dP) + P(d\lambda)$$

이며, 일반적으로 $da > 0$, $d\delta > 0$, $dP < 0$이므로 $d\lambda > 0$이다.

한편, 균열의 면적 da의 변화에 기인한 총 기계적 에너지 변화 U_M을 서로 다른 하중의 종류에 대해 다음과 같이 고려할 수 있다.

첫 번째는 일정 힘을 받는 시스템으로서 힘 P가 일정한 값을 갖는다. 이 경우

$$dU_A = -Pd\delta = -P^2(d\lambda)$$

$$dU_E = \{P^2(d\lambda)\}/2$$

Chapter 1
Chapter 2
Chapter 3
Chapter 4
Chapter 5
Chapter 6
Chapter 7
Chapter 8

이므로 총 에너지 변화는

$$dU_M = dU_E + dU_A = - \{P^2(d\lambda)\}/2$$

가 된다.

두 번째는 일정한 변위를 나타내는 시스템으로서 변위 δ가 일정한 값을 갖는다. 이 경우

$$dU_A = 0$$

$$dU_E = - \{\delta^2/(2\lambda^2)\}d\lambda = - \{P^2(d\lambda)\}/2$$

가 되므로 총 에너지 변화는,

$$dU_M = dU_E + dU_A = - \{P^2(d\lambda)\}/2$$

가 된다. 따라서 U_M은 하중의 종류에 무관하고, 여기서 변형에너지 방출률은 맨 앞의 식과 같이

$G = - dU_M/da$가 된다. G값의 크기만을 생각하고 a에 대해 미분한 값은

$$G = (2\sigma^2\pi a)/E$$

이 되고 여기에

$K_I = \sigma Y (\pi a)^{1/2}$으로부터 σ를 도출하여 위 식에 대입하고 상수를 Y로 모두 묶으면,

$$G = K_I^2/E$$

의 관계식이 유도된다. 따라서 변형에너지 방출률 G는 응력확대계수 K와 밀접한 관계가 있음을 알 수 있다.

만약 I, II, III 모드 3개를 모두 고려한다면,

$$G = K_I^2/E' + K_{II}^2/E'' + K_{III}^2/E'''$$

과 같이 쓸 수 있다.

그림 6.16과 같은 균열을 포함한 탄성시스템에서 그림 6.17과 같이 하중에 따른 변위를 얻을 수 있다면 하중－변위 곡선으로부터 변형에너지 방출량을 실험적으로 계산할 수 있다.

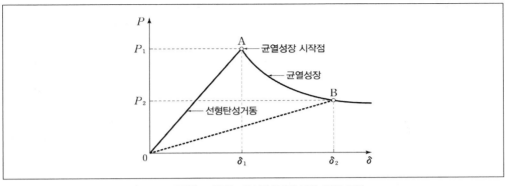

그림 6.17 균열을 포함하는 탄성시스템의 하중-변위 곡선

그림의 그래프에서 선형구간은 탄성거동을 나타내는 구간이며, 직선구간의 끝점 A에서부터 균열의 성장이 일어나 지속적인 성장이 일어난다. 그림에서와 같이 임의의 B점을 생각하여 그 때의 변위를 δ_2, 하중을 P_2라고 하고, A점의 하중과 변위를 각각 P_1, δ_1이라고 하면, 도형 OAB는 $G_c dA$로 놓을 수 있고, 도형 $OB\delta_2$와의 합이, 도형 $OA\delta_1$ + 도형 $AB\delta_1\delta_2$의 합과 같으므로,

$$G_c(dA) + 1/2(P_2\delta_2) = (1/2)P_1\delta_1 + (1/2)(\delta_2 - \delta_1)(P_1 + P_2)$$

dA는 균열성장에 의한 면적의 변화 ΔA 이므로, 균열의 길이 a와 균열의 두께 t의 곱으로 면적을 표시하면,

$$G_c = \{(1/2) \times (P_1\delta_2 - P_2\delta_1)\}/(t\Delta a)$$

으로부터 구할 수 있다.

한편 하중을 가했을 때 그림 6.18의 (a)에서와 같이 선형(linear)이 아닌, 비선형(nonlinear) 거동을 보이는 경우의 변형에너지 방출률로서 J라는 용어가 제시되었다.

이 때 J값은

$$J = \int s[vdy - \Gamma(\partial u/dx)ds]$$

로 정의되며 v는 변형에너지밀도(strain energy density), Γ는 s에 대한 traction 벡터, u는 수직 벡터이며 ds는 s에 대한 호의 길이이다. 그림 6.18의 (b)에서와 같이 선형거동을 나타내는 탄성체이든, 비선형거동을 나타내는 비탄성체이든 폐곡선을 적분해주면 항상 J값은 0이 된다.

Chapter 1

Chapter 2

Chapter 3

Chapter 4

Chapter 5

Chapter 6

Chapter 7

Chapter 8

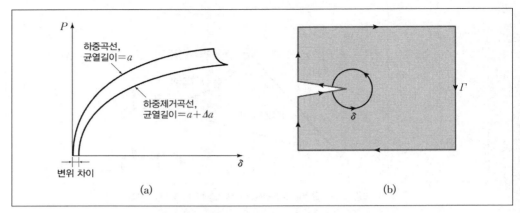

그림 6.18 비선형거동을 보이는 경우의 J적분 개념도

J는 변위차이를 나타내는 비선형거동을 보이는 재료에서 파손면적당 행하여진 일로서, 그림 6.18의 (a) 그래프에서 하중을 가할 때와 제거할 때의 서로 다른 경로로부터 형성된 폐곡선의 면적을, 파손 시의 면적증가분 Δa로 나눈 값이다. 한편 (b)와 같이 적분한 값은

$$J_{IC} = G_{IC} = \{(1-v^2)/E\} \times K_{IC}^2$$

보다 큰 값임이 실험에 의해 증명되었고, 실험적으로도 K_{IC}값은 $\{(J_{IC}E)/(1-v^2)\}^{1/2}$의 값과 거의 선형적으로 비례함을 알 수 있어서, J값으로부터 K값을 유추할 수 있다.

균열의 안정성, 불안정성

그림 6.8의 그래프에서 균열체의 탄성에너지 $U_E = (\sigma^2 \pi a^2)/E$, 표면에너지 $U_s = 4a\gamma_s$의 합 그래프로부터 균열의 임계길이 a_c를 정의할 수 있고, 이를 기준으로 할 때 임계 길이 이전에는 균열이 성장하지 않아 안정하다(stable)고 볼 수 있고, 균열의 길이가 임계 길이 이상에 도달하게 되면 균열이 급작스럽게 성장하므로 불안정하다(unstable)고 말할 수 있다. 즉 두 에너지의 합 그래프인 총에너지 U_T 곡선의 최대 점에 해당하는 임계균열길이 a_c를 발생시키는 $\sigma = \sigma_c = \sigma_F$가 되고 이 길이에서부터 균열이 불안정하게 성장하여 재료가 파괴가 일어난다. 즉 이 때 임계응력 σ_c가 곧 재료의 강도 σ_F와 관련된 값이라고도 말할 수 있다. 곡선의 최대 점에서 그 접선의 기울기가 0이므로, $dU/da = 0$인 점에서 그리피스가 제시한 강도

$$\sigma_c = \sigma_F = \{(2E\gamma_s)/(\pi a)\}^{1/2}$$

의 관계식을 도출할 수 있다. 위 식으로부터 재료의 강도 값은 재료의 상수 값이 아니며, 재료가 포함하고 있는 결함의 크기에 의존함을 알 수 있다.

그림 6.16과 같이 균열을 끝단에 포함하는 탄성시스템에서 하중 P에 의한 시스템의 전체에너지 변화를 살펴보면 전체에너지 U_T는

$$U_T = U_M + U_S$$

가 되며 U_S는 앞에서 살펴본 바와 같이 생성된 표면에너지이고, U_M은 다음 식과 같이 탄성에너지 U_E와 외부에서 가해진 하중에 의한 포텐셜에너지 U_A의 합이 된다.

$$U_M = U_E + U_A$$

그림 6.8에서의 그래프를 고려할 때 탄성에너지를 포함한 U_M의 기울기는 (−), 생성된 표면에너지의 기울기는 (＋)이므로,

$$dU_M < 0,$$
$$dU_S > 0$$

과 같이 될 것이고, 균열이 평형이 되는 조건은 $dU/da = 0$이 될 것이다. 따라서 합 그래프

$$dU_T/da > 0 \text{ 또는 } d^2U_T/da^2 < 0$$

이면, 균열은 정지해있거나 수축할 것이고,

$$dU_T/da \leq 0 \text{ 또는 } d^2U_T/da^2 \geq 0$$

이면, 균열은 성장할 것이다. 따라서 균열의 길이가 $a < a_c$이면 균열은 수축하여 안정하고, $a \geq a_c$이면 균열은 불안정하여 성장한다. 따라서 그리피스(Griffith)의 에너지의 상호관계에 의해 균열이 존재한다고 해서 항상 파괴되는 것은 아니며 균열의 길이가 파괴를 결정한다. 그림 6.19에는 균열이 존재한다고 하더라도 성장하지 않고 안정한 예를 나타내었다. 그래프에서와 같이 합 곡선은 최소점을 나타내는 곡선의 모양을 가지므로 균열성장에 필요한 충분한 에너지가 있다고 하더라도 균열선단의 결함부위에 충분한 응력이 가해지지 않는 한 균열은 성장하지 않는다.

Chapter 1
Chapter 2
Chapter 3
Chapter 4
Chapter 5
Chapter 6
Chapter 7
Chapter 8

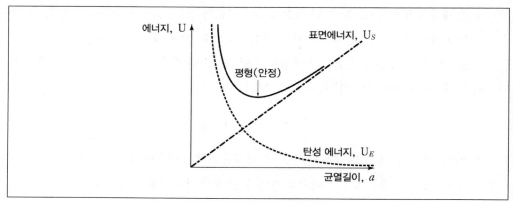

그림 6.19 균열의 안정성을 나타낸 예

여기서 표면에너지 U_s는

$$U_s = 4a\gamma_s$$

으로서 균열성장에 따라 표면에너지는 증가하며,

$$U_E = E d^3 h^2 / (8a^3)$$

으로서 균열성장에 따라 감소한다.

그림 6.20에는 균열의 안정성, 불안정성을 나타낸 사례를 나타내었다. 균열의 안정성여부는 균열의 길이 a의 성장에 따른 변형에너지 방출률 G의 변화에 의해 결정된다.

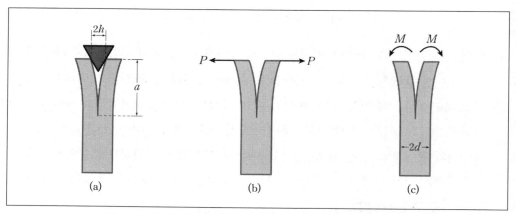

그림 6.20 균열의 안정성, 불안정성 사례, (a)안정, (b) 불안정, (c) 중립

그림 6.20의 (a)의 경우는 틈 사이에 쐐기를 끼워 넣어 하중을 가하는 경우로서 균열은 어느 정도 성장하다가 멈추게 된다. 즉 균열이 안정한 경우로서 이는 변형에너지 방출률 G와

균열의 길이 a가 다음 식과 같은 관계가 있기 때문이다.

$$G = (3Eh^2d^3)/(4a^4)$$

위 식에 의하면 균열이 성장함에 따라 G가 감소하므로 균열은 안정하다. 이 때 h가 상수가 된다. (b)의 경우는 균열이 불안정한 경우로서,

$$G = (12P^2a^2)/(Ew^2d^3)$$

가 되어 균열길이 a가 증가하면, G도 증가하기 때문이다. 이 때는 P가 상수가 된다. d는 그림(c)에 표시된 폭이며 또다른 폭이 w이다.

한편 (c)의 경우는 균열이 중립으로서,

$$G = (12M^2)/(Ew^2d^3)$$

가 되어 G는 M에는 의존하지만 균열길이 a에 의존하지 않는다. 이 밖에도 균열 끝단이 날카로운 경우에 비해 균열 끝이 무르거나 곡률이 지어져 있으면 충분한 응력이 집중되지 않기 때문에 균열이 성장하지 않을 수 있다. 따라서 그리피스의 에너지이론에 의한 균열성장은 필요조건이지 파괴를 위한 충분조건은 아니다. 파괴는 균열선단의 결합을 끊는데 충분한 응력이 작용할 때 일어난다.

그러므로 파괴가 일어날 것인가 일어나지 않을 것인가는 앞에서 살펴본 G와 K의 인자들로 판단할 수 있다. 즉 G와 K는 취성파괴가 일어나기 위한 구동력(driving force)이다. G와 K가 증가해서 어느 임계값에 도달하면 균열은 성장하게 된다. 균열의 성장과 반대되는 개념으로서 균열저항 R이 있다. 균열이 성장하면서 표면에너지가 증가하면,

$$dU_s = R \times da$$

로 식을 쓸 수 있는데 여기서 R은 균열저항(crack resistance)으로서 성장의 반대개념이다. 위 식을 정리하면,

$$R = dU_s/da$$

가 된다. 그리피스(Griffith)의 에너지 관계를 생각하면,

$$dU = dU_M + dU_S = -Gda + Rda = -gda$$

가 되고, 위 식에서 g = G-R은 순수한 균열을 진전시키기 위한 힘이 된다. 만약 평형이라면 g = 0에서

$$G = G_c,$$
$$K = K_c$$

이고

$$G = K_c^2/E' = R$$

이 된다. 여기서 G > R이면 균열은 성장하고, G < R이면 균열은 수축한다.

균열길이 a에 따라 균열저항 R을 극복하고, G도 증가하는 그림 6.20의 (b)처럼

$$dG/da > 0$$

인 경우, 또 G는 변형에너지 방출률의 개념에서 살펴본 대로 K와 일정한 관계가 있으므로

$$dK/da > 0$$

인 경우에 균열이 불안정하게 성장한다. 그림 6.21에서와 같이 두 경우의 예를 살펴보면 (a)의 경우 dG/da의 기울기가 감소하므로 균열은 안정하고, (b)의 경우 dG/da의 기울기가 a에 따라 증가하므로 균열은 불안정하게 성장한다. dG/da와 마찬가지로 dK/da도 동일한 경향을 나타낸다. 한편 $dG/da < 0$, $dK/da < 0$인 경우에도 균열의 길이가 전혀 증가하지 않는 것은 아니며 어느 정도 전파가 일어나다가 안정하게 진전이 멈추게 된다.

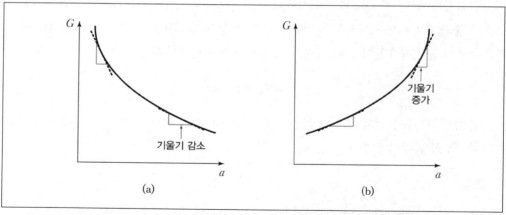

그림 6.21 균열길이에 따른 변형에너지 방출률의 변화. (a) 균열이 안정한 경우, (b) 균열이 불안정한 경우

그림 6.22에는 균열의 길이 a를 임계 길이 a_c로 나눈 값을 x축으로 잡고 응력확대계수 K를 재료의 인성 T_0값으로 나눈 값을 y축으로 잡아 두 값을 변수로 하여 그래프로 나타내었다. 이 때 재료의 강도 값 σ_M에 대비한 응력 값의 함수로 2개의 곡선 그래프를 나타내었다. 응

력이 σ_M과 같을 때 및 응력이 σ_M의 약 1/4일 때 두 경우를 나타내었다.

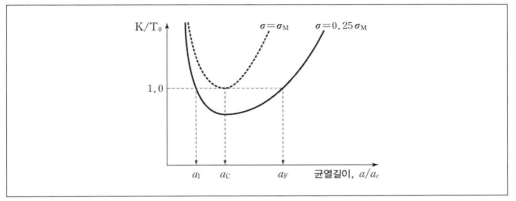

그림 6.22 균열길이 a/a_c와 K/T_0의 관계를 나타낸 그래프

응력이 σ_M의 약 1/4인 경우 균열의 길이가 a_I일 때 $d\mathrm{K}/da < 0$이다. 따라서 균열은 안정하여 곡선의 최소점에 이를 때까지 파괴에 이르지 않는다. 균열의 길이 a/a_c가 곡선의 최소점에 해당하는 값에서부터 $d\mathrm{K}/dc > 0$이며 따라서 균열은 이 때부터 빠르게 성장한다. 그러나 K/T_0값이 1에 이르지 않으므로 급작스런 파괴는 일어나지 않다가, $\mathrm{K}/\mathrm{T}_0 = 1$인 점에 해당하는 a_F에 이를 때 균열은 더욱 불안정해지고 급작스런 파괴가 일어난다. 반면 외부에서 가해진 하중에 의한 응력이 재료의 강도 값에 해당하는 $\sigma = \sigma_\mathrm{M}$값으로 보다 높은 값일 때, K/T_0값이 1인 점선과 접하는 곡선의 최소점 이하에서는 균열이 $d\mathrm{K}/dc < 0$이므로 안정하고, 그 이상에서부터 $d\mathrm{K}/dc > 0$이므로 불안정하며 이 지점에서 $\mathrm{K} = \mathrm{T}_0$의 값에 이르므로 취성재료의 경우 급작스러운 균열전파가 일어나 파괴에 이르게 된다.

그림 6.23에서와 같이 재료의 끝단에 존재하는 똑바로 진전하는 균열(straight edge crack)에 힘 F가 작용하고 외부하중 σ_A가 인장방향으로 재료의 단면적 전체에 걸쳐 작용하는 경우, 응력확대계수 K는 다음 식과 같이 K_A와 K_F의 합이다.

$$\mathrm{K} = \mathrm{K}_\mathrm{A} + \mathrm{K}_\mathrm{F}$$
$$= \alpha\sigma_\mathrm{A}(\pi a)^{1/2} + (2\alpha\mathrm{F})/(\pi a)^{1/2}$$

위 식에서 α는 재료상수로서 1.12의 값이다.

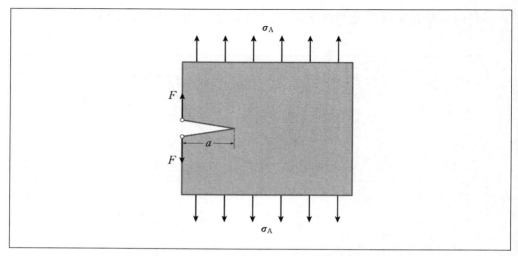

그림 6.23 재료에 σ_A와 균열 끝단에 F가 작용하는 경우의 예

만약 a가 작은 값이면, 위 식에서 우측 term이 지배하여 균열은 불안정해진다. 그러나 a가 커지면 좌측 term이 지배하여 균열은 불안정해진다. 즉, 처음에는 균열이 안정하나, 균열이 성장함에 따라 불안정해진다. 한편 변형에너지 방출률은

$$G = K^2/E' = (K_A^2 + K_F^2 + 2K_A K_F)/E'$$

이 되고, 이 때 G는 $G_A + G_F$의 값과는 다름에 유의해야 한다.

지금까지 살펴본 것은 취성이 있는 재료에 대해 살펴본 것이며, 연성이 있는 소재에 대해서는 균열 끝단의 소성영역(plastic zone)을 고려하여야 한다. 균열끝단의 소성영역의 크기 r_p는 다음과 같이 역학자들에 의해 제시되었다.

$$r_p = K_I^2/(2\pi\sigma_y^2)$$

위 식에서 σ_y는 재료의 항복강도이다. 어윈(Irwin)과 오로완(Orowan)은 소성영역과 관련한 비가역적인 에너지메커니즘을 고려하여 그리피스(Griffith) 방정식을 다음과 같이 수정하였다.

$$dU_s/da = dU_\gamma/da + dU_p/da$$

위 식의 우변은 균열에 대한 저항성의 척도이며 R로 표현하기도 한다. 연성재료의 경우 균열을 성장시키는데 필요한 에너지가 증가하여 K값은 증가하며 이는 소성영역에서 외부하중에 의한 에너지가 흡수되어 소성변형이 일어나기 때문으로, 외부에너지가 표면생성에 사용되지 않게 되므로 균열이 성장하지 않을 수 있다.

Chapter 1

Chapter 2

Chapter 3

Chapter 4

Chapter 5

Chapter 6

Chapter 7

Chapter 8

6.3 파괴인성

파괴인성은 파괴 때까지 소모되는 에너지를 의미하며, 응력－변형률 곡선 아래의 면적이 곧 에너지가 된다. 즉 재료가 파손 시까지 흡수할 수 있는 에너지의 양이 인성의 척도가 된다.

$$T_0 = \int \sigma d\varepsilon$$

이 때 응력의 단위는 N/m^2이고, 변형률의 단위는 m/m이므로 분모는 분모끼리, 분자는 분자끼리 단위를 곱해주면 $(N \times m)/(m^2 \times m)$가 되므로 단위가 J/m^3이 되어, 단위체적당 흡수한 에너지가 곧 파괴인성임을 이해할 수 있다.

또한 파괴인성은 파괴의 저항성을 의미한다. 파괴는 균열의 성장에 의하여 일어나는데, 이러한 성장에 대해 저항성이 높을수록 파괴인성이 높다. 파괴에 대한 저항성이 높으려면 파괴에 대한 힘의 척도인 재료강도도 높아야 하지만, 열처리나 냉각 등에 의해 현미경 구조 (미세구조)를 제어하여 파괴저항성을 높이거나, 연성, 인성이 우수한 상, 또는 강도와 인성이 동시에 높은 섬유와의 복합화를 통하여 균열의 성장을 지연시킬 수 있다.

6.3.1 파괴인성의 측정

6.2.2절에서 살펴본 응력확대계수(stress intensity factor), K는 균열 끝단근처의 (거리 r, 각도 θ)에서의 응력의 크기를 특정화할 수 있다. 서로 다른 재료가 내부에 균열을 포함하고 있는데 K의 크기가 서로 같다면, 균열 선단 주위의 응력의 크기가 같다는 뜻으로 이해할 수 있다. 하중이 증가한다면 재료의 K값을 유지하고 에너지 균형을 맞추기 위해서 균열이 진전된다. 균열이 확장되는 점에서의 K값이 곧 임계 응력확대계수 K_{IC}의 값이 되며, K값이 재료의 인성 T_0값에 도달해야 임계값에 도달하게 된다. K_{IC}는 즉 균열확장되는 시점과 관련되나 반드시 재료의 파괴가 일어나는 것은 아니며, 파괴여부는 앞 절에서 살펴본 대로 균열의 안정성, 불안정성 여부에 관계한다.

파괴인성의 측정에는 다양한 방법이 제시되었다. 그림 6.24에 파괴인성을 측정하기 위한 다양한 샘플들과 시험방법을 그림으로 나타내었다.

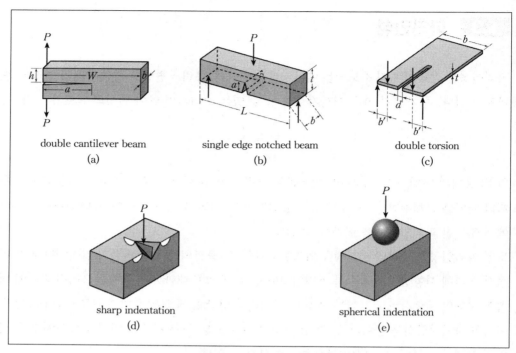

그림 6.24 다양한 파괴인성 측정방법

그림 6.24의 (a)는 끝단에 균열을 도입하여 파괴인성을 측정하는 방법이다. 균열의 끝단에 인장하중을 가한 후 형성된 a의 길이를 측정하여 파괴인성을 다음 식과 같이 계산한다.

$$K_I = [3.45 \times (P \times a) \times \{1 + 0.7(h/a)\}]/(bh^{3/2})$$

따라서 b, h 등을 샘플에서 측정하고 하중 P에 따른 균열길이 a를 측정하면 파괴인성을 계산할 수 있다. 하중을 조정해서 균열을 성장시켜서 측정할 수 있는 특징이 있다. (b)는 SENB법이라는 약어로 표현되며, 폭 b, 두께 t인 샘플에 미리 길이 a의 균열을 도입한 후 인장하중이 아닌 굽힘하중을 가하여 파괴인성을 다음 식에 의해 계산한다.

$$K_I = (PL)/(bt^{3/2}) \times [2.9(a/t)^{1/2} - 4.6(a/t)^{3/2} + \cdots\cdots 21.8(a/t)^{5/2}$$
$$- 37.6(a/t)^{7/2} + 38.7(a/t)^{9/2}]$$

하중방식이 다를 뿐 하중 P에 따라 균열 a의 성장정도를 측정하는 (a)와 유사하다. (a)와 (b)가 미리 균열을 도입하여 그 길이를 측정하는 반면 (c)의 double torsion방법은 다음 식과 같이 균열의 길이를 측정할 필요가 없다는 장점이 있다.

$$K_I = P_c b'[\{3(1 + \nu)\}/(bt^3 d)]^{1/2}$$

이 경우는 홈 높이 d에서 미리 형성된 균열이 성장하는 임계하중 Pc를 측정함으로써 인성 값을 계산하게 된다.

(d)와 (e)는 미리 균열을 내는 것이 아니고, 끝이 날카로운 압자나 구형의 볼 압자로 표면을 압입하여 균열을 발생시켜 그 균열의 크기를 측정하여 파괴인성 값을 계산하게 되며, 앞의 세 가지 방법에 비하여 샘플준비가 간단하고 측정도 복잡하지 않으며 샘플 전체를 파손시키지 않고 국부적인 일부만 손상을 일으켜 하나의 시편 내에서 많은 데이터를 얻을 수 있기 때문에 많이 활용되는 장점이 있다. 이 두 가지 방법에 대하여 좀 더 자세히 살펴보기로 하자.

압입시험법으로 인성을 평가하는 방법에는 크게 구형의 볼과 끝이 날카로운 압자를 이용하여 시험하는 방법이 있다. 구형의 볼을 사용하는 시험법은 브리넬(Brinell) 시험, 로크웰(Rockwell) 시험, 헤르찌안(Hertzian) 시험법 등이 있으며, 끝이 날카로운 압자를 이용하는 시험법으로서는 비이커스(Vickers) 시험법, 누프(Knoop) 시험법 등이 있다. 그림 6.25는 날카로운 압자 및 구형 볼의 압입에 의한 힘의 방향을 나타내었다. 날카로운 압자에 의한 압입시험법은 재료를 바깥으로 밀어내어 소성변형을 일으키며, 구형 볼의 압입에 의한 시험은 재료를 안으로 밀어내었다가 회복이 일어나는 탄－소성변형을 일으킨다.

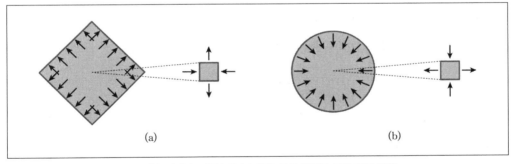

그림 6.25 (a) 비이커스 압입 및 (b) 구형 볼의 압입에 의한 힘의 방향

그림 6.26은 날카로운 압자 및 구형 볼의 압입에 의해 발생한 균열의 양상을 나타낸다. (a)와 같이 날카로운 압자를 사용하여 하중을 가할 때는 가하는 방향으로 압자의 모양으로 소성변형이 일어나는 영역(그림에서 반원의 영역)이 존재하며, 그 영역 밑으로 재료 내에 미디안 균열 (median crack)이 형성된다.

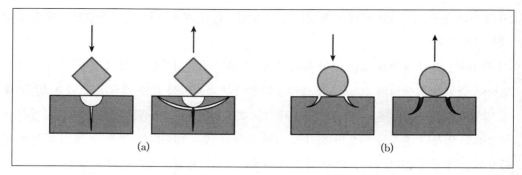

그림 6.26 (a) 비이커스 압입 및 (b) 구형 볼의 압입에 의한 균열의 발생을 나타낸 모식도

압입자가 제거될 때는 미디안 균열은 닫히게 되고 이에 수직한 방향으로 방사형 균열(radial crack)이 형성되어 표면까지 성장한다. 파괴인성은 이 표면에 형성된 방사형 균열의 크기를 측정하게 된다. 만약 비이커스 압입하중 P에 의해 형성된 방사형 균열의 크기가 $2a$이라면, 앞의 2.4절에서 살펴보았던 시험재료의 파괴인성은 다음 식에 의해 계산된다.

$$K_{IC} = T_o = \chi P / c^{3/2} = \xi (E/H)^{1/2} (P/a^{3/2})$$

위 식에서 E는 재료의 탄성계수, H는 재료의 경도이고, χ와 ξ는 재료상수이고 특히 $\xi = 0.016$으로서 재료의 종류에 관계없이 실험에 의해 얻을 수 있는 값이다. 취성재료의 인성은 또한 다음 식과 같이 재료의 강도 σ_M과 관련된다.

$$T_o = \eta (E/H)^{1/8} (\sigma_M P^{1/3})^{3/4}$$

위 식에서 $\eta = 0.62$로서 재료의 종류에 관계없이 실험에 의해 얻을 수 있는 값이다. 한편 비이커스 균열의 개시가 일어나는 하중 (균열의 시작이 일어나는 하중) P_c는 다음 식과 같이 재료의 인성 T_o와 관련된다.

$$P_c = 2\Theta T_o (T_o/H)^3$$

잔류 K-field를 갖는 Vickers 방사성 균열에 대한 응력확대계수(stress intensity factor) K는 압흔하중 P에 의한 응력 σ_A에 의해 발생되는 K_A와 잔류응력의 영향에 의한 K_R의 합으로 나타낼 수 있다. T_o/H는 인성을 좌우하는 재료 변수가 되는데 이 값이 클수록 균열이 형성되는 임계하중이 증가하기 때문이다. 역으로 H/T_o값이 클수록 재료는 취성적인 특징을 갖고 있어서 인성이 낮다.

$$K = K_A + K_R = \varphi \sigma_A a^{1/2} + \chi P/a^{3/2}$$

192 제6장 파괴 거동

한편 그림 6.26의 (b)에서와 같이 구형 볼의 압입에 의해 임계하중이상에서 원뿔형 균열(cone crack)이 발생하며, 압입자를 제거하면 균열이 닫히면서 더 이상 성장하지 않아 균열이 안정한 거동을 나타낸다. 원뿔형 균열이 개시(initiation)되는 임계하중 P_c는 다음 식과 같이 하중을 가해주는 압자(indenter)의 반경 r 및 재료의 인성 T_o와 관계가 있다.

$$P_c = A(T_o^2/E')r$$

여기서 A는 Auerbach 재료 상수이며 $1/E' = 1/E + 1/E_i$에 의해 E'값이 계산된다. 여기서 E는 시험재료의 탄성계수, E_i는 압입자의 탄성계수에 각각 해당한다. 한편 P_c의 임계하중에서 형성된 원뿔형 균열의 전파(propagation)는 다음 식과 같이 재료의 파괴인성 T_o와 관계가 있다.

$$K_{IC} = \chi P/a^{3/2} = T_o = (E' R_o)^{1/2}$$

위 식에서 R_o는 압입하중이 가해지는 중심의 수직선으로 부터 원뿔형 균열이 시작되는 점까지의 거리이다.

6.3.2 인성향상 메커니즘

파괴인성은 응력－변형률 곡선 아래의 면적으로서 파괴에 필요한 에너지로 정의된다. 파괴인성을 향상시키면 에너지를 많이 흡수하여야 파괴가 일어나므로 파괴를 방지할 수 있다. 그리피스(Griffith) 식에 의하면

$$\sigma_c = \sigma_f = \{(2E\gamma_s)/(\pi a_c)\}^{1/2}$$

의 식으로 다시 쓸 수 있다. 여기서 σ_c는 재료를 파괴시키는데 필요한 임계응력, σ_f는 재료의 강도 값이다. 즉 균열의 재료를 파괴시키는데 필요한 응력이 재료가 견딜 수 있는 강도 값에 도달하면서부터 파손이 일어날 수 있다. 이 때 균열의 크기는 임계길이인 a_c에 도달하게 된다. 위의 식을 다시 재배열하면,

$$\sigma_c(\pi a_c)^{1/2} = (2E\gamma_s)^{1/2} = (EG_s)^{1/2}$$

의 식이 성립된다. 위의 식에서 $2\gamma_s = G_s$으로서 임계 변형에너지방출률은 균열의 생성을 고려하면 표면에너지의 두 배가 된다. 위와 같이 임계값에 해당하는 G_s값을 인성(toughness, G_c)이라고 정의한다. 한편

Chapter 1

Chapter 2

Chapter 3

Chapter 4

Chapter 5

Chapter 6

Chapter 7

Chapter 8

$$(EG_c)^{1/2} = K_{IC} = T_o$$

로 정의할 수 있으며 K_{IC}는 앞에서 살펴본대로 인장응력을 가하였을 때의 임계 응력확대계수, T_o는 재료의 파괴인성(fracture toughness)이라고 정의한다. 위의 식을 그 앞의 식과 연결하면, 재료의 강도 σ_f는 재료의 인성 T_o에 비례하는 것을 알 수 있다. 실제로 공업재료들의 재료강도와 파괴인성을 그래프로 정리하면 다음 그림 6.27과 같다. 전반적으로 재료의 인성과 강도가 상호 비례의 관계가 있음을 알 수 있다.

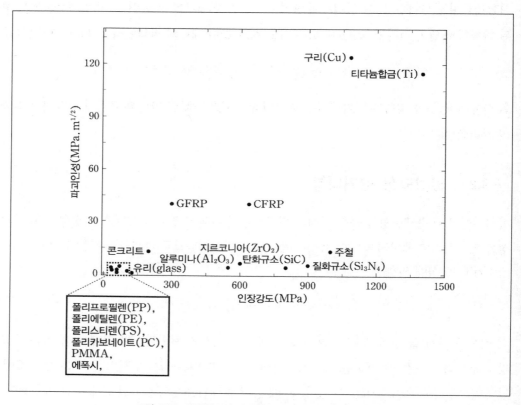

그림 6.27 공업재료의 인장강도와 파괴인성간의 관계

그러나 결정질 구조인 금속과 세라믹스 소재에 있어서 강도와 인성이 서로 반비례인 경우도 있다. 이는 강도나 인성이 현미경 구조(미세구조, microstructure)에 의존하기 때문이다. 일반적으로 평균입경이 작은 현미경구조를 가질수록 재료의 강도는 높다고 알려져 있다. 이는 소성변형에서 살펴본 바와 같이 재료의 강도가 홀―페치 방정식(Hall―Petch equation)에 의존하기 때문이다.

$$\sigma = \sigma_y = \sigma_o + Kd^{-1/2}$$

한편 입자의 평균입경이 작은 소재에 대하여 실험적으로 파괴인성을 평가하면 평균입경이 큰 소재에 비하여 파괴인성 값이 낮다. 이는 다음에 살펴볼 인성 향상메커니즘이 평균입경이 큰 소재의 경우에 더욱 작용하기 때문이다. 따라서 서로 다른 소재가 아닌, 동일한 소재에 대해 열처리 등에 의하여 현미경 구조를 제어할 경우 강도와 인성은 다음 그림 6.28과 같이 서로 반비례하는 관계를 나타내는 경우도 있다. 즉 현미경구조로 살펴보았을 때 입자의 직경이 작으면 강도는 높지만 파괴인성은 낮으며, 입자의 직경이 크면 강도는 낮지만 파괴인성은 크다.

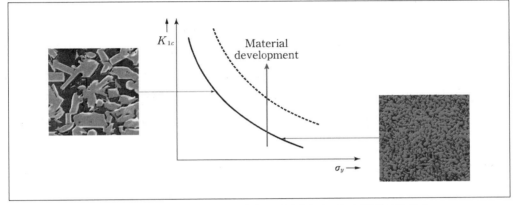

그림 6.28 서로 다른 미세구조를 갖는 동일한 소재에서의 강도와 파괴인성 간의 관계

따라서 강도와 인성을 동시에 높이도록 현미경구조를 제어하는 것은 쉽지 않은 문제이며, 그래프의 화살표와 같이 높은 강도를 유지한 상태에서 인성을 높이는 것을 고려하여야 하는데, 이 절에서 살펴볼 바와 같이 특히 균열 전파에 대하여 저항성을 부여하도록 미세구조 적 측면에서 인성을 향상시키는 방법으로 재료를 설계하는 방법이 있다.

재료의 미세구조는 현미경으로 관찰될 수 있는 구조로서 일반적으로 1m를 백만분의 1, 즉 10^{-6}으로 나눈 크기에서 관찰될 수 있는 구조를 의미한다. 최근 들어서는 원자현미경이 개발되어 기존의 광학현미경, 전자현미경으로는 관찰할 수 없는 보다 작은 크기, 즉 1m를 십억분의 1, 즉 10^{-9}으로 나눈 나노크기도 관찰이 가능하여졌다. 여기서의 미세구조란 광학현미경, 전자현미경 등으로 관찰할 수 있는 재료의 조직으로서 결정상, 비정질상, 기공, 균열, 결정의 선이나 면결함을 포함한 구조를 말한다. 특히 파괴와 관련된 균열전파에 영향을 주는 구조로서 균열이 전파하는 방법과 연관된 구조를 말하며, 현미경으로 관찰하면 균열의 존재상태, 균열의 크기나 형상, 존재량이나 분포 등의 파악이 가능한 크기를 일컫는다. 그림 6.29에 재료의 현미경구조(미세구조)에 대한 모식도를 나타내었다.

Chapter 1

Chapter 2

Chapter 3

Chapter 4

Chapter 5

Chapter 6

Chapter 7

Chapter 8

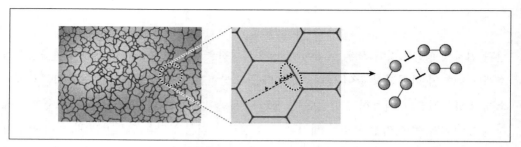

그림 6.29 재료의 현미경 구조

재료의 현미경구조 중 입계(grain boundary)에 대해 보다 자세히 살펴보기로 하자. 재료를 광학현미경이나 전자현미경으로 관찰하면 왼쪽 모식도와 같이 재료가 입자(grain)들로 구성되어 있음을 관찰할 수 있다. 이 입자들을 현미경으로 확대, 관찰하면 입자와 입자 사이의 경계면인 입계(grain boundary)의 관찰이 가능하다. 이러한 입자들과 입계 들이 균열의 성장에 영향을 미친다. 이들 입계를 원자현미경으로 보다 확대 관찰하면 입계 면은 원자배열이 서로 달라서 형성된다는 것을 알 수 있다. 즉 입계구조는 원자배열의 이방성으로 형성되며 보다 확대 관찰하면 입계 면에 많은 선결함인 전위가 존재함을 알 수 있는데 이러한 전위들이 균열의 성장에 영향을 주게 된다.

이 밖에도 파괴에 영향을 주는 대표적인 미세구조를 다음 그림 6.30에 정리하여 나타내었다.

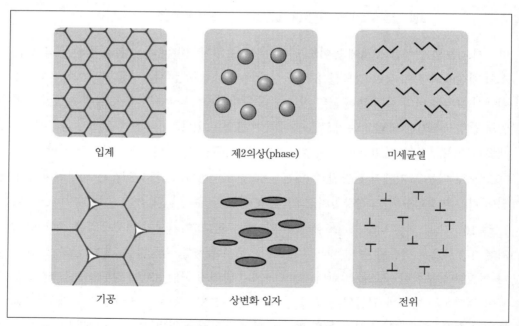

그림 6.30 파괴에 영향을 주는 미세구조

제 2상을 금속에 첨가하면 전위의 이동이 방해되고 전위밀도가 증가하여 강화와 경화현상이 일어난다. 미세균열이 존재하면 강도는 감소할 수 있으나 균열의 성장을 방해하는 요소로서 작용할 수 있다. 기공은 하중을 지지할 수 있는 면적이 감소하므로 강도는 감소하나 적절한 크기의 기공이 분포하면 에너지를 흡수할 수 있어 인성증가에 기여할 수도 있다. 상의 변화가 일어나거나 고상 내 결정구조의 변화가 일어난 영역 내에 압축응력이 잔류되면 인성증가에 기여할 수 있고, 특히 전위들의 밀도가 증가하여 균열선단에 존재하면 균열성장을 방해하는데 효과적이다.

❚❚ 소성영역에 의한 파괴인성 향상

금속의 경우는 변형에 의해 전위가 발생하고, 특히 합금화에 의해 제 2상이 첨가되는 경우가 많으므로 전위 이동 시 전위의 밀도가 증가하게 된다. 이러한 전위에 의한 소성영역을 제어하면 파괴인성을 향상시킬 수 있다.

탄소강 등의 온도를 낮추면 소성변형이 감소되어 벽개균열(cleavage crack)이 시작되어 취성파괴가 일어날 수 있다. 그림 6.31의 (a)와 같이 온도가 낮아지면 소성영역이 감소되고 전위의 이동이 활발하지 않아 벽개파괴가 쉽게 일어난다. 반면 온도를 향상시키거나 항복강도를 낮추어주면 소성영역이 그림 (b)와 같이 증가하고 전위밀도가 증가하게 된다. 균열선단에 전위영역이 존재하게 되면 균열이 쉽게 전파되지 못하므로 파괴인성이 증가하게 된다.

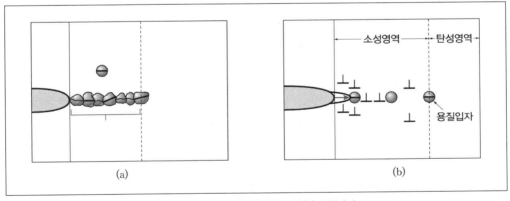

그림 6.31 금속에서의 (a) 취성파괴 및 (b) 연성파괴

균열선단에 작용하는 소성영역(plastic zone) 또는 항복영역(yield zone)에 의해 그림 6.32의 (a)처럼 K−응력장의 변화가 있게 된다.

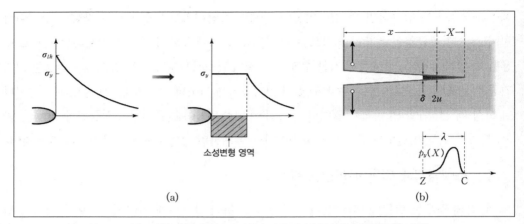

그림 6.32 (a) 소성영역에 의한 K-응력장의 변화 및 (b) 균열선단에 작용하는 응력

소성변형 영역이 존재하지 않으면 균열선단으로부터의 응력은 항복강도 이상의 큰 응력이 작용하지만, 소성변형영역이 존재하면 균열선단에는 항복응력 정도의 응력만 작용하여 균열선단의 진전을 막아준다. 즉 소성변형영역은 균열과 상호작용하여 K-응력장을 변화시키고 따라서 균열의 성장에 영향을 준다. 그림 (b)에서와 같이 균열 선단은 이러한 소성영역에 의해 압축응력이 작용하며 이에 기인한 K-응력장은 다음 식과 같은 K_0가 작용한다.

$$K_0 = 2(a/\pi)^{1/2} \int_0^a [\sigma_I(x)/(a^2 - x^2)^{1/2}] dx$$

$$= -(2/\pi)^{1/2} \int_0^\lambda \{P_\gamma(X) dX\}/X^{1/2}$$

균열선단에는 $P_\gamma(X)$의 응력이 비선형으로 분포하게 되며, 압축의 응력이 작용하므로 균열이 닫히게 된다.

균열굴절(crack deflection)에 의한 파괴인성 향상

재료의 종류에 관계없이 파괴인성을 향상시키려면 균열전파에 필요한 일(work)을 증가시키면 된다. 금속이나 세라믹스의 경우 평균입자크기를 크게 하거나 직경 대비 길이 비인 장경비(aspect ratio)를 크게 하여 막대 모양의 길쭉한 입자를 만들어주면 균열 굴절이 일어날 수 있다.

그림 6.33에서와 같이 외부응력 mode I 의 하중에 의해 균열이 진전하다가 미세구조적 인자들에 의해 mode II의 전단응력이 작용하는 것으로 바뀌게 되면 mode I을 최대로 흡수하고 G를 최대화하는 방향으로 균열이 진전한다. 이 때 균열저항이 최소가 되는 방향으로 굴절이 발생하여 균열의 경로가 바뀌게 된다. 만약 계면이 약한 곳이 있을 경우 계면을 따라

균열굴절이 일어나 파괴인성을 향상시킬 수 있다. 균열이 굴절되면 균열의 경로가 증가하므로 외부의 에너지가 더욱 흡수되어 파괴인성이 향상되기 때문이다.

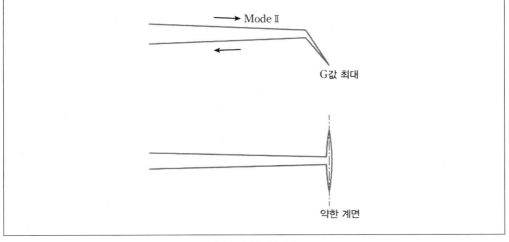

그림 6.33 균열굴절기구

그림 6.34는 입내파괴와 입계파괴의 예를 나타내었다. 입내 파괴는 재료를 구성하는 입자들을 가로질러 파괴가 일어나며, 입계 파괴는 입자들 간의 계면을 따라 파괴가 일어난다. 입내파괴보다 입계파괴는 계면을 따라 굴절이 일어나게 되는데, 결합을 끊어야할 표면적이 입내파괴보다 증가하므로 에너지가 더욱 필요하게 된다. 따라서 입계파괴가 일어나는 경우의 파괴인성은 더욱 크다.

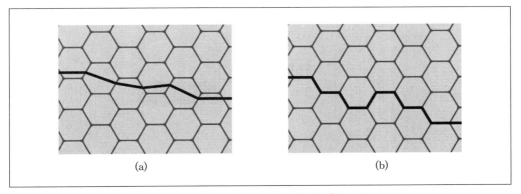

그림 6.34 (a) 입내파괴 및 (b) 입계파괴(균열굴절)의 모식도

Chapter 1
Chapter 2
Chapter 3
Chapter 4
Chapter 5
Chapter 6
Chapter 7
Chapter 8

⫶⫶ 균열가교(crack bridging)에 의한 파괴인성 향상

금속, 세라믹스, 복합재 등 많은 재료에서 균열가교 메커니즘에 의해 파괴인성이 향상된다. 금속, 세라믹스의 경우 입자(grain)의 직경을 크게, 직경 대비 길이(장경비, aspect ratio)의 비율을 크게 그리고 잔류압축응력이 작용되도록 미세구조를 제어함으로써 파괴인성의 향상이 가능하다. 또한 강도와 강성이 큰 섬유로 직조한 복합재료의 경우는 섬유를 가로질러 매트릭스 (matrix) 물질이 먼저 파손이 일어나는 균열가교현상이 발생한다. 이 때 섬유가 파손되지 않고 저항하므로 파괴인성이 증가한다.

그림 6.35에서와 같이 균열이 진전되다가 장경비가 큰 강한입자들을 만나게 되면 입자를 관통하여 파괴시키며 진전되지 못하고, 그림 (b)에서와 같이 균열선단에는 인장하중이, 그 뒤 쪽에는 압축력이 작용하며 이에 대한 반력으로 그림 (c)에서와 같이 균열 선단쪽에는 압축응력이 발생하여 균열의 진전을 어렵게 만든다.

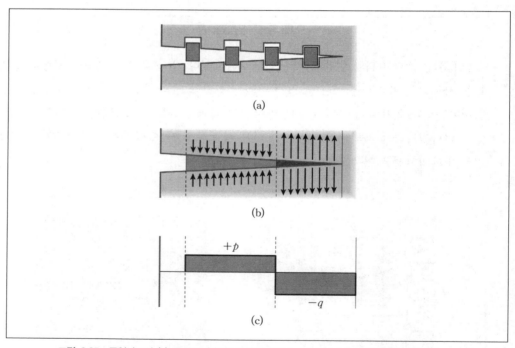

<u>그림 6.35</u> 균열가교의 (a) 모식도, (b) 외부에서 작용하는 힘 및 (c) 균열에 작용하는 응력

이 때,

$$+p = 2\mu V_f \sigma_R,$$
$$-q' = (-1/2) V_f \sigma_R$$

의 힘이 균열선단에 작용한다. 위 식에서 σ_R은 잔류응력, V_f는 장경비가 큰 입자들의 부피비, μ는 균열이 발생할 때의 마찰계수 또는 전단계수를 의미한다. 식에서와 같이 균열에 가해지는 하중은 잔류응력에 비례하게 되며, 장경비가 큰 입자들의 부피비가 클수록 증가하게 된다. 따라서 균열선단에 균열이 닫히는 응력이 작용하게 되며, 동전모양의 원형의 균열을 가정하면 그 때의 파괴인성 값은 다음과 같으며, 이 값만큼 파괴인성이 증가하게 된다.

$$K_\mu(a) = -(\varphi/a)^{1/2} \int_0^a [\{r \times P(r)\}/(a^2 - r^2)^{1/2}]dr$$

전체의 K 값은 다음 식과 같이 증가한다.

$$K = K_o + K_A + K_\mu$$

위 식에서 K_o가 미세구조의 변화가 없는 순수한 재료의 응력확대계수 값이고, K_A는 외부하중에 의한 응력확대계수이다. 여기에 미세구조적인 균열가교현상에 의한 응력확대계수 K_μ가 더해져 전체 K값이 증가한다.

그림 6.36에는 균열 가교메커니즘에 의한 상승 R−곡선의 예를 나타내었다. (a)에서와 같이 처음에는 장경비가 큰 입자를 포함하지 않는 소재와 비슷한 낮은 인성 값을 나타내지만, 균열의 크기가 증가할수록, 즉 균열이 진전할수록 장경비가 큰 입자들의 균열가교현상에 의해 파괴인성이 증가함을 알 수 있다. (b)에서는 평균입자의 직경이 상대적으로 작은 것($2.5\mu m$)과, 큰 것($80\mu m$)을 비교하여 나타내었다. 입자의 직경이 상대적으로 작으면 재료의 강도는 증가하지만 파괴인성은 낮으며, 입자의 직경이 증가하면 재료의 강도는 상대적으로 적지만 파괴인성은 상승 R−곡선을 나타내어 증가하게 된다. 상대적으로 큰 직경의 입자들의 균열가교 현상이 균열의 진전에 저항하기 때문이다.

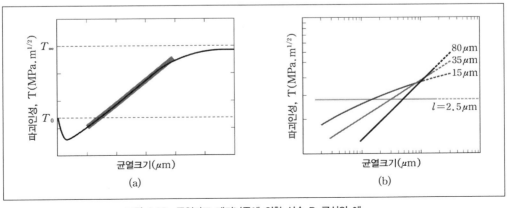

그림 6.36 균열가교 메커니즘에 의한 상승 R−곡선의 예

6.3 파괴인성 **201**

⠇⠇ 상변화(phase transformation) 또는 마이크로 균열(microcrack)에 의한 파괴인성 향상

금속, 세라믹스 등에서 온도에 따라 결정구조가 변할 때 상변화가 일어난 영역이 균열의 진전을 방해할 수 있다. 여기서의 상변화는 고상에서 고상으로의 변화를 의미한다. 충진밀도가 서로 다른 결정구조로의 전이 현상에 의해 체적과 수축율이 변화하면, 결정구조 주위의 응력이 변화되게 되고 따라서 파괴인성이 변화된다.

또한 세라믹스나 폴리머 등에서 균열 주위로 미세한 크기의 마이크로 균열(microcracking)들이 발생하면 균열이 형성된 영역으로 균열이 진전되기 어려우며 에너지가 흡수된다. 유리질의 폴리머에 연성이 있는 고무입자가 분산된 경우, 균열이 전파되는 동안 다음 그림 6.37에서와 같이 고무입자 주위로 크레이즈(craze)가 형성된다. 이러한 크레이즈는 마치 마이크로 균열이 인성향상에 기여하는 것과 같은 역할을 하게 된다. 균열 주위에 크레이즈가 형성되면 균열을 진전시키는데 부가적인 일이 필요하며, 따라서 인성이 향상되게 된다.

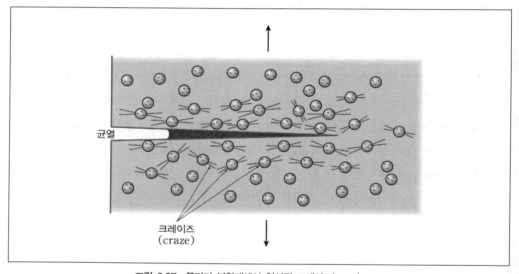

그림 6.37 폴리머 복합재에서 형성된 크레이즈(craze)

상변화나 마이크로 균열, 크레이징등 어느 메커니즘이 되었든 간에 이러한 영역들이 균열의 진전에 영향을 주게된다. 이를 모델링하여 역학 식을 제시하고 상승 R−곡선을 제시한 결과를 그림 6.38에 나타내었다.

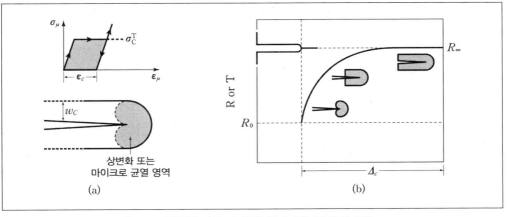

그림 6.38 상변화와 마이크로 균열영역에 의한 인성향상 모델

그림 (a)의 모식도와 같이 균열이 진전하다가 폭이 $2w_c$인 상변화한 영역(transformation zone) 또는 마이크로 균열로 구성된 영역을 만나면, 추가적인 균열의 진전에 에너지 ΔR_μ가 추가로 요구된다. 따라서 응력확대계수는 최대로

$$K = T_0 + T_\mu^\infty$$

증가하게 되고, 변형에너지 방출률은

$$G = R_0 + R_\mu^\infty$$

증가하게 된다. 위 식들에서

$$T_0 = (E'R_0)^{1/2}$$
$$T_\infty = (E^\infty R_\infty)^{1/2}$$

로 쓸 수 있다. 즉 (b)의 그래프에서와 같이 균열이 진전됨에 따라 R_0에서 R_∞만큼 상승 R-곡선에 의해 파괴인성이 향상된다. 한편 $w = w_c$에서의 J-적분 값에 의하면,

$$R_\mu^\infty = 2w \int_0^{\varepsilon\mu} (\sigma_\mu \times \varepsilon_\mu) d\varepsilon_\mu$$
$$= 2\sigma_c \varepsilon_c w_c$$

으로 쓸 수 있고, 상승 R-곡선의 최대값 R∞는 다음 식과 같이 표현된다.

$$R_\infty = R_0 (1 + 2\Omega\varepsilon_c V_f E'/\sigma_c)$$

위 식에서 Ω는 균열이 이루는 각도에 의해 결정되는 값, V_f는 균열의 진전을 방해하는 영역의 부피분율이다.

⠿ 복합재에서의 파괴인성 향상

취성이 크고 인성이 낮은 소재의 파괴가 일어나는 것을 방지하기 위해 새로운 소재를 혼합하여 복합재로 제작함으로써 낮은 파괴인성을 향상시킬 수 있다. 대표적인 것이 연성이 있는 새로운 상(ducilte phase)들과 혼합하여 복합재료를 만들면, 다음 그림 6.39에서와 같이 분포한 상들이 균열의 진전을 억제하여 인성이 향상된다.

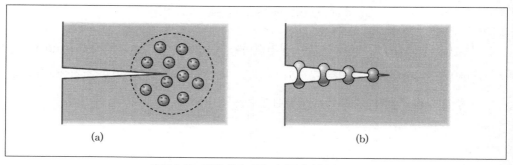

그림 6.39 연성 상에 의한 파괴인성의 향상

그림에서와 같이 연성 상으로 구성된 영역들이 균열의 진전을 막아주기도 하고, 연성 상이 개별적으로 균열의 진전을 막아주기도 한다.

새로운 상들을 혼합할 때 기존의 소재와 새로운 상간의 열팽창계수의 차이로 인해 잔류응력이 존재할 수 있다. 복합재를 제조하는 도중이나 사용하는 도중 온도의 차이가 있는 조건일 경우에는 이러한 열팽창계수 차가 잔류응력에 영향을 주므로, 사전에 잔류응력을 제어함으로써 복합재의 파괴를 방지할 수 있다. 만일 입자가 분포된 복합재의 경우 입자의 열팽창계수가 α_p, 기존의 소재의 열팽창계수가 α_M이라면 다음과 같은 열팽창계수의 차이가 발생한다.

$$\Delta\alpha = \alpha_M - \alpha_p$$

이 때 잔류응력은 다음 식과 같이 주어지며,

$$\sigma_R = \Delta\alpha\Delta T[(1+\nu_M)/(2E_M) + (1-2\nu_p)/E_p]$$

위 식에서 ΔT는 온도의 차이, ν와 E는 각각 포아슨 비와 탄성계수, 아래첨자 p와 M은 각각 입자와 기존의 소재(기지상)을 의미한다.

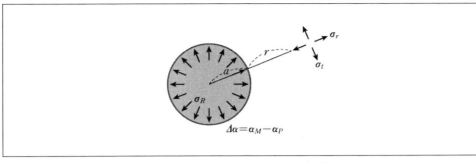

그림 6.40 잔류응력에 의한 파괴인성의 향상

그림 6.40에서와 같이 반경이 a인 입자로부터 거리 r 만큼 떨어진 곳의 응력 σ_r과 σ_t는

$$\sigma_r = -\sigma_R\,(a/r)^3$$
$$\sigma_t = 0.5\sigma_R\,(a/r)^3$$

이며, r > a이다. 위 식에서 σ_R을 마이너스 부호를 갖도록, 즉 잔류압축응력을 갖도록 제어하면 균열의 진전을 막아줄 수 있고, 균열을 진전시키는데 부가의 인장응력이 필요하게 된다. 그림 6.41은 서로 다른 열팽창계수 차이, 즉 잔류응력의 발생에 의해 파괴거동이 다르게 된다는 것을 보여주는 좋은 예이다. 그림 (a)에서와 같이 첨가된 입자의 열팽창계수가 기지상의 열팽창계수보다 크게 되면, 기지상에 잔류압축응력이 작용하게 된다. 따라서 기지 상을 통해 진전되는 균열은 입자를 관통하지 못한다. 반면, 그림 (b)와 같이 첨가된 입자의 열팽창계수가 기지상보다 적게 되면, 기지 상에 잔류인장응력이 작용하므로 진전되는 균열에 작용하는 인장응력이 부가되므로 쉽게 입자를 관통하게 된다.

그림 6.41 잔류응력의 종류에 따른 입자에서의 파괴, (a) $\alpha_p > \alpha_m$, (b) $\alpha_p < \alpha_m$

섬유강화 복합재에서는 앞에서 살펴본 균열 가교메커니즘도 있지만, 균열이 섬유계면을 따라 진전하므로 파단면을 관찰하면 마치 섬유가 뽑혀진 것 같이 돌출되는 현상(pullout)이 일어나며, 이러한 현상이 일어나면 파괴인성이 향상된다. 그림 6.42에서와 같이 균열가교가 일어난 후 응력이 더욱 증가한다면, (a) 와 같이 전단파괴에 기인하여 섬유의 계면을 따라 균열이 진전되어 계면이 분리된다. 이어서 섬유가 (b)와 같이 파괴가 일어난 후 파단면을 관찰하면 마치 섬유가 뽑혀있는 것 같은 현상이 관찰된다. 섬유의 뽑힘현상을 전자현미경으로 관찰한 사진을 그림에 삽입하였다.

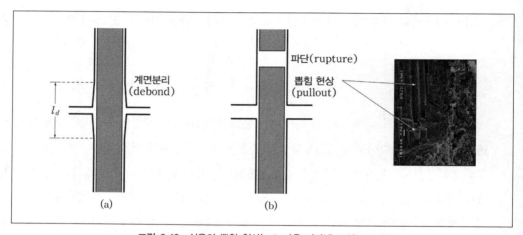

그림 6.42 섬유의 뽑힘 현상(pullout)을 나타낸 모식도

이러한 메커니즘은 그림 6.43에서와 같이 응력－변형률을 변화시킬 수 있다. 즉 뽑힘 현상에 의한 에너지 흡수가 일어남으로써 응력－변형률 곡선아래의 면적이 증가하게 되므로 파괴인성의 향상이 일어난다. (a)그림은 섬유가 탄, 소성의 거동을 모두 나타낼 때의 응력－변형률 곡선이며, (b)는 섬유의 탄성이 높아 소성변형이 거의 일어나지 않을 경우, (c)는 섬유의 연성이 커서 소성변형 영역이 크므로 뽑힘 현상에 의한 에너지흡수가 상대적으로 적은 응력－변형률 곡선을 각각 나타낸다.

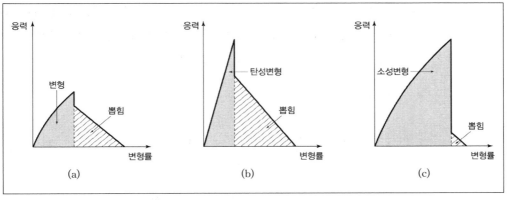

그림 6.43 섬유의 뽑힘 (pullout) 현상에 의한 응력-변형률 곡선의 변화

6.4 피로파괴

피로파괴란 한번으로는 일어나지 않을 파괴가 반복적으로 하중이 가해질 때 일어나는 파괴이다. 특히 하중의 크기가 변동 적으로 작용하고 또 주기적인 하중이 가해질 때는 재료의 강도보다도 낮은 응력 하에서도 파손이 일어날 수 있는데 이러한 현상을 피로(fatigue)라고 한다. 그림 6.44에 피로하중을 받는 시험편의 예를 나타내었다. 그림 (a)의 경우는 하중을 받는 상태에서 회전을 하여 변동하중을 받는 예이고, (b)의 경우는 인장과 압축력을 교대로 받으며 싸이클 수가 증가하는 피로하중의 예이다. 어느 경우이든 반복적이고 주기적이며 시간에 따라 그 크기가 변하는 변동하중을 받는다.

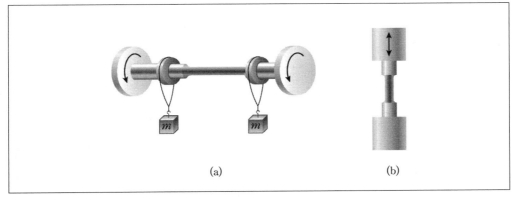

그림 6.44 피로하중을 받는 시험편의 예

Chapter 1
Chapter 2
Chapter 3
Chapter 4
Chapter 5
Chapter 6
Chapter 7
Chapter 8

그림 6.44와 같이 회전하는 부품이 받는 응력이나 인장−압축응력을 교대로 받게 되는 상태의 응력을 시간의 함수로 표시한 그래프는 그림 6.45와 같다. 그래프에서와 같이 시간에 따라 가해지는 응력 값들은 서로 같지 않고 변하는 값으로 가해지게 된다.

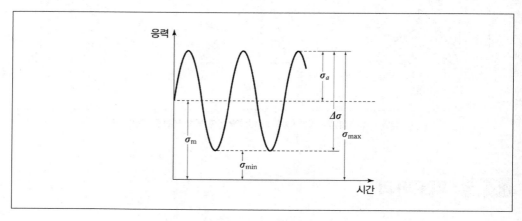

그림 6.45 시간에 따른 변동응력의 그래프

위 그래프에서 최대응력을 σ_{max}, 최소응력을 σ_{min} 이라고 하며, 이 때의 평균응력은,

$$\sigma_m = (\sigma_{max} + \sigma_{min})/2$$

로 계산된다. σ_a 는 주기함수의 진폭에 해당하며, 진폭은 다음 식에 의해 계산 가능하다.

$$\sigma_a = (\sigma_{max} - \sigma_{min})/2$$

위 식에서 분자에 해당하는 값은 응력의 범위 값 $\Delta\sigma$ 로 정의할 수 있다.

$$\Delta\sigma = (\sigma_{max - \sigma_{min}}) = 2\sigma_a$$

6.4.1 피로파괴의 특성

피로파괴는 하중이 작용하는 부품들에 큰 하중이 작용하지 않았음에도 불구하고, 또 그 때의 응력 값이 재료의 강도보다 낮은 값임에도 불구하고 파괴가 일어나는 경우가 종종 발생한다는 특징이 있다. 특히 자동차, 항공기 등 회전하는 부품이 많은 시스템은 이러한 피로파괴에 민감하다. 이러한 부품들은 서로 조립되어 연결되어 있고 그림 6.45에서와 같이 회전에 의해 시간에 따라 변동하는 하중이 작용하는 경우가 많으므로, 피로파괴가 발생할 수 있다.

금속의 경우 90%가 피로파괴에 의해 파괴가 일어난다. 취성이 있는 세라믹스에 비하여 연성이 있어서 급작파괴가 일어나지 않는 금속은 진동하중 등에 의해, 또 주기적으로 회전하는 부품에 사용되어 피로파괴가 일어나게 된다. 변동적인 하중에 의해 영구변형이 조금씩 일어나다가 어느 순간 상온에서도 주기적인 하중을 받아 인장응력이 가해질 때 소성 변형이 일어나다가 파손이 발생하며, 이러한 피로파괴는 고온에서 50%까지 증가한다.

그림 6.45와 같이 최대응력과 최소응력 간에 일정한 주기로 응력이 변화하는 변동응력이 가해질 때 최대응력과 최소응력의 비가 중요하다. 이 비를 R 비율(R-ratio)라고 하며, 다음 식과 같이 이는 최대응력에 대한 최소응력의 비율을 말한다.

$$R = \sigma_{min}/\sigma_{max}$$
$$= (\sigma_m - \Delta\sigma/2) \times (\sigma_m + \Delta\sigma/2)$$

위 식에서 일정한 인장하중이 작용하는 경우는 R = 1이고, 그와 완전히 반대의 하중이 작용하는 경우는 R = − 1이다. R = 0이라면 σ_{min} = 0이므로 가해진 최대인장응력이 주기적으로 방출(release)된다.

피로파괴에 있어서 평균응력의 영향에 대해 고찰한 역학식이 제시되었다. 이는 실제 피로하중을 받는 경우 평균응력이 0이 아닌 경우가 대부분이므로 제안되었다. 다음 그림 6.46에 대표적인 세 가지 경우에 대해 평균응력의 영향을 그래프로 도시하였다.

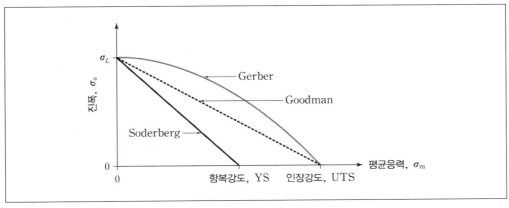

그림 6.46 피로하중에서 평균응력의 영향

Goodman은 피로하중의 진폭과 평균응력, 재료의 인장강도 간에 다음과 같은 관계식을 제시하였다.

$$\sigma_a = \sigma_L(1 - \sigma_m/UTS)$$

위 식에서 σ_a는 진폭, σ_m은 평균응력, σ_L는 σ_m이 0일 때 정해지는 응력 진폭값이며 UTS는 재료의 극한 인장강도 값이다. Soderberg는 재료의 인장강도 대신 항복강도를 고려하여 다음의 관계식을 제시하였다.

$$\sigma_a = \sigma_L (1 - \sigma_m / YS)$$

한편 Gerber는 Goodman의 식을 다음과 같이 수정, 제시하였다.

$$\sigma_a = \sigma_L [1 - (\sigma_m / UTS)^2]$$

6.4.2 피로파괴 메커니즘

미시적으로는 비균질적인 소성변형(inhomogeneous plastic deformation)에 의해 균열이 생성되고 이러한 균열이 느린 성장(slow crack growth)을 하여 피로파괴가 발생한다고 알려져 있다. 균열에 인장−압축의 변동하중이 걸린다고 가정할 경우 인장에 의해 인장방향으로 늘어난 균열은 압축하중이 가해져 닫혀질 때 넓은데서 좁혀진 만큼의 에너지가 균열의 길이가 늘어나는 구동력으로 사용될 수 있다. 따라서 재료가 견딜 수 있는 강도 값보다 낮은 응력이 작용함에도 불구하고, 또는 임계응력확대계수보다 낮은 응력확대계수가 작용함에도 불구하고, 재료는 느린 균열성장에 의해 피로파괴가 일어난다. 반복적인 변동하중에 의한 균열의 느린 성장에 의해 임계하중보다 낮은 응력 하에서도 쉽게 파손이 일어날 수 있으므로 안전설계에 참고하여야 한다.

일반적으로 피로균열의 성장은 가해진 싸이클 수 N에 대하여 da/dN으로 나타내며, 이를 응력확대계수의 변화 값인 ΔK의 함수로 나타내어 다음 그림 6.47과 같이 도시한다.

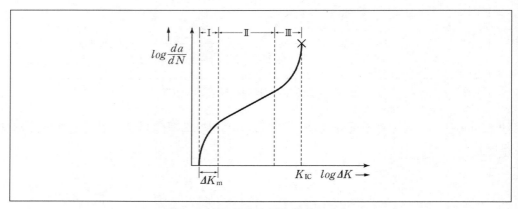

그림 6.47 피로균열의 성장을 나타낸 그래프

피로균열 성장 그래프는 크게 I, II, III의 세 영역으로 구분되며, 그 경계점은 ΔK_m과 K_c가 된다. 영역 II에서는 ΔK의 증가에 따라 da/dN이 꾸준히 선형적으로 증가한다. 이러한 구간이 균열의 느린 성장과 연관된다. 즉 변동하중에 의한 ΔK의 변화에 의해 싸이클 수 N의 증가에 따라 da, 즉 균열의 길이가 변화하는 것이다. ΔK가 재료의 파괴 인성치 K_{IC}에 도달하게 되면 피로균열은 급격하게 성장하면서 파괴에 이르게 된다. 그리피스(Griffith)식에 의하면

$$\Delta K = Y \Delta\sigma(\pi a)^{1/2}$$

이므로,

$$K_{max} - K_{min} = \sigma_{max} Y (\pi a)^{1/2} - \sigma_{min} Y (\pi a)^{1/2} = (\sigma_{max} - \sigma_{min}) Y (\pi a)^{1/2}$$

으로 피로와 관련한 식을 도출할 수 있다. 한편 그림 6.47의 그래프의 II영역에서는 다음의 식이 성립된다. Y는 샘플이나 균열의 기하에 의존하는 재료상수 값이다.

$$da/dN = C (\Delta K_I)^m$$

위 식에서 C는 재료에 의존하는 상수 값이다. 이를 위 ΔK식에 대입하면,

$$da/a^{m/2} = C (f \Delta\sigma\pi^{1/2})^m dN$$

이 되며, 양변을 적분하면,

$$a^{\{1-(m/2)\}} - a_o^{\{1-(m/2)\}} = \{1-(m/2)\} C (Y \Delta\sigma\pi^{1/2})^m N$$

이 된다. 위 식을 N에 대해 나타내면,

$$N = [a^{\{1-(m/2)\}} - a_o^{\{1-(m/2)\}}]/[\{1-(m/2)\} C (Y \Delta\sigma\pi^{1/2})^m]$$

의 식으로 정리된다. 이 식으로부터 균열의 성장에 필요한 싸이클 수를 계산할 수 있으며, 역으로 싸이클 수에 의한 균열의 성장을 예측할 수 있다.

Chapter 1
Chapter 2
Chapter 3
Chapter 4
Chapter 5
Chapter 6
Chapter 7
Chapter 8

피로파괴 저항성

그림 6.46과 같이 제시한 평균응력의 영향에 대한 역학 식에서 Goodman이 제시한 평균응력의
수식으로부터 재료의 항복강도, 인장강도와 관련지어 다음 그림 6.48과 같이 피로파괴에 대한
저항성의 그래프를 나타낼 수 있다.

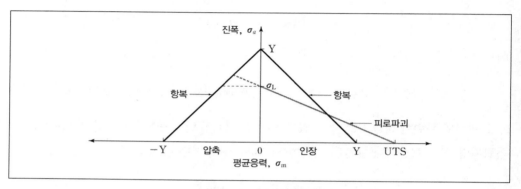

그림 6.48 평균응력을 고려한 피로파괴 저항성

그림에서와 같이 인장, 압축응력과 응력진폭에 대하여 영역을 나타내었다. 항복영역 선 이상의
하중이나 큰 진폭이 가해지면 피로하중에 의해 재료에 항복이 일어나며, 피로파괴 선 이상의
하중이나 진폭이 가해지면 피로파괴가 일어난다. 따라서 이 그래프로부터 피로파괴에 대한 저
항성이 있을 지를 판단할 수 있으며, 피로하중의 환경을 제어하거나 항복강도나 인장강도가 높
은 재료를 설계함으로써 피로파괴에 우수한 기계의 부품소재를 제시하는데 활용될 수 있다.
그림 6.49에서와 같이 대부분의 피로에 대한 평가결과는 S−N 곡선의 형태로 나타내어진다.
시험편에 변동응력을 가하여 피로시험을 행하고 파괴 시 까지의 싸이클 수를 측정한다. 이 때
응력 S는 σ_a에 해당하는 값으로 도시된 것이다.

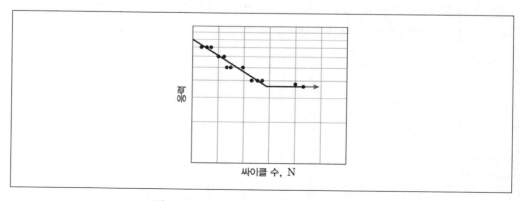

그림 6.49 S−N곡선으로 평가한 피로파괴 저항성

그림 6.49의 그래프에서와 같이 피로응력이 증가하면 파괴 시까지의 싸이클 수가 감소함을 알 수 있다. 또한 파괴가 일어나지 않는 영역이 존재함을 알 수 있다. 이와 같이 파괴가 일어나지 않는 영역을 내구한도(endurance limit)이라고 하며 피로파괴에 대한 저항성이 높도록 설계하는데 주요한 특성이 된다. 이 때의 S는 다음 식과 같이 표현할 수 있다.

$$S = AN^{-b}$$

위 식에서 S는 응력, N은 싸이클 수, A와 b는 재료상수이며 특히 A는 재료의 인장강도와 거의 같다.

Chapter 1
Chapter 2
Chapter 3
Chapter 4
Chapter 5
Chapter 6
Chapter 7
Chapter 8

6.5.1 유리판에 2mm의 균열이 있다. 외부응력은 30MPa, K_{IC} =0.50이다. 다음 중 맞는 설명은?

　① 임계응력을 구하면 30MPa보다 크므로 균열은 성장한다.

　② 임계응력을 구하면 30MPa보다 작으므로 균열은 성장하지 않는다.

　③ 임계응력을 구하면 30MPa보다 작으므로 균열은 성장한다.

　④ 임계응력을 구하면 30MPa보다 크므로 균열은 성장하지 않는다.

　⑤ 임계균열크기를 구하면 2mm보다 크므로 균열은 성장한다.

6.5.2 폭이 2m, 두께가 0.25m인 철 슬릿에 80,000N의 힘으로 강철판이 통과될 때 파손이 일어났다. 파손 후 임계균열의 크기를 측정하니 20nm이었다. 이 강철의 파괴인성을 계산하시오.

6.5.3 파괴인성 측정방법 중 pre-crack 또는 crack의 길이를 몰라도 측정 가능한 방법은?

　① single edge notched beam method (SENB법)

　② double cantilever beam method (DCB법)

　③ double torsion method (DT법)

　④ indentation method (IF법)

6.5.4 피로파괴의 원인에 해당하는 것은?

　① 느린균열성장(slow crack growth)

　② 점성유동(viscous flow)

　③ 재료의 공공화(cavitation)

　④ 재료의 크레이징화(crazing)

6.5.5 타원형의 균열이 존재하는 재료를 σ의 응력이 발생하도록 인장력을 가하였다. a = 50nm, b = 1nm일 때 타원의 끝에 집중되어 작용하는 응력값을 외부에서 작용하는 응력 σ와 비교하여 나타내시오. 단, 곡률반경 $\rho = b^2/a$로 계산된다.

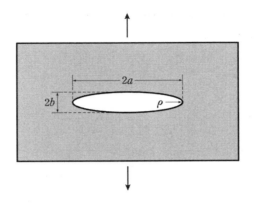

6.5.6 다음 그래프를 보고 물음에 답하시오.

① 재료의 인성이 110MP am$^{1/2}$일 때 파괴를 일으키지 않을 가장 큰 응력 값을 계산하시오 (임계균열의 크기는 2.5mm이며, 균열상수 Y = 1로 설정).

② 서로 다른 항복강도 값과 인성을 갖는 재료 중에서 항복과 파손 모두 일어나지 않을 최소의 인성 값과 강도 값은 각각 얼마인가?

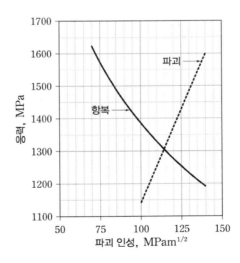

Chapter 1

Chapter 2

Chapter 3

Chapter 4

Chapter 5

Chapter 6

Chapter 7

Chapter 8

6.5.7 ① G(mechanical energy release rate)를 균열의 크기가 포함된 식으로 제시하시오.

② 균열이 안정하다는 의미는 무엇인지 대답하고, 이를 G의 변화의 관점에서 기술하시오.

6.5.8 다음 곡선은 알루미늄 합금의 S−N곡선을 나타낸다. 그래프로 부터 인장강도 값을 근사적으로 결정하시오.

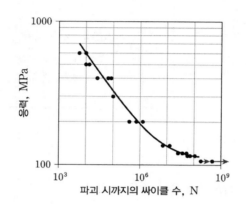

6.5.9 알루미늄의 피로균열이 $da/dN = 10^{-3}\text{mm}$ 의 속도로 성장하고 있다.

① $\triangle\sigma = 200\text{MPa}$, $f = 1$, 초기균열이 2mm 일 때 ΔK 를 구하시오.

② 균열이 2mm 에서 10mm 로 성장할 때 피로의 싸이클 수를 구하시오. $\triangle\sigma = 200\text{MPa}$, $f = 1$, $C = 6.2 \times 10^{-11}$ 임을 활용하시오.

6.5.10 아래 곡선과 같이 어느 재료를 파손시킬 때까지의 하중−변위 곡선을 얻었다. 균열변화 $\Delta a = 1\text{mm}$ 이고 t가 1mm 일 때 Gc값을 구하여라. 균열을 성장시키는데 필요한 일 $\Delta W = \{(P_2u_2 - P_1u_1)/2\} + Gc \times t \times \Delta a$ 이다. $P_1 = 10\text{N}$, $P_2 = 7\text{N}$, $\delta_1 = 0.4$, $\delta_2 = 0.5$ 임을 활용하시오.

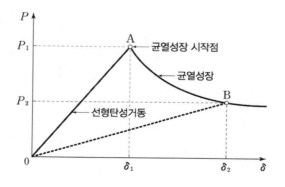

6.5.11 강철 막대의 항복강도는 40MPa, 인장강도는 65MPa이다. 주기응력이 0과 36MPa일 때 내구한계는 30MPa이다. 그림과 같이 modified Goodman diagram을 사용하여 항복여부와 함께 피로파괴가 일어날지를 결정할 경우 항복은 (일어난다, 일어나지 않는다). 피로파괴는 (일어난다, 일어나지 않는다). 어느 답이 맞는지 각각의 정답을 쓰시오.

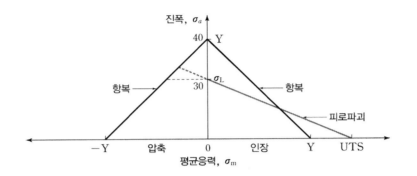

6.5.12 다음은 어느 재료의 파괴거동을 그래프로 나타낸 것이다.

1) 그래프에서 이 재료가 재료강도 σ_M에 해당하는 응력을 발생시키는 힘을 받을 때, 균열이 불안정해지는 임계크기를 제시하여라. 그 이유는?

2) 균열의 안정성(stability)과 파괴(fracture)와의 관계를 설명하고, 주어진 재료의 파괴가 임계크기를 중심으로 어떤 양상으로 변화할지를 균열크기의 관점에서 설명하여라.

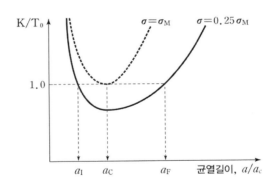

6.5.13 다음 중 복합재료의 주된 인성향상기구(toughening mechanism)이 아닌 것은?

① crack deflection   ② phase transformation
③ crack bridging   ④ fiber pullout

Chapter 1
Chapter 2
Chapter 3
Chapter 4
Chapter 5
Chapter 6
Chapter 7
Chapter 8

제7장

복합재료

7.1 서론 및 개요

재료를 크게 분류하면 금속, 세라믹스, 폴리머로 분류된다는 것을 1.2절에서 살펴보았다. 그러나 각각의 단일재료들의 강도, 경도, 파괴인성 등 특성과 힘에 대한 기계적 거동을 살펴보면 각 재료별로 특징지어 나타낼 수 있으며 일정한 범위 내에 놓이는 것을 알 수 있다. 예를 들면 재료의 탄성계수를 살펴보면 다음 그림 7.1에서와 같이 재료의 분류별로 특성범위가 다르다는 것을 알 수 있다.

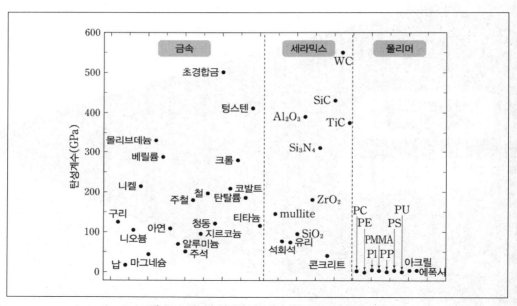

그림 7.1 재료별 탄성계수를 나타내는 특성그래프

탄성계수의 범위는 재료 별로 넓게 분포하고 있어서 낮게는 10^{-3}GPa, 높게는 약 10^3 GPa (다이아몬드)정도로 약 10^6 배 정도의 차이를 나타내고 있다. 세라믹스가 가장 높은 탄성계수를 보여주며 금속 역시 높은 탄성계수를 갖고 있다. 반면 폴리머 재료들은 금속이나 세라믹스 보다 낮은 값의 탄성계수를 갖는 것을 알 수 있다.

그림에 나타낸 탄성계수이외의 탄성계수를 갖도록 하는 방법은 없을까? 또는 낮은 탄성계수를 갖는 폴리머의 탄성계수를 높이는 방법은 없을까? 그 방법 중 하나가 두 가지 서로 다른 재료를 섞어주는 것이다. 예를 들면 유리로 섬유를 만들어 폴리머와 섞어주면 낮은 탄성계수를 갖는 폴리머의 단점을 극복할 수 있게 된다. 8장에서 살펴 볼 재료선택 특성차트의 영역을 확장할수도 있다.

이와 같이 둘 이상의 재료를 섞었을 때 각 단일재료로서는 얻을 수 없는 특성을 갖도록 제작한 재료를 하이브리드 재료(hybrid material)이라고 하며, 하이브리드 재료 중에서도 상대적으로 특성이 우수한 재료를 입자, 섬유, 또는 층의 형태로 제작한 재료를 복합재료(composite)라고 한다. 즉 각 재료가 갖고 있는 우수한 특성을 조합하여 상호간의 결점을 보완하고 장점을 활용하여 강도(strength), 탄성계수(elastic modulus) 또는 경도(hardness)나 인성(toughness) 등의 특성을 복합재료 화하여 높일 수 있다. 만약 저밀도의 소재와 기계적 특성이 우수한 소재를 결합하여 복합화한다면 가벼우면서도 특성이 우수한, 예를 들면 비강도(specific strength, 무게 대비 강도값) 및 비강성(specific modulus, 무게 대비 탄성계수 값) 이 높은 소재를 만들 수 있다. 천연의 나무는 셀룰로오즈에 리그닌이라는 접합제가 복합화된 소재이다. 우리 몸의 뼈나 치아는 바깥층은 단단한 무기질이 많고, 안으로 들어갈수록 유기질이 많은 적층형 복합재료로 구성되어 있다. 아주 오래 전부터 인류는 복합재료를 사용해 왔다. 점토에 짚을 엮어 단단한 벽돌을 만들었고, 현대의 건축재로 사용되는 콘크리트는 시멘트와 모래, 자갈이 복합화 된 소재이며 철근으로 강화된 복합재가 튼튼한 건축물에 사용된다.

7.1.1 하이브리드 재료

∷ 하이브리드 재료의 종류

하이브리드 재료에는 다음 그림 7.2에서와 같이 크게 네 종류가 있다. 첫째는 복합재료(composites)로서 상대적으로 열적, 기계적 특성이 낮은 재료에 특성이 우수한 입자 또는 섬유를 첨가 또는 직조하여 그 특성을 향상시킨 소재이다. 예를 들면 항공기의 외피는 탄소 섬유로 강화한 에폭시 수지 등이 사용되고 있다. 두 번째는 샌드위치 구조(sandwich structure)로서 상대적으로 가벼운 소재인 코어(core)와 상대적으로 우수한 강도와 강성을 갖는 외피재 (coating)로 구성되어 가벼우면서도 상대적으로 기계적 특성이 우수하다. 우주선의 외피재로서 이와 같은 샌드위치 구조가 활용되었다. 세 번째는 쎌 구조로서 고체인 격자구조와 기체인 발포재를 섞어 고체 간에 공간을 만들어 유체를 통과시키면서도 강도를 부여하는 구조이다. 자동차의 배 가스가 지나가는 부분에 유해한 가스가 지나갈 때 쎌 구조의 각 내면에 코팅된 촉매에 의해 화학반응으로 무해한 가스로 전환되는 촉매변환기가 이러한 구조로서 활용된다. 네 번째는 분할이음구조로서 유연하면서도 강도를 부여할 필요가 있을 때 여러 가닥을 결합한 구조로 제작하게 되면 이러한 기계적 거동을 갖도록 할

Chapter 1
Chapter 2
Chapter 3
Chapter 4
Chapter 5
Chapter 6
Chapter 7
Chapter 8

수 있다. 예를 들면 케이블카의 경로에 사용되는 케이블은 유연하면서도 케이블카나 탑승자들의 무게에 의해 충분히 견디는 강도를 가져야 하며, 이러한 목적을 달성하기 위해 분할이음구조로 제작되고 있다.

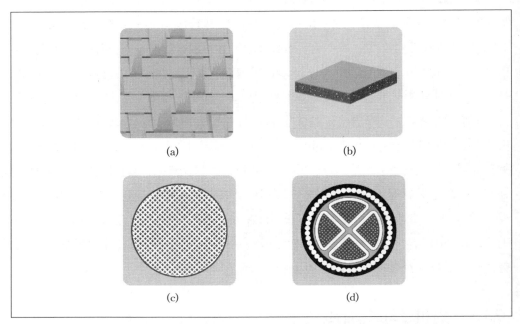

그림 7.2 하이브리드 재료의 종류, (a) 복합재 구조, (b) 샌드위치 구조, (c) 쎌 구조, (d) 분할이음구조

⌗ 하이브리드 솔루션

하이브리드 재료는 설계목적에 맞는 기능을 부여하기 위해 기계적 거동을 설계할 수 있다는 장점이 있다. 설계요구조건을 충족시키기 위해서는 두 가지 기능을 동시에 요구하는 경우가 있을 수 있으며, 각 재료에 있어서 두 가지 기능이 서로 상반되는 경우가 있을 수 있다. 이를 해결하기 위해서는 재료의 하이브리드 화를 통해서 해결책을 찾아나가는 방법으로 설계가 이루어진다. 기능 1과 기능 2를 갖는 재료를 혼합함으로써 그 해를 조합하여 최적화함으로써 설계의 목표를 이루는 것으로써 문제를 해결하는 것이다.

하이브리드를 구성하는 재료의 종류, 예를 들면 기계적 특성이 우수한 강화재와 부피가 더 많은 기지상(matrix) 소재의 종류, 그리고 기지상과 강화재의 상대적 부피분율 (체적비, volume fraction), 구성요소 예를 들면 구성 입자(grain)들의 크기나 형상, 연결도 등에 따라 다양한 기계적 거동을 나타내게 할 수 있다. 이 중에서도 특히 하이브리드재료를 구성하는 재료들의 상대적 부피비와, 하이브리드 재료를 구성하는 입자들의 크기가 기계적 특성이나 거동에 큰 영향을 미치게 된다.

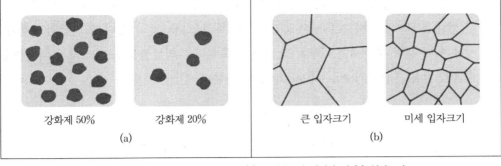

그림 7.3 기계적 거동에 영향을 미치는 (a) 구성재료의 체적비 및 (b) 입자크기

그림 7.3의 (a)에서와 같이 강화재의 체적비는,

$$V_{f, \text{강화재}} = V_{\text{강화재}} / [V_{\text{기지상}} + V_{\text{강화재}}]$$

으로 구한다. 여기서 V는 각 재료가 차지하는 부피의 합이다. 한편, 기지상의 체적비는

$$V_{f, \text{기지상}} = 1 - V_{f, \text{강화재}}$$

로 구한다. 왜냐하면 $V_{f, \text{기지상}} + V_{f, \text{강화재}}$의 합은 1이 되기 때문이다. 각 부피 분율이나 합에 100을 곱하여 퍼센트 분율(%)로 표시하기도 한다.

그림 7.3의 (a)와 같이 기지상보다 기계적 특성과 거동이 더 우수한 강화재를 50%첨가한 경우는, 20%첨가한 경우와는 현저히 다를 것이다. 순수하게 강화재의 효과가 전체재료에 나타난다면 강화재의 부피 분율이 높을수록 강화재의 우수한 강도, 경도가 전체 하이브리드 재료의 강도, 경도에 영향을 미칠 것이다.

그림 7.3의 (b)에는 하이브리드 재료를 구성하는 입자들의 크기가 서로 다른 예를 나타내었다. 일반적으로 현미경으로 이러한 미세한 구조를 관찰할 수 있어 이러한 구조를 현미경 구조, 또는 미세구조(microstructure)라고 일컫는다. 나노크기보다 매우 작은 미세한 경우를 제외하고는 일반적으로 하이브리드 재료를 구성하는 입자들의 크기가 미세할수록 강도와 경도 등이 크고 이러한 미시적 구조가 거시적인 기계적 거동에 영향을 주게 된다.

이와 같이 하이브리드 재료는 재료를 구성하는 소재의 종류, 강화재의 부피분율, 미세구조의 형태 등을 제어하여 기존의 금속, 세라믹스, 폴리머의 단일재료들의 특성을 벗어난 특성을 갖도록 확장시킬 수 있다. 이러한 재료특성의 확장은 재료 간에 다양한 조합을 통해 가능하다. 예를 들면 다음 그림 7.4에는 두 가지 재료 A, B간에 특성조합이 다양하다는 것을 나타낸다. 재료 B에 재료 A를 낮은 체적비의 입자형태로 섞어준다면 체적 분율이 낮으므로 재료A의 높은 특성보다 감소하게 될 것이고, 재료 A가 연결도가 형성되는 정도라면 재료B의 높은 특성을 잃어버리는 구조가 될 수 있다. 반면, B의 기지 상에 A의 강화재를 섬유 형태로 혼합해주면 그 특성은 중간정도의 특성을 나타낼 수 있다. 일반적인 복합재의 특성은 이와 같이 복합재를 이루는 각 소재의 특성과 부피분율을 곱해서 모두 더해준 값, 즉 다음과 같은 혼합법칙(rule of mixture)를 따른다.

$$특성_{복합재} = 특성_{기지상} \times V_{f. \ 기지상} + 특성_{강화재} \times V_{f. \ 강화재}$$

한편 재료 B의 표면 상에 재료 A를 도금 코팅하는 경우를 생각해보면 모재의 B에 의한 특성과 표면에 입혀진 A에 의한 우수한 특성이 동시에 나타날 수 있다. 이와 같이 재료 A, 재료 B의 각각의 특성이 이들을 어떻게 혼합하고 배열하는가에 따라 다양한 특성을 갖도록 제어할 수 있다.

따라서 다양한 특성조합을 활용하여 설계요구조건을 충족시키기 위한 하이브리드 설계가 폭넓게 활용되고 있다. 이는 기존 재료의 특성이나 기계적 거동으로서는 한계가 있어 어떤 요구조건이 있을 때, 그 요구조건을 충족시키기 위해 조건들을 분석하여, 기능 1을 갖는 소재와 기능 2를 갖는 소재의 결합(combine)을 통해서 해를 구하고 최적화하는 하이브리드 접근 방법으로 문제를 해결할 수 있다.

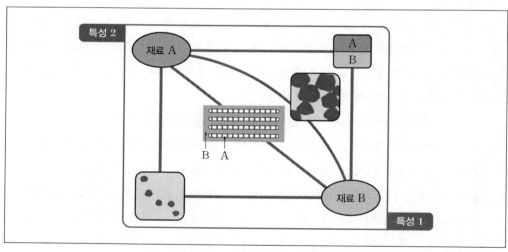

그림 7.4 다양한 재료특성 조합을 나타내는 그림

Chapter 1

Chapter 2

Chapter 3

Chapter 4

Chapter 5

Chapter 6

Chapter 7

Chapter 8

7.1.2 복합재료

하이브리드 재료와 복합재료는 엄밀히 말하면 같은 뜻이라고 말하는 것이 일반적이다. 복합재료의 정의에 의하면 복합재료란 특정한 필요에 의해 두 종류 또는 그 이상의 재료를 혼합하여 제작한 재료이기 때문이다. 두 종류 이상의 상이 다른 소재를 복합하여 물리적으로나 화학적으로 단일재보다 뛰어난 특성과 유효한 기능을 발휘하는 재료를 복합재료라고 한다. 이 때 두 가지 종류가 반드시 재료를 크게 분류할 때 서로 다를 필요는 없다. 예를 들면 금속과 금속, 세라믹스와 세라믹스, 폴리머와 폴리머 등을 혼합할 때도 서로 다른 종류의 재료를 혼합한다면 복합재료라고 말할 수 있다. 단, 구리(Cu)와 니켈(Ni)을 섞는 경우, 마그네슘(Mg)이나 알루미늄(Al)의 합금재료 등 금속과 금속을 혼합할 때 서로 다른 종류이므로 엄밀히 말하면 복합재료로도 분류할 수 있으나 대부분의 금속은 합금화를 많이 하여 제작하고 있으므로 합금은 금속으로 분류하는 것이 일반적이다. 기타의 경우, 예를 들면 알루미나(Al_2O_3)에 지르코니아(ZrO_2)를 혼합한 경우, 폴리에틸렌에 전도성 고무를 혼합한 경우 등은 복합재료로 분류하는 것이 일반적이다. 단 이 교재에서는 하이브리드 재료를 보다 큰 개념으로 보고, 복합재료의 경우는 입자나 섬유로 강화한 복합재료에 대해서만 국한해서 생각해 보기로 한다. 특히 섬유로 강화한 복합재료는 많은 기계적 응용을 갖는 소재로 그 범위가 점차 넓어지고 있다. 특히 섬유강화 폴리머재료는 무게가 가벼워 매우 효율적이면서도 강도와 강성이 큰 섬유로 강화되어 기계적 특성이 우수하여 폴리머에 비하여 우수한 기계적 거동을 나타내는 소재로서의 장점을 갖고 있기 때문에 공업적으로 넓은 활용이 이루어지고 있다. 항공기의 외피는 섬유강화 폴리머소재가 적용되고 있고 많은 스포츠와 자동차의 부품들에도 가벼우면서도 강도와 강성이 우수한 복합재료가 많이 사용된다.

다음 그림 7.5에 복합재료의 네가지 유형을 모식도로 나타내었다. 첫 번째 것은 일방향 섬유로 직조한 것이고, 두 번째 것은 기지상과 강화재가 중첩되어 강화된 것이다. 섬유의 직조방향에 따라 기계적 거동은 서로 다른 특성이 나타나게 된다. 섬유는 반드시 장섬유만 사용되는 것이 아니라 끊어진 섬유(chopped fiber)가 첨가되기도 하며, 강화상이 반드시 섬유로만 첨가되는 것이 아니라 입자(particle)의 형태로 첨가될 수도 있다. 어느 경우이든 기지상과 강화재의 재료의 종류, 구성소재의 상호 부피분율, 그리고 두 소재간의 탄성계수의 차이 등 특성의 차이들이 전체 기계적 거동에 영향을 주게 된다.

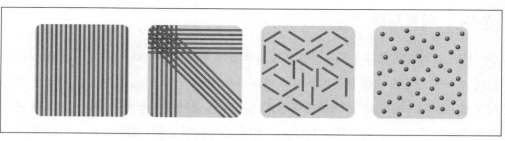

그림 7.5 복합재료의 네 가지 유형.

7.2 하이브리드 재료의 기계적 거동

이 절에서는 앞에서 언급한 하이브리드 재료 중 복합재료를 제외하고 나머지 샌드위치 구조, 쎌 구조, 분할이음 구조에 대해서 자세히 살펴보고 이들의 기계적 거동을 공부해 보기로 한다.

7.2.1 샌드위치 구조

샌드위치 구조는 다음 그림 7.6과 같이 서로 다른 소재가 층으로 쌓여 결합된 구조를 말한다. 여기서는 코어(core)의 중심부 소재의 양면에 코팅재(face)가 층으로 배합된 그림 (b)와 같은 구조를 생각해 보기로 한다.

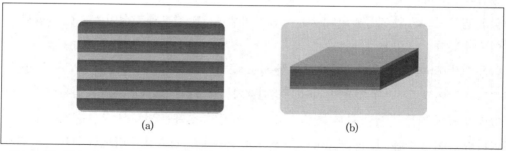

(a)   (b)

그림 7.6 샌드위치 구조; (a) 서로 다른 소재가 결합된 샌드위치 구조, (b) 코어의 양면이 코팅재로 코팅된 샌드위치 구조

코어의 양면이 코팅재로 코팅된 샌드위치 구조에서 코어(core)는 체적분율이 높아 코어의 무게가 전체무게가 된다. 따라서 무게가 가벼운 소재를 코어재료로 선택한다. 양면의 코팅재는 굽힘강성과 강성, 굽힘강도가 높고 좌굴에 대한 저항성이 우수한 소재를 선택한다. 이러한 구조는 특히 굽힘강성(bending stiffness), $E \times I$에 저항하는 구조이다.

사람의 두개골도 단면을 관찰하면 이러한 구조로 이루어져 있고 새의 날개, 식물의 줄기와 잎은 이러한 샌드위치로 이루어진 하이브리드 구조이다. 코어 부분은 가벼운 재료, 바깥층의 재료는 충격이나 외력에 견딜 수 있도록 기계적 특성이 우수한 소재로 이루어져 있다. 바람에 쉽게 흔들리면서도 부러지지 않는 특성을 갖는 대나무는 속이 비어있고 바깥층이 치밀하고 강도가 있는 소재로 이루어져 있고, 가로방향의 보가 그 바깥층의 치밀한 소재와 연결되어 부러지지 않도록 지지해주는 독특한 구조를 갖고 있다. 이러한 천연재료를 기반으로 제작한 샌드위치 구조물들이 항공기나 전철, 자동차의 구조물로 응용이 되고 있다. 수송기계는 무게가 가벼워야 효율이 향상되므로 무게가 가벼우면서도 외력이나 충격에 저항성이 있도록 바깥 면이 기계적 특성이 우수한 소재로 코팅되도록 설계, 적용하고 있다.

코팅면의 두께가 f, 코어의 두께가 c, 샌드위치 구조 전체의 두께가 t일 때

$$t = 2f + c$$

가 된다. 패널의 단위면적당 질량을 m이라고 하면, 샌드위치 구조의 밀도 ρ는,

$$\rho = m/t$$

으로 구할 수 있다. 또 코팅재와 코어재의 체적분율을 V_{fa}와 V_{co}로 각각 구할 수 있다면, 샌드위치 구조의 밀도를 다음과 같이 구할 수도 있다.

$$\rho = V_{fa}\rho_{fa} + (1 - V_{fa})\rho_{co}$$

위의 식에서 ρ_{fa}와 ρ_{co}는 각각 코팅재와 코어재의 밀도이다.

∷ 샌드위치 적층형 구조의 기계적 거동

샌드위치 구조의 탄성계수 E는

E = 12×(굽힘강성)/bt^3으로 구할 수 있다. 여기서 b는 패널의 폭이다. 강성은 E×I(관성모멘트) 또는 다음의 식으로 구할 수 있으며,

$$1/E_{flex} = \left\{1/12E_{fa}[(1 - (1 - V_{fa})^3 + (E_{co}/E_{fa})(1 - V_{fa})^3]\right\} + (B_1/B_2)(d/L)^2\{(1 - V_{fa})/G_{co}\}$$

L은 하부 지지대 사이의 거리이며, B는 보의 종류와 하중의 분포나 종류에 의존하는 상수 값이다.

한편 파괴와 관련된 강도를 살펴보면,

코팅면의 항복이 일어나는 샌드위치 구조의 강도 값 σ_y는

$$\sigma_y = (1 - (1 - V_{fa})^2) \times \sigma_{fa} + (1 - V_{fa})^2 \times \sigma_{co}$$

로서, 위 식에서 σ_{fa}와 σ_{co}는 각각 코팅재와 코어재의 항복강도이다. 한편 코팅면의 일부가 들고 일어나는 좌굴현상(buckling)에 의한 파괴가 일어나는 임계강도 σ_b는

$$\sigma_b = 2.28V_{fa}(1 - V_{fa})(E_{fa}E_{co}^2)^{1/3}$$

으로 계산된다. E_{fa}와 E_{co}는 각각 코팅재와 코어재의 탄성계수이다. 만약 코어재료 내에 최대전단응력이 작용하여 전단파괴가 일어난다면 전단파괴강도 σ_τ값은 다음 식에 의해 계산된다.

$$\sigma_\tau = (B_4/B_3)\big\{4(L/d)(1 - V_{fa})\tau_c + V_{fa}^2\sigma_{fa}\big\}$$

위 식에서 τ_c는 임계전단응력이다. 한편 샌드위치구조의 굽힘강도는

$$\sigma = 4M_f/bt^2$$

의 식으로 구한다. 여기서 M_f는 파괴를 일으키는 모멘트 값이다.

두 개 혹은 그 이상의 재료의 얇은 판재(sheet)들이 서로 결합되어 있는 이와같은 복합재료를 적층형 복합재료(lamellar composite)라고도 한다. 합판, 안전유리, 유약이 칠해진 세라믹 도자 등이 그 예라고 할 수 있다. 두께가 얇은 A, B의 두 소재의 x−y면이 서로 함께 결합된 적층형 복합재가 하중을 받고 있다고 가정하면 서로 결합되어 있으므로 이 때의 변형률은 다음 식과 같이 된다.

$$\varepsilon_{x,A} = \varepsilon_{x,B}$$
$$\varepsilon_{y,A} = \varepsilon_{y,B}$$

만일 두 재료가 등방성이고 하중이 탄성 적이라면 변형률은 다음 식과 같이 된다.

$$\varepsilon_{xA} = (1/E_A)(\sigma_{xA} - \nu_A\sigma_{yA}) = \varepsilon_{xB} = (1/E_B)(\sigma_{xB} - \nu_B\sigma_{yB})$$
$$\varepsilon_{yA} = (1/E_A)(\sigma_{yA} - \nu_A\sigma_{xA}) = \varepsilon_{yB} = (1/E_B)(\sigma_{yB} - \nu_B\sigma_{xB})$$

한편 응력들은 다음 식과 같다.

$$\sigma_{xA} \times t_A + \sigma_{xB} \times t_B = \sigma_{x,av}$$
$$\sigma_{yA} \times t_A + \sigma_{yB} \times t_B = \sigma_{y,av}$$
$$\sigma_{zA} = \sigma_z = 0$$

위 식에서 t_A와 t_B는 각각 A와 B의 두께분율을 의미한다.

x축 방향에서의 일축 인장하중을 생각하여

$$\sigma_{y,av} = 0, \ \sigma_{yB} = -(t_A/t_B)\sigma_{yA}, \ \sigma_{xB} = (\sigma_{x,av} - \sigma_{xA} \times t_A)/t_B$$

의 식을 앞의 식들에 대입하고 정리하면 다음 식을 얻는다.

$$\sigma_{xA} - \nu_A\sigma_{yA} = (E_A/E_B)\{(\sigma_{x,av} - \sigma_{xA} \times t_A)/t_B + \nu_B(t_A/t_B)\sigma_{yA}\}$$

$$\sigma_{yA} - \nu_A\sigma_{xA} = (E_A/E_B)\{(\nu_A/\nu_B)\sigma_{yA} + \nu_B(\sigma_{x,av} - \sigma_{xA} \times t_A)/t_B\}$$

따라서 탄성계수는

$$E = L_2/L_1$$

이며, 여기서,

$$L_1 = E_Bt_B(1-\nu_A^2) + E_At_A(1-\nu_B^2),$$

$$L_2 = E_B^2t_B^2(1-\nu_A^2) + 2E_AE_Bt_At_B(1-\nu_A\nu_B) + E_A^2t_A^2(1-\nu_B^2)$$

이다.

만약 $\nu_A = \nu_B$ 면,

$$E = E_At_A + E_Bt_B$$

로 간략화 된다. 따라서 서로 다른 두 층으로 적층된 적층형 복합재료의 탄성계수는 각 층을 이루고 있는 소재의 탄성계수와 두께 분율을 곱한 값을 합해서 계산할 수 있다.

7.2.2 쎌 구조

쎌 구조는 그림 7.2의 (c)에서와 같이 내부가 비어있어 가벼우면서도, 고체로 이루어진 격자들이 서로 이어져 있어서 강도를 부여하는 구조로 이루어져 있다. 내부의 공간들은 일반적으로 고체에 발포재를 섞어준 후 추후 발포재를 제거하여 만들어줄 수 있다. 이러한 발포재로서 고분자, 금속, 세라믹스 유리 등이 활용된다. 예를 들면 열에 강한 고체에, 쉽게 녹거나 기화되는 발포재를 섞어준 후 일정한 고온까지 천천히 열처리 해주면 발포재는 기체가 되어 팽창되어 날아가면서 발포재가 차지하고 있던 부분이 비어있는 공간이 된다. 이러한 쎌 구조를 다공성 구조(porous structure)라고도 하며, 저밀도의 부품, 열을 차단하는 단열재, 유체를 일정방향으로 보내야 하는 부품 등에 활용된다.

다음 그림 7.7(a)에서와 같이 공간을 포함하고 있는 다이아몬드 모양의 고체의 꼭지점에 하중이 걸리면 굽힘이 일어날 수 있다. 반면, 그림 7.7의 (b)에서와 같이 가로방향으로 부재(member)를 하나 더 연결해 줌으로써 하중에 대한 굽힘저항성을 향상시킬 수 있다. 이는 부재가 하중방향에 수직하게 늘어나거나 수축하면서 변형에 저항하기 때문이다.

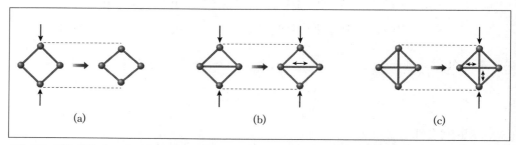

<u>그림 7.7</u> 굽힘 하중 및 그에 저항하는 구조; (a) 부재를 보강하지 않은 경우와 (b) 가로방향으로 부재를 보강한 경우, (c) 가로 및 세로 방향으로 보강한 경우의 예

그림 7.7의 (c)에서와 같이 수직방향의 기둥부재를 하나 더 연결한 경우는 수직방향의 기둥이 신장방향으로 저항하면서 견고한 구조가 될 수 있으나, 다음과 같은 맥스웰의 안전기준 식을 고려할 때 과도 구속 상태가 된다.

$$M = b - 2j + 3 = 0 \text{ (2차원)}, \quad M = b - 3j + 6 = 0 \text{ (3차원)}$$

위 식에서 b는 부재의 개수이고 j는 접점의 수이다.

그림 7.7을 2차원적으로 생각하고, M을 각각 구해보면 (a)의 구조는 M = -1이 되므로 0의 값보다 작아서 붕괴되고, (b)의 구조는 M = 0이되어 안정한 구조가 된다. 반면 (c)의 구조는 M = 1 > 0이므로 과도로 구속한 상태가 된다.

⌗ 굽힘변형이 지배적인 쎌 구조의 기계적 거동

여기서는 그림 7.7의 (a)에서와 같이 굽힘변형이 지배적인 쎌 구조의 기계적 거동을 살펴보기로 한다. 그림 7.8에서와 같이 길이가 L, 고체격자의 두께가 t인 사각형의 쎌 구조를 생각해 보자. 이 구조의 밀도는 상대적으로 다음과 같이 구한다.

$$\rho_c = \rho_s \times (t/L)^2$$

위 식에서 ρ_c는 쎌 구조의 밀도, ρ_s는 고체격자의 밀도이다.

그림 7.8과 같은 쎌이 압축하중을 받을 때 압축응력과 압축변형률을 나타낸 특징적인 응력 －변형률 곡선을 그림 7.9에 나타내었다.

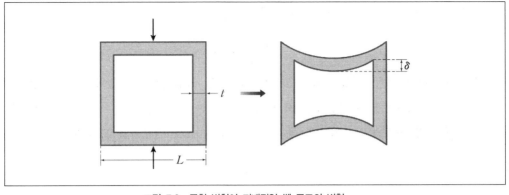

그림 7.8 굽힘 변형이 지배적인 쎌 구조의 변형

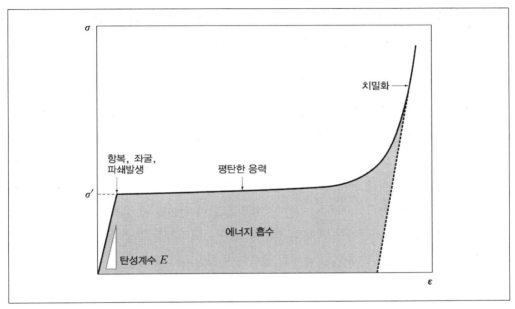

그림 7.9 굽힘 변형이 지배적인 쎌 구조의 압축응력–변형률 곡선

이러한 쎌 구조는 낮은 하중에서는 선형적인 탄성거동을 나타내다가 탄성한계점 σ'에서 항복, 굽힘, 좌굴 또는 파쇄현상이 일어난다. 만약 쎌 구조에서 굽힘이 일어난다면 굽힘에 의한 처짐량 δ를 다음 식과 같이 구할 수 있다.

$$\delta \sim PL^3/E_sI$$

위 식에서 E_s는 쎌의 고체격자의 탄성계수, I는 사각형의 단면적에 대한 관성모멘트이다. 쎌의 전체 압축변형률은

$\varepsilon = 2\delta/L$ 이므로, 이들로부터 쎌의 탄성계수 E_c는

$$E_c/E_s \sim (\rho_c/\rho_s)^2$$

의 식으로부터 구할 수 있다. $\rho_c \sim \rho_s$의 값을 가질 때, E_c는 E_s의 값에 근접한다는 것을 알 수 있다. 일반적으로 굽힘변형을 하는 쎌 구조의 탄성계수 값은 높지 않아 강성이 낮다.
이번에는 쎌 구조의 파괴거동을 살펴보자. 힘 P가 소성모멘트 M_f를 부여한다면,

$$M_f = (\sigma_s \times t^3)/4$$

의 관계식을 활용하면 고체격자의 항복 또는 파괴강도 σ_s를 구할 수 있다. 여기서 응력 σ 와 모멘트 M은 $P \times L$에 비례하며 이는 $\sigma \times L^3$에 비례 한다 이러한 결과들로부터 쎌 구조 의 항복 또는 파괴강도 σ_c는 다음 식으로 구할 수 있다.

$$\sigma_c/\sigma_s = C(\rho_c/\rho_s)^{3/2}$$

여기서 C는 실험치로 얻을 수 있는 비례상수로서 약 0.3의 값을 갖는다. 즉 쎌 구조의 파괴 에 의한 붕괴는 응력값이 σ_c값을 초과할 때 발생한다.
탄성한계점 σ'이후에는 그림 7.9의 평탄한 응력영역에서와 같이 일정한 하중 하에서 지속 적인 변형이 일어나게 된다. 즉 탄성한계점 이상에서는 지속적인 변형을 시키는데 하중 증 가가 일어나지 않는다. 그 이유는 고체격자의 굽힘이 일어날 때 지지해주는 고체가 없고 공 간만 있기 때문이다. 공간에 의해 분리된 반대쪽 고체격자를 만날 때까지 변형이 계속되다 가 고체격자를 만난 후 응력이 급격히 상승하며 치밀화가 일어난다. 치밀화는 변형률이 다 음 조건을 만족할 때 일어난다.

$$\varepsilon = \varepsilon_d = 1 - 1.4 \times (\rho_c/\rho_s)$$

ε_d는 그림 7.9에서처럼 치밀화 곡선에 접선을 그었을 때 만나는 변형률로 정의된다.
쎌 구조는 내부 공간의 존재로 인하여 외부의 충격을 흡수할 수 있는 장점이 있다. 따라서 쿠션이나 충격방지용 소재나 부품으로 응용된다. 단위체적당 흡수할 수 있는 에너지 U는

$$U \sim \sigma' \times \varepsilon_d$$

의 값에 근사하며, σ'은 평탄한 응력의 값이다.

∷ 연신변형이 지배적인 쎌 구조의 기계적 거동

여기서는 그림 7.7의 (b)에서와 같이 연신변형이 지배적인 쎌 구조의 기계적 거동을 살펴보기로 한다. 굽힘 변형이 지배적인 쎌 구조의 강성을 높이기 위해 부재를 수평 및 수직방향으로 연결하면 보다 안정적인 구조가 되며 기계적인 특성도 향상된다. M > 0인 구조는 거의 등방적으로 연신변형이 지배적인 구조가 된다.

연신변형이 지배적인 쎌 구조가 인장력을 받게 되면 방향에 관계없이 구조물을 구성하는 부재들의 평균 1/3은 인장력을 받게 된다. 연신변형이 지배적이면서 등방적으로 탄성 변형하는 경우 쎌 구조의 탄성계수 E_c는 다음 식과 같이 밀도에 선형적으로 비례하게 된다.

$$E_c/E_s \sim 1/3\,(\rho_c/\rho_s)$$

쎌 구조를 파쇄시키는 응력 역시 다음 식과 같이 밀도에 선형적으로 비례한다.

$$\sigma_c/\sigma_s \sim 1/3\,(\rho_c/\rho_s)$$

위 식은 쎌 구조가 하중을 받을 때 항복이 먼저 일어난다고 가정한 상한치이며 만일 연결한 부재가 가늘다면 좌굴이 먼저 일어날 수도 있다. 그 경우의 강도 값은 다음 식에 의해 구한다.

$$\sigma_c/E_s \sim 0.2\,(\rho_c/\rho_s)^2$$

7.2.3 분할이음 구조

케이블이나 스프링 등은 강도가 높으면서도 굽힘 강성을 낮추어야 한다. 스프링은 외력에 대해 저항하면서 굽힘 변형이 일어나야 하며 케이블은 외력에 의해 끊어지지 않아야 하면서 유연성이 있어야 한다. 이런 설계목적의 요구를 충족시키기 위해서 여러 가닥으로 그 형상을 변경하는 분할이음 구조가 제안되었다. 즉 그림 7.2의 (d)나 다음 그림 7.10처럼 여러 가닥이나 판상을 덧대는 구조로 변경하게 되면 가닥이나 얇은 판재들에 의해 쉽게 굽힘이 일어나지만 전체적으로 큰 연신변형이나 급작스런 파괴는 일어나지 않는다.

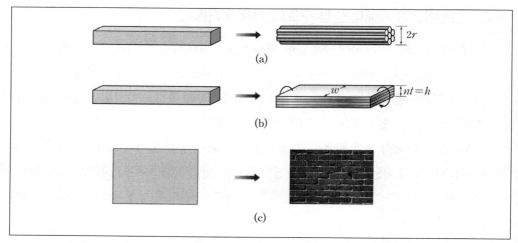

그림 7.10 분할이음구조로의 형상변경 사례, (a) 가닥구조, (b) 판상구조, (c) 벽돌구조

그림 7.10의 (a)와 같이 폭 b, 높이 b, 단면적 A인 사각형 단면의 보를 직경 2r의 케이블 가닥으로 변경시켜 분할이음구조로 만들어줄 때, 단면만 생각하면

$n\pi r^2 \sim b^2$이 된다.

여기서 n은 가닥의 수이다.

이 때의 굽힘강성 S는

$S \sim nEI = nE \times (\pi r^4)/4$이므로,

위 식에 $r^2 = b^2/(n\pi)$를 대입하면

$S \sim (1/4\pi) \times E \times (b^4/n)$이 된다.

가닥구조로 형상변경하기 전의 굽힘강성이 S_o, 관성모멘트가 I_o라면,

케이블의 탄성굽힘 형상계수는, $I_o = (1/12)b^4$을 대입하면 다음 식과 같이 된다.

$$\Phi_B^e = S/S_o = (nEI)/(EI_o) = 3/n\pi$$

즉 가닥으로 변경한 후 S는 초기의 강성 So에 비하여 $3/n\pi$만큼 감소하게 된다. 가닥의 수 n이 증가하면 증가할수록 강성은 더욱 감소하게 될 것이라는 것을 식으로부터 알 수 있다.

마찬가지로 그림 7.10의 (b)와 같이 직육면체의 두꺼운 판이 두께 t를 갖는 얇은 판이 적층된 분할이음 구조로 형상변경을 한다면,

$$S_o = (E \times w \times h^3)/12 \text{에서}$$

$$S = (n \times E \times w \times t^3)/12$$

로 변하게 되며, 따라서 적층에 의한 분할이음 구조의 탄성 굽힘 형상계수 값은 다음 식과 같이 된다.

$$\Phi_B{}^e = S/S_o = nt^3/h^3$$

한편, 그림에서와 같이 $h = nt$이므로 이로부터

$$\Phi_B{}^e = 1/n^2$$

과 같이 된다. 즉 초기강성 S_o에 비하여 분할이음 구조의 강성 S는 n^2에 비례하여 감소하게 된다. 만약 10층을 적층하였다면 100배만큼 강성이 낮아지게 된다.

한편 그림 7.10(c)의 벽돌구조는 매우 견고한 내 손상특성을 갖는다. 벽돌 자체는 취성이 있어서 무언가 충격이 가해지면 쉽게 깨진다. 그러나 벽돌 사이사이를 시멘트를 발라 굳힌다면 벽돌에서 형성된 균열이 다른 벽돌로 전파되지 않는다. 즉 일부는 균열에 의해 깨져나가지만, 전체적으로 볼 때는 균열전파가 방지되어 구조물 전체가 무너지는 일이 없도록 설계가 가능한 것이다. 이와 같은 설계를 손상 허용성 설계(damage tolerant design)이라고 하며, 분할이음 구조를 통하여 이러한 설계가 가능해진다. 실제로 시멘트가 없는 경우라 하더라도 지진 등의 사례에서 일부의 붕괴는 있으나 전체적 붕괴가 없음이 밝혀졌다.

7.3 복합재료의 기계적 거동

강도나 강성이 낮은 재료의 기계적 특성을 향상시키기 위해서, 강도와 강성이 상대적으로 우수한 입자나 섬유를 일정 분율로 첨가, 혼합하여 복합재료를 제조할 경우 그 기계적 거동은 변화하게 된다. 강으로 벨트화된 자동차 타이어, 강성이 우수한 항공기 외피, 자갈이 혼합된 아스팔트, 섬유의 방향을 교대로 짠 합판, 유리섬유로 강화한 폴리에스테르의 가구소재, 보트나 스포츠용품으로 사용된 탄소섬유로 강화한 폴리머 등을 대표적인 예로서 들 수 있다. 강화시킨 소재의 형태는 앞에서 살펴본 적층형(laminates)도 있지만 많은 부분이 입자(particles)나 섬유(fibers)의 형태로 복합화된다. 일반적으로 강도와 강성이 우수한 강화재(reinforcement)는 부피분율이 낮고, 강도나 강성이 상대적으로 낮은 기지상(matrix)은 부피분율이 상대적으로 크다. 따라서 강도와 강성이 우수한 강화재가 기지상에 분포되어 있거나 직조되어 이루어진 복합재료가 사용된다. 기지상의 종류에 따라 폴리머기지 복합재료(PMC, polymer matrix composite), 세라믹스 기지 복합재료(CMC, ceramic matrix composie), 금속 기지 복합재료(MMC, metal matrix composite)이라고 일컫는다.

Chapter 1

Chapter 2

Chapter 3

Chapter 4

Chapter 5

Chapter 6

Chapter 7

Chapter 8

7.3.1 입자강화 복합재료

시멘트, 모래, 자갈이 일정 부피로 섞여있는 콘크리트는 입자로 강화된 대표적인 복합재료이다. 코발트 기지 상에 텅스텐 카바이드가 분산된 탄화물 공구역시 입자강화 복합재료의 한 예이다. 입자강화 복합재의 탄성계수는 변형률이 같은 조건과 응력이 같은 조건에 해당하는 다음 각 식에서 계산할 수 있는 탄성계수의 중간 값을 갖는다.

$$E = E_f V_f + E_m V_m$$
$$1/E = V_f / E_f + V_m / E_m$$

즉 입자강화 복합재료의 탄성계수 값은 하한 값인 $1/E = V_f / E_f + V_m / E_m$ 보다는 큰 값이고, $E = E_f V_f + E_m V_m$ 의 상한 값보다는 작은 값이다. 입자강화 복합재의 보다 일반화된 탄성계수 값은 다음 식으로도 쓸 수 있다.

$$E = E_m (1 - V_p) + K_p V_p E_p$$

위 식에서 E_m 과 E_p 는 기지상과 분산된 입자들의 탄성계수, V_p 는 전체에 대한 입자상들의 부피분율, K_p 는 재료상수 값이다.

또 입자강화 복합재의 탄성계수 값은 다음 식으로도 표현된다.

$$E^n = V_A E_A^n + V_B E_B^n$$

여기서 A와 B는 서로 다른 입자들이고 n은 +1부터 −1까지 변하는 값이다. 부피 분율에 따라서 그리고 n값에 따라 변하는 B로 강화된 입자강화 복합재의 탄성계수 값을 다음 그래프 7.11에 나타내었다. 여기서 E_B 의 탄성계수는 E_A 의 탄성계수 대비 10배 큰 값이라 가정하고 계산하였다.

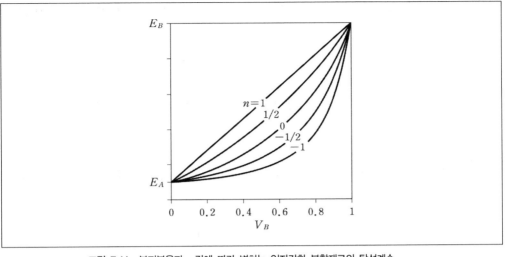

그림 7.11 부피분율과 n값에 따라 변하는 입자강화 복합재료의 탄성계수

한편 경도가 우수한 입자들이 큰 분율로 섞여있는 입자강화 복합재에 대한 단순한 모델로서 벽돌 담(brick−wall model)모델이 제시되었다. 다음 그림 7.12에서와 같이 경도가 우수한 입자 A가 상대적으로 탄성계수가 낮은 B 내에 분산되어 있는 정육면체의 벽돌로 가정하였고, 벽돌 중심간 거리를 1, 벽돌의 바닥에서 다른 벽돌의 윗면까지의 길이를 t로 하였을 때 벽돌의 한 모서리의 길이는 1 − t가 된다. 부피비로 환산하면

$$V_A = (1 - t)^3$$

의 관계식이 성립된다.

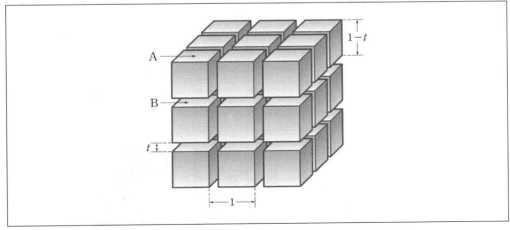

그림 7.12 고경도 입자들이 분산되어 있는 입자강화 복합재료의 벽돌 모델

만일 A와 B가 교대로 반복되는 기둥의 거동이 앞에서 살펴본 탄성계수의 하한치에 의해 기술된다면 이 때 기둥의 탄성계수는

$$1/E' = (1-t)/E_A + t/E_B$$

로 쓸 수 있다. 한편 전체의 탄성계수는 탄성계수의 상한치에 의해 기술된다고 가정하면,

$$E_{av} = (1-t)^2 E' + [1 - (1-t)^2]E_B$$

의 식에 의해 얻어진다. 위 식에서 $\varepsilon_{2A} = \varepsilon_{2B}$의 구속의 상태를 고려하는 것이 보다 타당할 수 있다. 두 방향의 힘을 고려할 때,

$$\sigma_{2B} \times t = -\sigma_{2A} \times (1-t)$$

로 쓸 수 있고, 후크의 법칙을 적용하면,

$$E' = 1/[\varepsilon_{1B}/\sigma_1 + \varepsilon_{1A}/\sigma_1]$$

을 도출할 수 있다. 한편

$$E_{av} = (1-t)^2 E' + t(2-t)E_B$$

의 식으로부터 평균적인 탄성계수 값을 얻을 수 있다.

7.3.2 섬유강화 복합재료

섬유강화 복합재료는 강화재인 섬유를 직조하여 형상을 만든 후 그 안에 기지 상을 채워서 제조하는 것이 일반적이다. 섬유는 기지상보다 강도나 탄성계수가 높은 것을 사용한다. 짧은 길이의 휘스커(whisker)를 첨가한 휘스커 복합재도 있지만, 공업용으로는 장섬유로 직조한 복합재료가 많이 활용된다. 다음 그림 7.13에 섬유로 직조한 예를 나타내었다. 일방향으로 배열한 경우, 0도와 90도로 교대로 적층한 경우, 그리고 랜덤하게 직조한 경우의 세 가지의 예를 나타내었다.

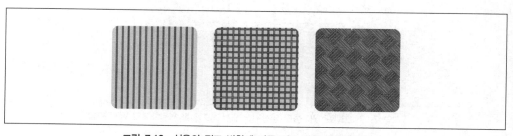

그림 7.13 섬유의 직조 방향에 따른 서로 다른 배열의 예

◌◌ 섬유강화 복합재료의 특성의 상한치 및 하한치

다음 그림 7.14의 (a)에서와 같이 섬유를 하중방향에 평행하게 직조한 경우와 (b)와 같이 섬유를 하중방향에 수직하게 직조한 두 가지 극단적인 경우의 예를 살펴보자. (a)의 경우는 섬유와 기지상이 서로 옆으로 밀접해 있으므로 하중이 작용함에 따라 변형률이 같을 것이고, (b)의 경우는 섬유나 기지상이 하중을 받는 단면적이 같으므로 응력이 같을 것이다.

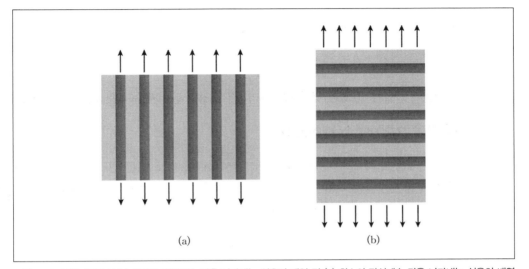

그림 7.14 복합재료에서 (a) 최대의 탄성계수 값을 나타내는 섬유의 배열 및 (b) 최소의 탄성계수 값을 나타내는 섬유의 배열

(a)의 경우는 변형률이 같고 응력이 서로 다르므로 복합재가 받는 응력은 다음 식과 같이 표현된다.

$$\sigma = V_f \sigma_f + (1 - V_f)\sigma_m$$

위 식에서 V_f는 섬유의 부피분율, σ_f와 σ_m은 각각 섬유와 기지상이 받는 응력이다. 후크의 법칙 $\sigma = E\varepsilon$을 적용하면,

$$\sigma = E_f V_f \varepsilon + E_m (1 - V_f)\varepsilon$$

이고, $E = \sigma/\varepsilon$이므로 복합재료의 탄성계수는

$$E = E_f V_f + E_m V_m$$

의 식으로부터 구할 수 있다. 이를 혼합법칙(rule of mixture)으로 구한 탄성계수라고 하며, 복합재에서 얻을 수 있는 탄성계수의 최대값(상한치)이 된다.

(b)의 경우는 응력이 같고 변형률이 서로 다르므로 복합재가 받는 변형률을 다음 식과 같이 표현할 수 있다.

$$\varepsilon = V_f \varepsilon_f + (1 - V_f)\varepsilon_m$$

위 식에서 ε_f와 ε_m은 각각 섬유와 기지상이 받는 변형률이다. 후크의 법칙 $\sigma = E\varepsilon$을 적용하면,

$$\varepsilon = V_f \sigma / E_f + (1 - V_f)\sigma / E_m$$

이고, $E = \sigma/\varepsilon$이므로 복합재료의 탄성계수는

$$1/E = V_f / E_f + V_m / E_m$$

의 식으로부터 구할 수 있으며, 복합재에서 얻을 수 있는 탄성계수의 최소값(하한치)이 된다.

섬유강화 복합재료의 배향효과

섬유의 축이 인장의 축에 평행하지 않다면, 탄성계수나 강도 값은 감소하게 된다. 이를 섬유의 배향(orientation)효과라고 한다. 다음 그림 7.15에서와 같이 수직한 축에 대해 섬유가 θ만큼의 각도를 이루며 배열하는 경우를 생각해 보자.

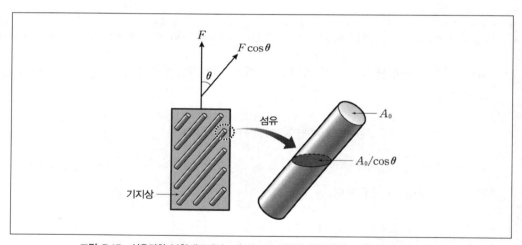

그림 7.15 섬유강화 복합재료에서 θ의 각도로 배향된 섬유들이 하중을 받는 경우

수직한 한 축을 1이라고 정의하고, 이 축 1에 대해 수직한 또 다른 축들을 각각 2와 3이라고 하면, 1,2,3축에 대한 응력 등은 다음 식과 같다.

$$\sigma_1 = \cos^2\theta\sigma_x$$
$$\sigma_2 = \sigma_3 = \sin^2\theta\sigma_x$$
$$\tau_{12} = \sin\theta\cos\theta\sigma_x$$
$$\sigma_3 = \tau_{23} = \tau_{31} = 0$$

한편 변형률 및 후크의 법칙에 의하면 1축과 2축에 따른 변형률 등은 다음 식과 같다.

$$e_1 = (1/E_1)[\sigma_1 - \nu_{12}\sigma_2]$$
$$e_2 = (1/E_2)[\sigma_2 - \nu_{12}\sigma_1]$$
$$\gamma_{12} = (\tau_{12}/G_{12})$$

따라서 x방향의 변형률은 다음 식과 같이 표현될 수 있다.

$$e_x = e_1\cos^2\theta + e_2\sin^2\theta + 2\gamma_{12}\cos\theta\sin\theta$$
$$= (\sigma_x/E_1)[\cos^4\theta - \nu_{12}\cos^2\theta\sin^2\theta]$$
$$+ (\sigma_x/E_2)[\sin^4\theta - \nu_{12}\cos^2\theta\sin^2\theta] + (2\sigma_x/G_{12})\cos^2\theta\sin^2\theta$$

한편 x방향의 탄성계수는 위 식과 후크의 법칙에 의해

$$E_x = \sigma_x/e_x$$

의 식으로 구할 수 있다. 이 값은 앞에서 구한 탄성계수의 상한치 보다 감소한 값이다. 이는 앞의 응력 식에서 살펴본 바와 같이 섬유에 작용한 응력 값이 $\sigma/\cos^2\theta$, $\tau/(\sin\theta\cos\theta)$ 만큼 감소한데 기인한다. 응력 뿐만 아니라 변형률 역시 θ의 함수로 표현되는 것을 알 수 있으며, 즉 섬유의 배열방향에 따라 특성이 달라진다는 것을 알 수 있다. 다음 그림 7.16에 배향각도 θ에 따라 섬유강화 복합재료의 탄성계수 값이 감소하는 경향을 알 수 있다.

Chapter 1
Chapter 2
Chapter 3
Chapter 4
Chapter 5
Chapter 6
Chapter 7
Chapter 8

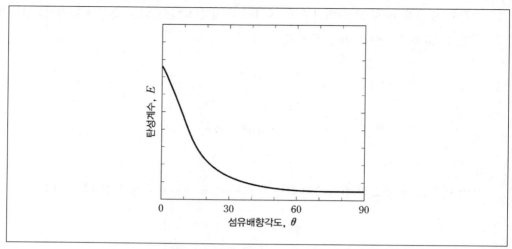

그림 7.16 섬유강화 복합재료에서 섬유 배향의 영향

⠿ 섬유강화 복합재료의 강도

섬유자체는 강성과 강도가 높아서 취성이 있을 수 있다. 따라서 섬유의 파괴가 기지상보다 먼저 일어나게 되면 복합재의 강도는 혼합법칙을 적용할 수 없다. 즉, 섬유가 먼저 깨지면,

$$UTS(극한인장강도 값) < V_m \times UTS_m + V_f \times UTS_f$$

로서 부등식의 우변과 같이 인장강도 값은 혼합법칙으로 구한 강도 값도다 적게 된다. 또 섬유의 부피분율이 매우 낮은 경우에는,

$$UTS = V_m (UTS)_m$$

의 식과 같이 섬유보다는 기지상의 부피분율과 강도에 의존하여 전체강도가 결정된다. 그러나, 섬유의 부피분율이 충분하여 하중을 지지할 경우에는

$$UTS = V_m \times \sigma_m + V_f \times UTS_f$$

으로서 복합재료의 강도 값을 향상시킬 수 있다. 위 식에서 σ_m은, $\sigma_m = (E_m/E_f)(UTS)_f$ 로서 섬유의 극한 강도값에 탄성계수 비율만큼 증가하게 된다.

섬유의 부피분율이 증가하면 강도는 향상되지만 향상되는 한계치는 있다. 섬유가 서로 분리되어 있어야 효과가 높기 때문이다. 섬유에 의한 인성을 높이기 위해 보통 섬유의 계면 상에 코팅층을 도입하여 섬유 간을 분리시키고 균열의 전파를 유도한다. 실제적인 한계치 는 대략 부피비로 55에서 60%정도로 알려져 있다.

일축으로 하중에 평행하게 배열된 섬유강화 복합재료의 강도는 앞에서 살펴본 탄성계수와 마찬가지로 섬유의 배열각도 θ에 따라 감소하는 값을 갖는다. 인장 축으로 배열한 섬유의 강도를 σ_f라고 할 때, 이에 비하여 인장축에 θ만큼 배열한 섬유의 강도는 다음 식과 같이 감소된다.

$$\sigma = \sigma_f / \cos^2\theta$$

한편 파괴는 기지 상에서의 전단에 의해서도 일어날 수 있다. 이 때 강도는 다음 식과 같이 감소된다.

$$\sigma = \tau_{inter} / (\sin\theta \times \cos\theta)$$

위 식에서 τ_{inter}는 기지상과 섬유상 계면의 전단강도 값이다. 섬유에 수직하게 작용하는 하중은 이와 같은 계면의 강도에 의존하여 다음 식과 같이 계산된다.

$$\sigma = \sigma_{inter} / \sin^2\theta$$

┇┇ 섬유강화 복합재료에서 섬유 길이의 효과

압출, 사출, 몰딩 등의 성형공정을 적용할 때는 장섬유의 길이를 유지하기 힘을 때도 있다. 이 때 섬유는 단섬유로 끊어질 수 있다. 그림 7.17에서와 같이 불연속으로 배열된 섬유로 강화된 복합재료에 있어서,

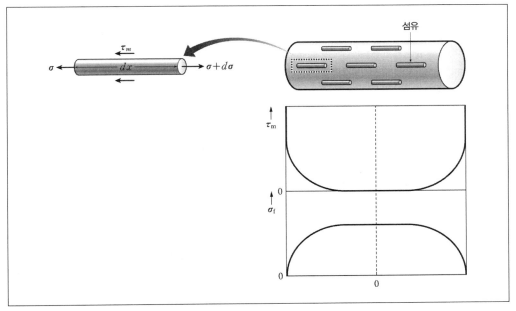

그림 7.17 불연속으로 배열된 섬유강화 복합재료

전단응력에 의해 기지 상에서 섬유 상으로 인장력이 전달된다. 이 때 섬유의 길이요소 dx 당 작용하는 응력은 다음 식과 같이 계산된다.

$$d\sigma_x/dx = 4\tau_m/d_f$$

위 식에서 τ_m은 기지상과 섬유상간에 작용하는 전단응력이고, σ_x는 그림과 같이 x축으로 작용하는 응력, d_f는 섬유요소의 직경이다. 그림의 그래프에서와 같이 섬유의 끝단에서 전단응력이 최대가 되며, 섬유의 중간에서 인장응력이 최대가 된다. 또한 섬유의 길이는 다음 식과 같이 강도에 비례하게 된다.

$$\ell_c/d_f = \sigma_f(\varepsilon_c)/2\mu P$$

따라서 섬유가 최고 강도 σ_f를 갖으려면, 어느 임계치 ℓ_c보다 섬유의 길이가 길어야 한다. 그림 7.18에 섬유길이의 효과를 나타내었다. (a)에서와 같이 섬유 길이가 길수록 인장응력의 최대값인 σ_{max}가 높은 것을 알 수 있다.

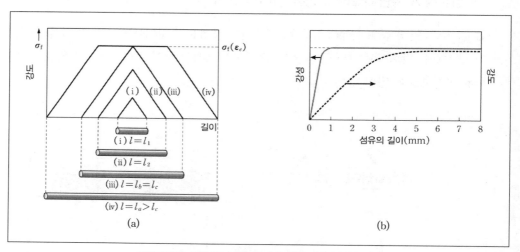

그림 7.18 섬유강화 복합재료에서 섬유 길이의 효과

또한 그림 (b)에서와 같이 섬유의 길이 $\ell < \ell_c$이면, 섬유의 평균 응력은

$$\sigma_{av} = \ell/(2\ell_c) \times \sigma_\infty$$

이다. 위 식에서 σ_∞는 길이가 ∞일 때의 응력을 의미한다. $\ell = \ell_c$이면,

$$\sigma_{av} = (1/2) \times \sigma_\infty$$

가 되고, $\ell > \ell_c$이면,

$$\sigma_{av} = (1 - X^*/\ell) \times \sigma_\infty$$

가 된다. 위 식에서 X^*는 좌측으로부터의 길이를 의미한다.

⊡ 섬유강화 복합재료의 응력–변형률 곡선

섬유강화 복합재료의 응력–변형률 곡선거동은 취성이 있는 낮은 인성을 갖는 재료의 응력
–변형률 곡선의 거동과 다르게, 곡선 밑의 면적이 증가하여 인성을 향상시킬 수 있다. 이는
복합재료를 강화시킨 섬유를 변형시키거나 파손시키는데 많은 에너지가 소모되기 때문이
다. 다음 그림 7.19에 취성재료 및 복합재료의 전형적인 응력–변형률 곡선을 나타내었다.

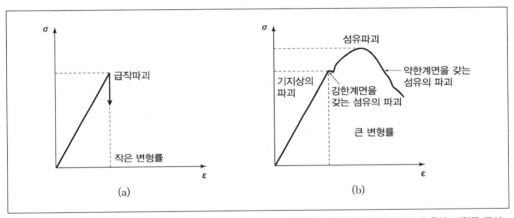

<u>그림 7.19</u> (a) 낮은 인성을 갖는 취성재료의 응력–변형률 곡선 및 (b) 높은 인성을 갖는 복합재료의 응력–변형률 곡선

그래프 (a)에서와 같이 낮은 인성을 갖는 취성재료는 하중에 의해 변형이 직선적으로 증가
하면서 하중을 지지하다가 어느 임계응력에서 급작스러운 파괴가 일어나게 된다. 따라서
응력–변형률 곡선 밑의 면적은 상대적으로 적게 된다. 반면, 그래프 (b)에서와 같이 높은
인성을 갖는 복합재료는 먼저 기지상이 파괴되고 두 번째로 강한 계면을 갖는 섬유의 파괴
가 일어난다. 그 후 섬유를 변형시키고 파괴시키는데 응력이 지속적으로 증가하여 에너지
가 소모된다. 이후 약한 계면을 갖는 섬유의 파괴에 의해 변형에 필요한 응력 값이 감소하
면서 궁극적으로 파손이 발생한다. 복합화하지 않은 재료의 파괴 시까지의 변형률에 비하
여 복합재료의 파괴 시까지의 변형률이 상대적으로 커서 인성이 향상됨을 알 수 있다.
그림 7.20은 연속적으로 배열된 섬유강화 복합재료에서의 전형적인 응력–변형률 곡선을
나타낸 것이다.

Chapter 1
Chapter 2
Chapter 3
Chapter 4
Chapter 5
Chapter 6
Chapter 7
Chapter 8

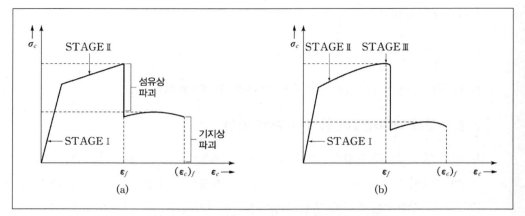

그림 7.20 연속적으로 배열된 섬유강화 복합재료에서의 응력–변형률 곡선

변위가 상대적으로 작을 때는 단계 I과 같이 (stage I) 응력이 다음 식에 의해 직선적인 거동을 나타낸다.

$$\sigma_c = \varepsilon_c \times [V_f E_f + V_m E_m]$$

이 식으로부터 변형된 다음 식을 얻을 수 있다.

$$d\sigma_c / d\varepsilon_c = V_f E_f + V_m E_m$$

단계 II(stage II)에서는 기지상이 변형이 일어나는 구간으로서,

$$\sigma_c = [V_f E_f \varepsilon_c + V_m \sigma_m \varepsilon_c]$$

으로 계산되고, 이로부터

$$d\sigma_c / d\varepsilon_c = V_f E_f + V_m (d\sigma_m / d\varepsilon)$$

의 식이 유도된다.

단계 III(stage III)는 섬유의 변형이 일어나는 구간으로서,

$$\sigma_c \varepsilon_c = [V_f \sigma_f \varepsilon_c + V_m \sigma_m \varepsilon_c]$$

으로 계산되고, 이로부터

$$d\sigma_c / d\varepsilon_c = V_f (d\sigma_f / d\varepsilon) + V_m (d\sigma_m / d\varepsilon)$$

의 식이 유도된다.

섬유의 변형 이후에는 섬유의 파괴가 일어나고 이후 완전히 기지상의 분리가 일어나 파단

이 발생한다.

섬유가 취성이 있는 기지 상을 강화시키는 경우, 섬유 파손에 필요한 힘은 다음 식과 같이 증가한다.

$$F = (\sigma^* \pi D^2/4)$$

위 식에서 σ^*는 섬유의 파괴강도, D는 섬유의 직경이다. 한편 섬유를 뽑는데 (pullout) 필요한 힘은

$$F = \tau^* \pi D x$$

의 식으로 주어지고 τ^*는 섬유의 전단강도를 의미한다. 위 두 식에 의하면 섬유의 직경 D가 크면 클수록 파손에 필요한 힘이 증가하고, pullout이 일어나려면 섬유를 돌아 진행하는 균열의 길이 x가 증가하여야 함을 알 수 있다.

그림 7.21에 취성이 있는 기지 상을 강화한 복합재료에서의 파괴거동을 모식도로 나타내었다. 취성이 있는 기지상이 먼저 파괴가 일어나며, 기지상이 파괴된다 하더라도 섬유가 파괴된 기지 상을 잡아주고 있으므로 전체적인 파괴가 지연된다.

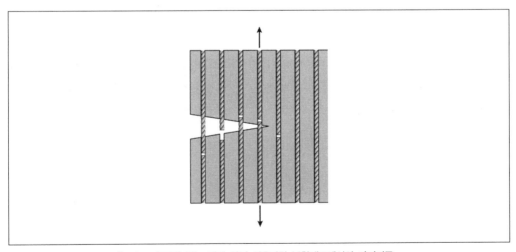

그림 7.21 취성이 있는 기지 상의 섬유강화 복합재료에서의 파괴거동

또한 그림 7.22에는 섬유파손에 필요한 에너지 곡선을 나타내었다.

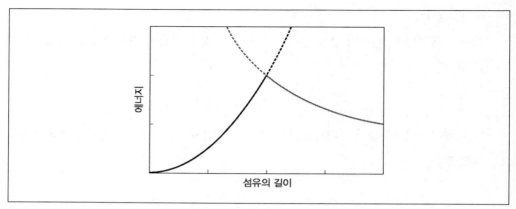

그림 7.22 섬유 파손에 필요한 에너지

섬유파손에 필요한 에너지는 다음 식과 같이 주어진다.

$$U = (\tau^* \pi D L^2)/32$$

위 식에서 τ^*는 섬유를 파괴시키는데 필요한 전단강도, L은 섬유의 길이이다. 섬유의 길이
가 임계 길이의 2배, 즉 > 2x*라면, 섬유 파손에 필요한 에너지는 다음 식과 같이 다시 쓸
수 있다.

$$U = (\tau^* \pi D L X^{*3})/(2L)$$

여기서 x*는 섬유를 뽑는 (pullout시키는) 임계 길이를 의미한다. 따라서 취성이 있는 기
지상이 파괴된다 하더라도 섬유가 파괴된 기지 상을 잡아주고 있으므로 파괴에 에너지가
소모되는 것을 알 수 있다.

Chapter 1

Chapter 2

Chapter 3

Chapter 4

Chapter 5

Chapter 6

Chapter 7

Chapter 8

■ 연습문제

7.4.1 주어진 데이터를 보고 샌드위치 구조의 특성 값을 구하시오.

1) 밀도 ρ

2) 탄성계수 E

3) 굽힘강도 σ

- 코어재 : 아라미드, 쎌 직경 3mm, 밀도 $147kg/m^3$
- 코팅재 : 탄소/페놀수지 복합재, 두께 0.25mm
- 패널 단위면적당 질량, m : $2.7kg/m^2$
- 패널 길이, L : 500mm
- 패널 폭, b : 50mm
- 패널 두께, t : 10mm
- 굽힘강성, EI : $120Nm^2$
- 파손모멘트, M_f : 200Nm

7.4.2 고분자량의 폴리에틸렌의 밀도, 탄성계수, 곡강도 값은 각각 $950kg/m^3$, $0.94GPa$, 33 MPa이다. 한편 폴리에틸렌 발포재의 밀도는 $150kg/m^3$이다. 이 정보들로부터 발포재의 다음 값을 계산하시오.

1) 탄성계수

2) 곡강도

7.4.3 n개의 판형 패널을 쌓아올렸을 때 탄성굽힘 형상계수의 설명 중 맞는 것은?

① $3/(n\pi)$만큼 증가한다

② $3/(n\pi)$만큼 감소한다

③ $1/n^2$만큼 증가한다

④ $1/n^2$만큼 감소한다

⑤ 단일체 낱장에 비해 변화가 없다

7.4.4 코발트 금속에 탄화텅스텐입자들이 부피비율로 40%가 분산된 복합재료가 있다. 벽돌담(Brick-wall model) 모델을 사용하여 복합재의 평균 탄성계수 값 E_{av}를 구하여라. WC와 Co의 탄성계수는 각각 700, 210GPa이고, $E' = 600GPa$임을 활용하시오.

7.4.5 두 개의 서로 다른 판상재료가 적층되어 있는 적층형 복합재료의 탄성계수는 다음과 같이 주어진다. 따라서 복합재의 탄성계수는 각 층의 (   ), (   ), (   )의 3가지 변수를 알면 계산할 수 있다. (   ) 안에 알맞은 단어를 기입하시오.

7.4.6 섬유강화 에폭시 복합재료에서 직조한 탄소섬유가 그림과 같이 인장 축을 기준으로 $\theta = 45$도 방향으로 배향되어 있다. 섬유가 부피비로 20% 첨가되었을 때 이 재료의 강도 값을 계산하시오. 아래 표에 정리되어 있는 재료의 특성들을 참고하시오.

재료 이름	밀도(g/m³)	탄성계수(GPa)	강도(MPa)
탄소섬유	1.95	390	2200
에폭시	1.2	5.5	85

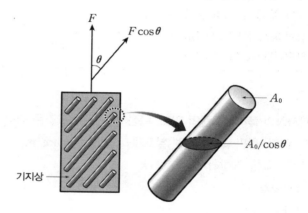

7.4.7 복합재료에 대한 설명 중 틀린 것은?

① 분산형, 적층, 섬유상 복합재료 중 기계재료로 많이 활용되는 것은 섬유복합재료이다.

② 일반적으로 무게대비 특성이 우수하여 비강도, 비강성이 우수하다.

③ 금속–금속, 세라믹–세라믹, 폴리머–폴리머 등 서로 같은 종류끼리 혼합한 것은 복합재료가 아니다.

④ 오토클레이브(autoclave)로 복합재료를 제조할 때는 고온, 고압을 가하여 제조한다.

7.4.8 섬유강화 복합재료에 대한 다음 설명 중 틀린 것은?

① 인장축과 섬유축이 평행한 선에 대해 섬유배열 각도가 증가함에 따라 강도가 증가한다.

② 섬유길이가 증가하면 강도가 증가하다가 일정한 값이 된다.

③ 부피분율이 약 40%될 경우 섬유강화복합재는 약한 기지상이 먼저 파괴되어도 강한 섬유에 의해 파괴가 지연되는 효과가 있다.

④ 섬유의 직경이 증가할수록 섬유 파손에 필요한 힘은 증가한다.

7.4.9 아래 그림에서 외부하중이 σ_A, 표면의 균열에 작용하는 인장응력을 F 라고 할 때 응력확대계수 K를 식으로 나타내고, 균열의 크기에 대해 균열이 안정할지의 여부를 설명하시오.

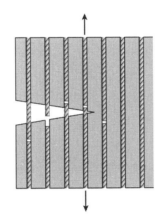

7.4.10 문제 9번 그림의 모식도를 보고, 다음 각 식에 대하여 균열가교기구(crack bridging mechanism)의 관점에서 설명하시오.

1) $F = \tau \pi D_x$

2) $U = \tau \pi D L^2 / 32$

Chapter 1
Chapter 2
Chapter 3
Chapter 4
Chapter 5
Chapter 6
Chapter 7
Chapter 8

제8장
재료 및 형상의 선택

8.1 설계에 중요한 재료지수

8.1.1 재료선택에서 재료지수의 중요성

제 3장에서 우리는 설계에 중요한 재료지수와 형상지수의 정의 및 종류를 살펴보았고, 제 4장에서는 탄성거동, 5장에서는 소성거동, 6장에서는 파괴거동을 살펴보았다. 본 8장에서는 3장에서 살펴본 재료지수를 재료거동 적 측면에서 적용하여, 재료지수로부터 재료를 선택하는 기법에 대해 배우고자 한다.

제 4장부터 6장에서 배운바 대로, 미시적인 측면에서 탄성거동은 원자배열과 원자결합력, 충진구조로부터, 소성거동은 전위의 움직임과 강화현상으로부터, 파괴거동은 균열의 안정성과 균열의 성장여부에 의존한다. 이러한 미시적인 거동이 원인이 되어 거시적으로 재료의 탄성계수 E, 항복강도 σ_Y, 파괴인성 K_{IC} 의 특성이 나타난다고 할 수 있다. 이 값이 클수록 유리한 경우와 작을수록 유리한 경우는 각각 그 적용이 어떠하냐에 따라 다르므로 큰 값을 선택할지, 작은 값을 선택할지는 어떤 응용인가에 의해 결정되어져야 한다. 예를 들면 소성변형이 일어나서는 안 되는 강한 벽체의 경우는 항복강도 σ_Y 가 큰 재료를 선택하여야 할 것이고, 두꺼운 판재 등을 복잡한 형상으로 가공하고자 할 때는 어느 정도 연성이 있을수록 유리하므로 항복강도 σ_Y 가 작은 재료를 선택하여야 할 것이다.

특성과 함께 반드시 고려해야 할 요소가 밀도와 가격이다. 밀도는 기계부품의 소재를 선택할 때 고려해야할 무게와 밀접한 관련이 있다. 일반적으로 일정한 공간을 차지하는 부품을 설계하는데 있어서, 부피는 제한적인 요소로 대략 결정되어져 있으므로 그 무게는 밀도에 비례한다. 일반적으로 기계적 강도 등 기계적 특성이 비슷하다면 가벼운 무게의 소재를 선택하는 것이 에너지 효율적 측면에서 유리하므로, 작은 밀도의 소재를 선택하는 것이 바람직하다고 말할 수 있다. 이와 마찬가지로 가격을 선택하는데 있어서도 같은 특성과 비슷한 무게라면 경제성을 고려하여 저렴한 재료를 선택하는 것이 유리하다. 따라서 3장에서 살펴본 재료지수와 같이, 특성값을 분자에, 밀도를 분모에 위치시키면 재료 지수 값이 큰 것을 선택하는 것이 유리하다고 말할 수 있다. 재료의 지수인 특성과 밀도 값 이외에 저렴한 가격을 고려한다면,

$$특성/(가격 \times 밀도)$$

의 형태로 지수를 확장할 수 있고, 이 값이 클수록 재료선택에 유용하다고 말할 수 있다.

8.1.2　재료선택의 절차

1장 및 3장에서 우리는 재료의 설계 절차에 대해서 간략히 언급하였다. 설계란 기존의 기능을 어떤 목적에 의해 향상시키는 것이라고도 말할 수 있다. 따라서 가장 먼저 설계의 요구조건을 정의할 필요가 있다. 부품에 어떤 기능을 부여할 것인가? 크기, 무게 등 제한조건은 어떤가? 등을 고려하여 재료의 후보군들을 좁혀나간다. 그리고 설계의 목표를 결정하기 위해 무엇을 최대화할 것이고, 무엇을 최소화할 것인지를 결정한다. 설계목표를 정하는데 제한되지 않는 자유변수도 파악해 두면 좋을 것이다.

3장에서 살펴본 바대로 질량을 가볍게 하는 것이 목표라면 질량 m에 대한 식을 기능요구조건, 기하학적 형상, 재료특성의 함수로 나타내고, 제한조건으로부터 자유변수를 소거한 후, 변수를 기능요구조건 F (Function), 기하학적 형상 G (Geometry), 재료특성 M (Material)의 세 그룹으로 표현하고, 성능척도를 크게 하거나 작은 쪽을 용도에 맞게 선택하면 된다.

$$성능척도\ P \le f(F) \times f(G) \times f(M)$$
$$또는\ P \ge f(F) \times f(G) \times f(M)$$

성능척도는 다차원적 차트로부터 최대 또는 최소 점을 선택하여야 하는데 매우 복잡하고 컴퓨터를 활용하여 찾아나가야 한다. 여기서는 재료지수인 f(M)에 의한 선택에 대해서, 그리고 이해를 돕기 위해 단면을 잘라 2차원적 특성 차트를 예를 들어 재료선택의 요령에 대하여 살펴보기로 한다.

예를 들면 그림 8.1 (a)에서와 같이 금속재료의 각각의 밀도 값을 x축에, 탄성계수 값을 y축에 나타낸 특성 차트를 살펴보자. 전반적으로 금속의 밀도가 증가할수록 탄성계수 역시 증가하는 경향이 있음을 알 수 있다.

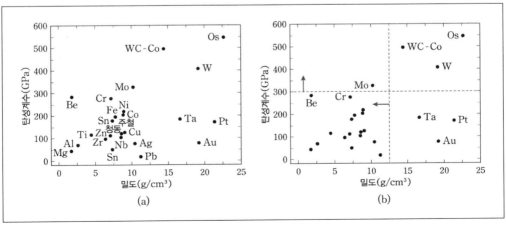

그림 8.1 금속재료의 탄성계수(E)−밀도(ρ) 특성 차트

동일한 그림 8.1 (a)의 그래프에 그림 8.1의 (b)에서와 같이 설계의 목표를 이루기 위한 어떤 기준선이 포함된 경우를 생각해보자. 설계의 목표가 기존의 사용하고 있는 금속소재의 밀도보다 가볍고, 기존의 탄성계수보다 높은 소재로 대체하는 것이라면, (b)의 그래프에서 밀도의 수직선보다는 왼쪽을, 그리고 탄성계수의 수평선보다는 위쪽의 영역을 선택하여야 한다. 예를 들어 기존에는 Ta의 소재가 사용되었는데 너무 무거워 설계변경이 필요하여 밀도가 $12.5g/cm^3$이하이어야 하고, 탄성계수는 Ta보다 높은 $300GPa$ 이상의 소재를 선택하는 것이 설계목표라고 하자. Ta보다 Pt, Au등은 가격이 비싼데다가 밀도가 높으므로 제외된다. 탄성계수 $300GPa$ 주위 또는 그 이상의 특성을 나타내는 후보재료들을 선택하면 Be, Cr, Mo, 초경합금, W, Os이다. 이 중 저밀도의 것을 고르면 Be, Cr, Mo 등이 되겠고 이 중 $300GPa$이상의 탄성계수를 갖는 것은 Mo이므로 최종재료로 몰리브데늄(Mo)을 선택한다. 나머지 소재들은 Ta보다 모두 가볍지만 원하는 탄성계수의 성능이 미달되므로 선택되지 못하였다.

그림 8.2는 어느 부품소재를 선택하는데 있어서 설계의 목표를 이루기 위해 가벼우면서도 (밀도가 작으면서도) 기계적 강도가 큰 재료를 선택하는 하나의 사례를 나타내었다.

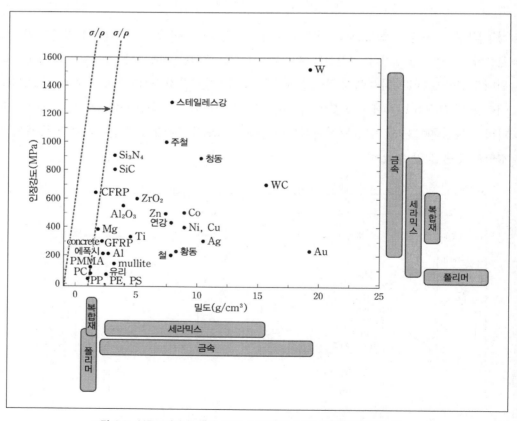

그림 8.2 부품소재의 강도(σ)−밀도(ρ) 기준선(σ/ρ)에 의한 재료선택의 예

그림 8.2 와 같은 특성차트에서 x축은 재료의 밀도 (g/cm^3), 세로축은 인장강도(MPa)의 특성을 도시하였다. 밀도의 경우 폴리머가 가장 작고, 세라믹스, 금속의 순으로 무겁다. 같은 재료군이라고 하더라도 재료의 종류에 따라 특성차이가 존재하므로 그래프에 밴드의 형태로 특성값을 표시하였다. 우측의 인장강도 특성밴드의 경우 최대만 생각하면 금속이 가장 크고 세라믹스, 복합재, 폴리머 순이다. 그래프 내에 하나의 기준선(σ/ρ)을 점선으로 나타내었다. 밀도가 적으면서도 강도가 높으려면 기준선의 왼쪽 위의 영역에 해당하는 재료를 선택해주면 된다. 먼저 기준선을 그리고 이를 수평으로 이동해 간다. 이 때 왼쪽 위의 영역을 가장 먼저 만나는 소재는 CFRP이다. 이 소재가 밀도가 가벼우면서도 강도가 높은 기준을 만족하는 재료라고 할 수 있으므로 선택될 수 있다. 물론 이러한 기준선은 임의로 제시한 것이며, 재료의 탄성 및 소성이 중요한 설계에 있어서 3장에서 살펴본 하중과 특성을 고려한 재료지수들 즉 E/ρ, $E^{1/2}/\rho$, $E^{1/3}/\rho$, 또는 $\sigma^{2/3}/\rho$ 지수들이 재료선택에 중요한 지수들로 작용할 것이며 이에 대해서 다음 절들에서 살펴보고자 한다.

8.2 탄성거동 적 측면에서의 재료설계 및 선택

8.2.1 재료의 탄성거동

탄성적 거동은 재료를 구성하는 원자들이 어떠한 힘으로 결합하고 있는가와 일정한 부피의 공간을 어떻게 배열하면서 채워져 있는가에 의존한다. 힘의 작용에 의해 변형이 거의 일어나지 않는 높은 강성 또는 변형이 어느 정도 일어난다 하더라도 힘을 제거하면 원래의 상태로 회복하는 탄성거동을 나타내는 재료들은 일반적으로 원자결합력이 강하고, 일정한 부피 내에 많은 원자들로 채워져 있어서 충진 밀도가 높다. 이는 강성 또는 탄성을 나타내는 재료를 변형시키려면 원자간 결합의 힘, 즉 결합강도 이상의 힘을 가해야 하는 것을 생각할 때 쉽게 이해할 수 있다. 즉 강성 또는 탄성이 높은 소재는 그렇지 않은 재료에 비하여, 이 힘에 대한 저항이 크다고 말할 수 있다. 또 일정부피 내에 채워져 있는 원자들 간의 결합력을 모두 끊는다고 생각할 때는 충진 밀도가 우수할수록 더 많은 힘이 필요하다.

위와 같은 원자결합력, 원자배열 및 충진 구조에 의해 거시적인 탄성거동이 나타난다. 외부에서 가해지는 힘을 재료의 단면적으로 나누어주면 면적당 받는 힘이 되는데 이를 응력, 변화된 길이를 초기의 길이로 나눈 값을 변형률이라 하여 x축을 변형률, y축을 응력으로 도시할 때 다양한 힘에 의한 응력, 변형률 값들을 도시하면, 초기 힘이 작은 구간에서 선형구간이 도시되는

Chapter 1
Chapter 2
Chapter 3
Chapter 4
Chapter 5
Chapter 6
Chapter 7
Chapter 8

데 이 구간을 탄성구간이라고 부르고 재료는 이 구간 내에서 탄성거동을 한다. 즉 이 구간에서는 어느 정도 힘을 가하면 변형이 되다가도 힘을 제거하면 원래의 상태로 회복된다. 이 선형구간의 기울기는 재료마다 다른 값을 갖는데 그 기울기 값에 해당하는 것이 탄성계수 값이며, 재료의 특성이 되며 탄성설계에 있어서 중요한 재료변수 값이다. 탄성계수 값이 클수록 재료의 변형은 적어지며 이러한 성질을 강성이 높다고 말한다.

재료는 3차원적으로 제조되고 사용되므로 탄성계수도 1차원적 값보다는 3차원 후크의 법칙으로써 변형률 ε을 탄성계수 E, 응력 σ, 포아슨 비 ν의 함수로 표현할 수 있고, 수직 하중에 의한 탄성계수 E, 전단력에 의한 전단계수 G, 체적계수 K 는 서로 영향을 받는 상호관계에 있다. 탄성계수 값은 재료가 동일하면 모두 같은 값을 갖는 것이 아니라 결정학적 방향에 따라 또는 제조방법에 따라, 재료의 현미경적 구조에 따라 서로 다른 값을 나타내는 이방성의 특징을 갖는다.

폴리머의 탄성 적 특성의 대표적인 것은 점탄성 적 성질이며 하중을 제거하면 원래의 상태로 회복은 되지만 회복되는데 시간이 필요하다. 탄성이 높은 소재가 구속이 된 상태에서 열을 받아 온도가 상승되었다가 냉각된다면 열응력이 작용하므로, 재료거동에 있어서 열팽창계수와 함께 탄성계수를 고려하여야 한다.

탄성설계에 있어서 가장 중요한 재료지수는 탄성계수(elastic modulus, E)이다. 다음 그림 8.3에 공업재료의 탄성계수를 밀도(무게)의 함수로 로그−로그 곡선으로 표시하여 나타내었다.

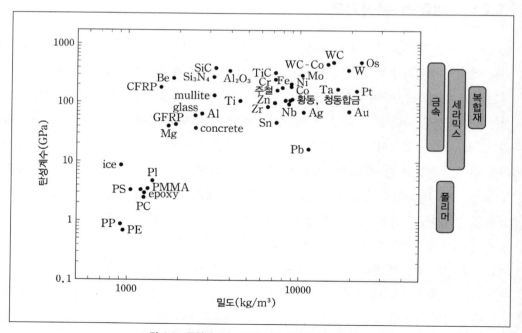

그림 8.3 공업재료의 탄성계수(E)−밀도(ρ) 특성차트

그림 8.2에서 살펴보았던 것과 마찬가지로 폴리머가 가장 가볍고, 금속은 공업재료 중에서도 무거운 편에 속한다. 세라믹스는 두 소재의 중간정도이며, 섬유로 강화한 폴리머는 가벼우면서도 특성을 높일 수 있다. 탄성계수의 범위를 그래프 우측에 밴드의 형태로 나타내었다. 금속과 세라믹스의 탄성계수가 크며 폴리머의 경우 상대적으로 낮은 쪽에 위치함을 알 수 있다.

재료지수에 있어서 탄성계수를 고려할 때, 하중의 종류 즉 인장력을 받는가, 굽힘 하중을 받는가, 굽힘 하중을 받는 부재가 보의 형상인가 판재인가에 따라 서로 다른 지수를 고려하여 설계하여야 함을 3장에서 유도하였고, 다음 절에서 사례 중심으로 살펴보기로 한다.

8.2.2 재료지수에 의한 탄성설계 및 재료선택 사례

탄성설계에 있어서 가장 중요한 재료의 특성은 탄성계수이다. 또한 시스템의 에너지효율을 향상시키기 위해서는 무게가 가벼워야 하므로 일정체적을 고려할 때 무게에 비례하는 밀도 값이 작은 재료를 선택하는 것이 좋다. 특성과 밀도가 비슷하다면, 가격은 저렴한 것을 선택하는 것이 바람직하다.

그림 8.4의 현수교와 같이 케이블이 하중을 지지하는 경우 케이블은 탄성과 강성이 높은 것을 사용하여야 한다. 이 때 케이블은 인장력이 작용하므로 제 3장에서 살펴본 바와 같이 재료지수는 E/ρ가 높은 재료를 선택하면 바람직하다.

그림 8.4 장력이 작용하는 현수교의 예

그러나 현수교의 케이블은 정적인 구조물이므로 힘의 평형을 이루고 바람과 기후에 견딜 수 있도록 설계한다면 밀도나 무게를 크게 고려하지 않아도 큰 무리가 없다. 교량을 시공할 때의 작업성 측면에서의 무게만 고려한다면 제조 후 가벼운 무게의 재료를 선택할 이유는 그다지 없는 것이다. 따라서 폴리머 등과 같이 가벼운 무게를 갖는 것보다는 탄성계수가 높은 소재를 선택하면 된다. 또한 강성이 너무 높은 것 보다는 강풍에도 유연하게 대응하는 것이 바람직하므로

Chapter 1
Chapter 2
Chapter 3
Chapter 4
Chapter 5
Chapter 6
Chapter 7
Chapter 8

세라믹스 소재보다는 금속 소재가 바람직 할 것이다. 따라서 그림 8.1에서 탄성계수가 높은 금속을 선택하여 주면 되고, 강철을 적절한 탄성계수를 갖는 소재로 선택하고, 바다의 해수에 의한 부식 등에 대한 저항성을 높이기 위해 아연으로 도금한 강선을 선택하여 적용한다.

그림 8.5의 (a) 와 같이 자동차 차축의 양쪽 끝단이 지지되어 있고, 차축 위에 엔진부품 등이 탑재되어 하중이 가해진다 생각하고 그 하중을 집중하중으로 바꾸어준다면 차축에 굽힘 응력이 작용할 수 있다. 이 굽힘 응력에 대한 탄성설계에 적합한 재료지수는 3장에서 살펴본 바와 같이 $E^{1/2}/\rho$의 지수를 고려해주면 된다. 항공기 날개의 경우도 그림 8.4의 (b)와 같이 운행 도중 기류의 영향으로 불균일하게 분포하는 하중이 가해진다면 날개 의 어느 부분은 굽힘 하중이 작용할 수 있다.

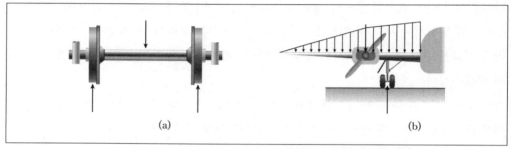

그림 8.5 (a) 자동차의 차축과 (b) 비행기 날개에 작용하는 하중

위와 같은 차축과 날개 보의 부품소재로 적합한 소재를 선택하려면 탄성계수 E와 밀도 ρ의 그래프로 재료특성을 나타내고 이로부터 재료를 선택해 나가는 방법을 살펴보기로 하자.

표 8.1 자동차 차축, 비행기 날개 보의 후보재료군

재 료	탄성계수 (GPa)	밀 도 (kg/m³)	가 격 ($/ton)	항복강도 (MPa)	인장강도 (MPa)	인 성 (kJ/m²)
Steel	200	7800	1000	1000	1500	100−150
Aluminum	69	2700	3000	40	200	10−30
GFRP	40	2000	5000	500	200	10−100
Beryllium	290	1850	−	200	500	0.08
SiC	440	3210	35000	10000	800	0.05
CFRP	270	1500	100000	1000	650	5−30
Brass	120	8000	10000	638	800	350
polycarbonate	2.6	1250	5000	55	60	2
PMMA	3.4	1200	3500	60−110	110	0.35
Al₂O₃	390	3980	15000	5000	550	0.02

자동차 차축이나 비행기 날개 보의 설계 기능은 수송기관이므로 가벼울수록 에너지효율이 우수하므로 일정체적에서의 무게, 즉 밀도가 작은 소재가 바람직하다. 또한 굽힘 응력에 저항성이 높으려면 탄성계수 E가 높은 소재를 선택하여야 한다. 따라서 가벼우면서도 탄성이 우수한 재료를 선택하는 것이 설계목표이다. 가격도 고려하여야 하므로 위의 표 8.1에 제시된 여러 데이터 들 중에서 탄성계수, 밀도, 가격에 대한 데이터 들을 중점으로 후보재료 군을 설정한다.

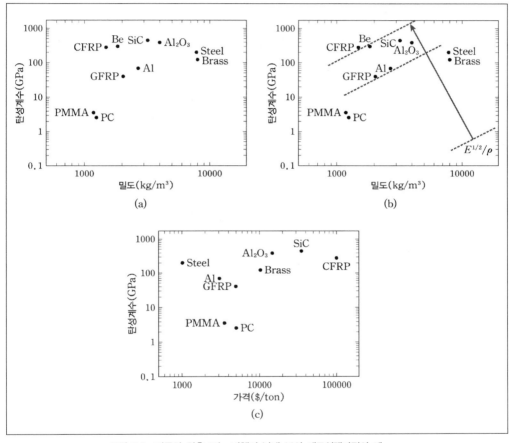

그림 8.6 자동차 차축 또는 비행기 날개 보의 재료선택과정의 예

그림 8.6에 차축 및 날개 보의 재료선택과정의 예를 나타내었다. (a)에는 표8.1의 후보재료 들의 재료지수에 중요한 변수인 탄성계수를 밀도의 함수로 그래프로 표시하였다. (b)에서는 3장에서 살펴본, 굽힘 하중이 작용하는 탄성설계에 있어서의 재료지수인 $E^{1/2}/\rho$를 점선으로 나타내었다. 일정밀도에 대해 탄성계수가 높은 재료를 선택하여야 하므로 점선의 왼쪽 위에 위치하는 재료를 선택한다. 따라서 그림(b)에서와 같이 기준선을 왼쪽 위로 평행 이동시켰을 때 왼쪽 상부에 위치한 재료가 선택의 대상이 되어, 궁극적으로 **CFRP**를 최종재료로 선택할 수 있다.

그림 (c)에서는 재료의 탄성계수를 가격의 함수로 나타내었다. 베릴륨(Be)은 너무 비싸서 가격 고려에서 제외하였다. 그림(c)에서 볼 수 있는 바와 같이 (b)에서 선정한 CFRP의 경우 가격이 매우 고가인 것을 알 수 있다. 그러나 자동차나 항공기는 탑승자의 생명과 연관된 중요한 수송 기기이고 안전계수가 일반 기계보다 높으므로, 안전도를 고려할 때 높은 비용을 지불한다고 하더라도 CFRP를 최종재료로서 선택한다.

다음으로 대형 천체망원경의 지지대, 외부 위성안테나, 압축공기의 압력에 의해 작동하는 대형 터빈블레이드, 대형 태양전지판의 지지대 등 패널(panel) 형태의 부품에 굽힘 하중이 작용하는 경우를 예로 들어보자. 이 경우의 재료지수는 3장에서 살펴본 바와 같이 $E^{1/3}/\rho$의 재료지수를 적용할 수 있다. 다음 표 8.2에는 대형 태양전지판의 지지대로 활용 가능한 소재의 탄성계수, 밀도, 가격, 재료지수에 대한 데이터를 표로 정리하였다. 재료지수계산 시에는 밀도는 편의상 g/cm^3으로 환산하여 계산한 값을 나타내었다.

표 8.2 대형 태양전지판 지지대의 후보재료 군

재 료	탄성계수 (GPa)	밀 도 (kg/m³)	가 격 ($/ton)	재료지수 $E^{1/3}/\rho$
Steel	200	7800	2500	0.75
Concrete	40	2500	250	1.37
Al alloy	69	2700	3000	1.52
Mg alloy	43	1740	5000	2.01
Ti alloy	116	4500	10000	1.08
Glass	70	2500	2000	1.65
GFRP	45	1900	5000	1.87
CFRP	200	1560	100000	3.75

다음 그림 8.7에는 후보재료 군을 $E - \rho$의 그래프로 도시한 결과와, $E^{1/3}/\rho$의 기준선을 적용한 결과를 같이 나타내고 있다.

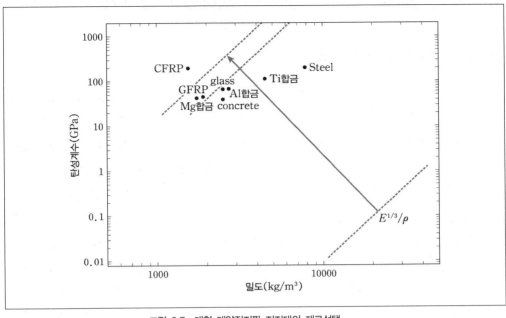

그림 8.7 대형 태양전지판 지지대의 재료선택

대형 판의 지지대는 먼저 무게가 가벼워야 한다. 모두 체적이 같다고 가정한다면, 그림에서와 같이 steel이 가장 무겁고, Ti합금도 무거우면서 가격도 비싸다. 금속 중에서는 Al, Mg합금이, 세라믹스 중에서는 glass, concrete, 복합재 중에서는 GFRP와 CFRP가 무게가 상대적으로 가벼운 것을 알 수 있다. 탄성계수만 생각하면 CFRP가 가장 월등하고 이어서 steel, Ti합금의 탄성계수가 우수하다. 3장에서 살펴본 대로 패널 판에 굽힘 하중이 작용할 경우 고려할 수 있는 재료지수는 $E^{1/3}/\rho$이다. 즉 이 지수 값이 큰 소재를 최적재료로 선택할 수 있다. 표 8.2에 각 재료의 밀도와 탄성계수로부터 고려한 재료지수 데이터들을 정리하였다. 가장 큰 지수를 갖는 소재는 CFRP이며, 그 다음은 Mg 합금, GFRP 순이다. 이 기준선을 그림 8.7의 점선으로 나타내었다. 재료 특성 차트 내에서 점선의 기준선을 평행이동할 수 있다. 평행이동 시에 좌측 상면에 위치하는 재료가 기준 이상을 갖는 재료이다. 그래프 위쪽에 표시된 점선들을 기준으로 할 때, CFRP, Mg합금, GFRP 순으로 재료를 선택할 수 있으며 표에서의 지수 데이터로부터 선정한 것과 일치함을 알 수 있다. 따라서 대형 태양전지판의 지지대에 적합한 최종재료로서 CFRP를, 가격을 고려하여야 한다면 Mg합금을 차선의 재료로 선택한다.

8.3 소성거동 적 측면에서의 재료설계 및 선택

8.3.1 재료의 소성거동

소성거동을 나타내는 금속을 현미경으로 관찰하면 미시적으로 전위(dislocation)라는, 원자의 위치가 바뀌어 발생하는, 선결함을 발견할 수 있다. 이 선결함에 전단응력을 가하면 전위는 이동하여 쉽게 변형된다. 보다 미세하게 관찰하면, 원자들이 어느 면 위에서 일정한 방향으로 동시에 움직이는 현상인 슬립(slip)이 일어난다. 그러나 전위가 이동하는 경로에 원자들의 석출물, 분산상, 고용체, 입계 등이 존재하게 되면 전위가 이동하지 못하고 에너지를 낮추려 활처럼 휘는 등 루프가 형성되다가 끊어져, 단위체적당 전위의 수, 즉 전위 밀도가 증가하게 된다. 전위 밀도가 증가하면 재료의 기계적 강도, 경도가 증가하는 강화(경화)현상이 일어나게 된다.

이러한 전위의 생성 및 이동, 밀도 증가에 의해 거시적인 소성거동이 나타난다. 일반적인 응력－변형률 곡선에서 직선구간을 벗어나 곡선의 거동으로 변화된다. 직선구간 이후를 소성구간이라고 하며, 이 구간에서는 하중을 제거해도 원래의 상태로 회복되지 못하고 영구 변형된 상태로 존재한다. 직선구간과 곡선구간의 경계에 해당하는 응력을 항복응력(yield stress)으로 정의한다. 그러나 재료가 견딜 수 있는 내력보다 큰 외력에 의해 재료의 항복이 일어났다고 하더라도 재료는 급격히 연해지는 것이 아니라, 어느 정도의 변형에 하중의 증가가 필요하게 되는데, 그 이유가 전위밀도의 증가에 있다. 이러한 재료의 강화현상은 응력－변형률곡선의 최대점에서 네킹이 일어난 후 단면적이 감소할 때까지 일어난다. 네킹 이후에는 쉽게 변형이 일어나며, 변형 량은 가해진 응력이 적용된 시간에 의존하게 되어 변형률 속도가 증가한다. 이 변형률 속도는 특히 고온에서 중요하다.

일반적으로 금속과 다르게 세라믹스는 소성이 일어나기 전에 파괴되며, 폴리머는 소성이 일어날 때 점성유동이 같이 발생한다. 탄성과 마찬가지로 소성도 결정구조, 제조방법, 현미경적 구조에 따라 서로 다른 이방성의 특성을 나타낸다.

변형률은 응력만의 함수가 아니며, 고온에서 장시간 하중이 작용할 때 잘 일어나게 되는데 이러한 거동을 크리프(creep)라고 한다.

소성에 있어서 중요한 설계변수는 항복강도, σ_Y 이다. 항복강도가 높은 소재일수록 직선적인 탄성구간이 더 많고 따라서 소성에 대한 저항성이 우수하다. 다음 그림 8.8에 공업재료의 항복강도를 밀도(무게)의 함수로 표시하여 나타내었다. 전반적으로 밀도가 증가할수록 항복강도는 높아서 비례의 관계가 있다. 그래프 우측의 재료그룹별 특성밴드를 살펴보면 세라믹스의 항복강도가 가장 높고, 폴리머의 항복강도가 가장 낮다. 금속은 중간정도이며 금속의 항복강도 특성범위가 넓다는 것을 알 수 있다.

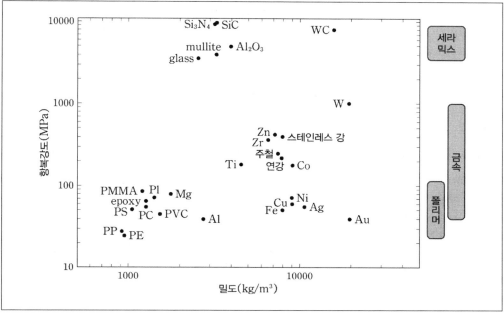

그림 8.8 공업재료의 항복강도(σ_y)-밀도(ρ) 특성차트

굽힘 하중이 작용하는 경우, 외팔보 및 스프링에 적용되는 재료의 선택, 항복과 좌굴이 일어나는 사례 등 소성에 대한 설계주제를 다음 절에서 살펴보기로 한다.

8.3.2 재료지수에 의한 소성설계 및 재료선택 사례

그림 8.9에서와 같이 굽힘 응력을 받는 외팔보에 대해서 생각해보자. 보의 한쪽 끝단은 벽에 단단히 고정되어 있고, 반대편 끝단에 아랫방향으로 하중이 작용할 때 정해진 값 이하로 처짐 변형이 되도록 설계하여야 하고, 무게가 가벼운 부품소재를 제작하는 것을 설계목표로 잡을 때 어떤 재료가 선호되는지를 앞 장에서 살펴본 탄성설계를 통해서 결정하려면, $E^{1/2}/\rho$가 큰 재료를 선택하여야 한다.

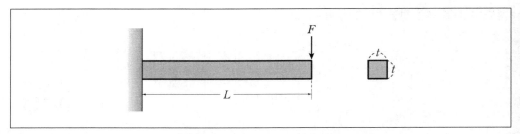

한편, 보에 발생되는 최대 응력을 일정 값 이하로 유지하여 처짐 변형이 이루어지지 않도록 설계하고, 보의 무게를 최소화하려면, 3장에서 살펴본대로 $\sigma_Y^{2/3}/\rho$가 큰 재료를 선택하여야 한다. 표 8.3에 외팔보 재료의 후보군 몇 개를 나타내었으며, 밀도와 항복강도 데이터를 삽입하였다.

표 8.3 외팔보 변형저항에 적합한 재료후보군

재 료	밀 도 (kg/m^3)	가 격 ($/ton)	항복강도 (MPa)	재료지수 $\sigma^{2/3}/\rho$
Steel	7800	1000	1000	12.82
Aluminum	2700	3000	40	4.33
GFRP	2000	5000	500	31.50
SiC	3210	35000	10000	144.60
CFRP	1500	100000	1000	66.67
Brass	8000	10000	600	8.89
polycarbonate	1250	5000	55	11.57
PMMA	1200	3500	85	16.11
Al_2O_3	3980	15000	5000	73.47

다음 그림 8.10에는 표 8.3의 후보재료 들을 $\sigma_Y - \rho$의 그래프로 도시한 결과와, $\sigma_Y^{2/3}/\rho$의 기준선을 적용한 결과를 같이 나타내고 있다.

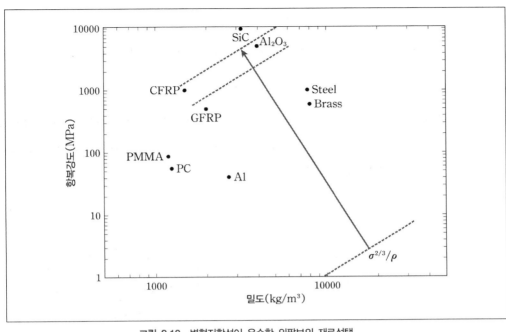

그림 8.10 변형저항성이 우수한 외팔보의 재료선택

그래프 아래에서 표시된 $\sigma_Y^{2/3}/\rho$의 기준선을 앞에서와 같은 방법으로 좌측 위로 평행이동시켰을 때, 무게가 가벼우면서도 항복강도가 우수하여 처짐 변형이 일어나지 않을 것으로 예상되는 재료들은 CFRP, Al_2O_3, SiC로 압축된다. 기준선을 좌측 위로 더 이동시켰을 때 선택할 수 있는 최종재료는 SiC이다. 이의 데이터를 표 8.3에서 확인할 수 있으며, SiC가 가장 큰 재료지수 값을 갖는 것을 알 수 있고, 그림 8.8에서도 SiC가 가장 높은 항복강도 값을 갖는 것을 확인할 수 있다.

두 번째 소성설계의 사례로서, 기계요소로 사용되는 스프링을 살펴보고자 한다. 스프링은 단위 체적당 변형에너지를 저장하였다가 탄성력에 의해 회복될 때 에너지를 방출한다. 따라서 단위 체적당 변형에너지 u를 크게 하는 것이 좋다. 이 변형에너지는 응력－변형률 곡선 아래의 면적에 해당되는데, 탄성구간을 생각한다면,

$$u = 1/2 \times \sigma \times \varepsilon$$

이 되고 후크의 법칙에 의해

$$\varepsilon = \sigma/E$$

가 되므로,

$$u = 1/2 \times (\sigma^2/E)$$

의 값이 된다. 여기서 괄호 안의 항은 재료의 특성과 관련된 재료지수가 된다.

$$M = \sigma^2/E$$

따라서 M이 클수록 스프링으로서 좋은 재료라고 말할 수 있다. 여기서 σ는 금속은 항복강도, 세라믹은 인장강도이다. 다음 그림 8.11에는 후보재료군을 $E - \sigma$의 그래프로 도시한 결과와, σ^2/E의 기준선을 적용한 결과를 같이 나타내고 있다.

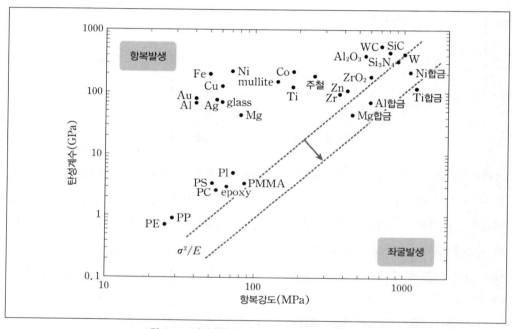

그림 8.11 탄성에너지가 높은 스프링의 재료선택

탄성에너지가 높으려면 σ^2/E이 클수록 좋으므로 점선의 우측아래에 놓이는 재료를 선택하는 것이 바람직하다. 따라서 그래프 내의 점선 우측 아래에 있는 후보소재들은 Ni, Mg, Al, Ti 합금 군이 되겠다. 세라믹스의 경우도 탄성계수가 높고 압축강도가 높아서 기준선 근처에 있기는 하지만, 항복강도가 너무 높아서 기준선 좌측에 위치하게 된다. PP, PI, PMMA 등 폴리머계의 재료는 탄성계수와 항복강도가 낮아 좌측 아래에 위치하게 되므로 스프링재료로서 바람직하지 못하다. 따라서 스프링재료로서는 금속, 특히 항복강도가 우수하도록 제작한 합금 중에서 기준선의 가장 우측 하단에 위치하는 Ti 합금이 최종재료로 가장 적합하다고 판단할 수 있다. 한편 그림 8.11에서 회색의 영역으로 나타내었듯이, 탄성계수가 낮으면 좌굴이 먼저 발생하고,

항복강도가 낮으면 항복이 먼저 발생한다. 스프링으로 사용하기 위해서는 좌굴과 항복, 둘 다 일어나지 않도록 설계하여야 한다.

탄성에너지 식 σ_Y^2/E의 재료지수 식의 양변에 로그를 취해보자.

$$\log M = 2(\log\sigma) - (\log E)$$

이므로,

$$\log E = 2(\log\sigma) - \log M$$

으로서,

$$Y = 2x + \log(1/M)$$

유형의 식이 된다. 따라서 $E - \sigma$의 그래프에서 E의 수직선과 만나는 직선의 절대 값이 작을수록 재료지수 M이 크다.

지금까지는 단위부피당 변형에너지를 말하였는데, 단위무게당의 에너지를 크게 하기 원하는 스포츠 경기 중 도움받기 높이뛰기에서 사용하는 장대의 재료를 선택하는 사례를 살펴보자. 단위 무게 당은 $1/m$이므로,

$$1/m = (1/\rho) \times (1/V)$$

이므로, 단위 무게 당이면,

$$(1/\rho) \times (1/V) = (1/\rho)(\sigma^2/E)$$

의 값을 크게 해주면 된다. 예를 들어 스포츠 경기에서 도움받기 높이뛰기에서 사용하는 장대의 경우는 일종의 스프링 역할을 한다. 장대가 부러지지 않은 채로 휘어지는 동안 저장된 에너지를, 높이뛰기 선수가 가장 높은 위치에너지에 있을 때 장대에 저장된 에너지의 도움을 받아 기록을 경신하게 된다. 즉 휘어진 장대가 원래의 형상으로 복원될 때 저장된 에너지를 방출하게 되는데 이 에너지를 스포츠 선수가 활용하는 것이다. 이 장대는 스포츠 선수가 들고 뛰어야 하므로 무게가 가벼운 것이 좋고, 에너지를 최대화하려면, 재료지수 $(1/\rho)(\sigma^2/E)$의 값을 최대화하는 것이 바람직하다. 또한, $(1/\rho)(\sigma^2/E)$을 재배열하면 아래 식과 같이 쓸 수 있다.

$$(1/\rho)(\sigma^2/E) = (\sigma/\rho)^2/(E/\rho) = X^2/Y$$

의 형태이므로, (σ/ρ)를 x축에, (E/ρ)를 y축에 표시하면, 지수 $M = X^2/Y$가 클수록 좋은 재료라고 말할 수 있다. $M = X^2/Y$ 지수 식의 양변에 로그를 취하면,

$$\log M = 2(\log X) - \log Y$$

으로서, 위 식을 재배열하면

$$\log Y = 2(\log X) - \log M$$
$$= 2(\log X) + \log(1/M)$$

의 식으로 정리되므로, 다음 그림 8.9에서 기울기 2인 직선을 그을 때 직선의 절대값이 작을수록 M값이 크므로 좋은 재료라고 말할 수 있다.

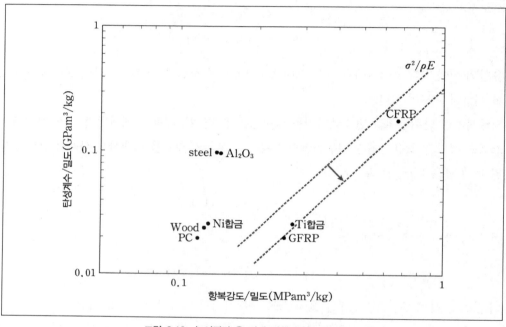

<u>그림 8.12</u> 높이뛰기 용 장대 막대의 재료선택

그러므로 그림 8.12에서와 같이 기준선 $(1/\rho)(\sigma^2/E)$을 적용하여 우측 하단에 위치하는 후보재료를 고르면 CFRP, Ti합금, GFRP 등의 소재가 높이뛰기용 장대 막대의 재료로 적절하며, 기준선을 계속 평행이동 시키면 GFRP가 가장 최적의 재료로써 적합하다고 판단할 수 있다.

Chapter 1

Chapter 2

Chapter 3

Chapter 4

Chapter 5

Chapter 6

Chapter 7

Chapter 8

8.4 파괴거동 적 측면에서의 재료설계 및 선택

8.4.1 재료의 파괴거동

이론 강도에 비해 실제로 재료의 강도를 측정해보면 매우 낮은 값이 얻어지는데 이는 재료 내부에 외부하중에 의한 응력이 집중되는 결함(defect)이 존재하기 때문이다. 이 때 집중되는 응력의 값은 외부에서 가해준 하중에 의한 응력보다 큰 값이 작용한다. 따라서 미시적으로 관찰되는 균열(crack)은 파괴를 일으키는 원인으로 작용한다.

균열은 서로 결합된 인접한 원자들이 힘에 의해 분리되어 발생하며 원자결합이 파괴되면서 새로운 표면이 형성되고, 이 때 탄성구간 동안 저장된 에너지가 방출된다. 취성 파괴역학에 이러한 표면에너지와 탄성에너지의 관계를 적용하여 Griffith는 다음과 같은 식을 제시하였다.

$$\sigma = [(2E\gamma)/(\pi a)]^{1/2}$$

위 식에서 σ는 외부 하중에 의해 재료에 가해지는 응력, a는 균열의 크기, E와 γ는 각각 재료의 탄성계수와 표면에너지 값이다. 균열이 존재한다고 반드시 파괴가 일어나는 것은 아니며, 균열의 길이 a가 임계값 a_c에 도달할 때 균열이 불안정(unstable)하게 되어 급속한 성장을 하면서 파괴가 발생한다. 그 임계점에서 다음 식이 정의된다.

$$\sigma_f = [(2E\gamma)/(\pi a_c)]^{1/2},$$

$$\sigma_f(\pi a_c)^{1/2} = (2E\gamma)^{1/2} = (EG_c)^{1/2} = K_c$$

위 식에서 σ_f는 재료의 강도, K_c는 재료의 파괴인성 또는 임계응력확대계수, G_c는 임계변형에너지방출률이다.

파괴역학자 Irwin은 응력확대계수(stress intensity factor) K와 변형에너지방출률(mechanical energy release rate) G를 각각,

$$K = \varphi\sigma_A a^{1/2},$$

$$G = -dU_M/da$$

로 정의하여 (각 변수는 6장 참고), 균열의 안정/불안정 여부를 결정하는 파괴역학 적 변수로 제시하였다.

파괴설계에 있어서 중요한 재료변수는 파괴인성(fracture toughness), K_{IC}으로서 파괴 때까지 흡수한 에너지로써 파괴의 저항성을 의미한다. 파괴인성은 항상 일정한 값은 아니고, 재료

의 미세구조(현미경구조)와 다양한 인성 향상메커니즘에 의해 균열이 성장함에 따라 증가하도록 설계할 수 있다.

재료에 가해지는 하중이 일정하지 않고 변동 적이고 주기적, 반복적일 때 하중 값이 크지 않음에도 불구하고 쉽게 파괴되는 경우가 있는데 이를 피로(fatigue) 파괴라고 하며, 따라서 안전계수 값을 고려하여 높은 신뢰도를 갖도록 설계하여야 한다. 그 이유는 미시적으로 고찰하면 반복적으로 변동하는 하중에 의해 균열이 느리게 성장하기 때문이다.

다음 절에서는 파괴강도와 파괴인성의 재료변수를 중심으로 파괴에 대한 설계주제를 살펴보기로 한다. 그림 8.13에는 공업재료의 파괴인성을 밀도의 함수로 나타내었다.

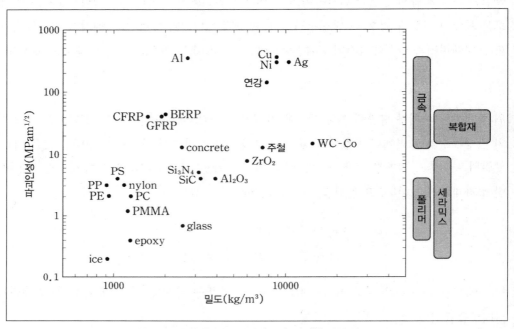

그림 8.13 공업재료의 파괴인성(K_{IC})–밀도(ρ) 특성차트

재료의 밀도가 증가하면 일반적으로 파괴인성은 증가하는 경향이 있으나 세라믹스는 파괴인성이 낮은 축에 속하여 충격에 쉽게 파괴되는 취성을 갖는다. 우측의 특성밴드와 같이 폴리머와 세라믹스가 파괴인성이 낮아, $10\mathrm{MPam}^{1/2}$이하의 인성 값을 나타낸다. 폴리머 중에서도 열경화성수지인 에폭시의 파괴인성이 가장 낮고 세라믹스 중에서는 얼음을 제외하면 유리가 낮은 인성을 갖는다. 반면 복합재나 금속은 높은 파괴인성 값을 가지며 따라서 기계적 충격에 강한 부품을 제조하는데 활용될 수 있다. 금속이 인성이 높은 이유는 5, 6장에서 살펴본 대로 균열 선단에 위치하는 전위로 구성된 소성영역이 균열의 성장에 저항하기 때문이며, 6장에서 살펴본 대로 복합재는 균열가교, 균열굴절 등의 기구에 의해 파괴인성을 향상시킬 수 있기 때문이다.

Chapter 1

Chapter 2

Chapter 3

Chapter 4

Chapter 5

Chapter 6

Chapter 7

Chapter 8

8.4.2 재료지수에 의한 파손설계 및 재료선택 사례

자동차의 범퍼는 외부에서의 충격에 의해 발생되는 에너지를 흡수하는 구조를 갖도록, 에너지 흡수재와 강화재가 범퍼 커버(cover)에 의해 둘러싸여있다. 범퍼는 기존에는 스틸 강이 처음으로 사용되다가 최근에는 무게를 고려하여 엔지니어링플라스틱과 복합재료로 변화하는 추세에 있다. 다음 표 8.4에 자동차 범퍼후보재료들을 나타내었다. 폴리프로필렌(PP)과 강(steel)이 많이 범퍼재료로 사용되었다가 최근에는 보다 가벼운 알루미늄(Al)합금이나 폴리카보네이트 (PC) 등이 사용되고 있고, GFRP와 CFRP의 복합재도 사용되고 있다. 세라믹스 중에서 인성이 상대적으로 높은 ZrO_2와 비교해보기로 하자.

표 8.4 자동차 범퍼에 적합한 재료후보군

재 료	밀도 (kg/m^3)	가격 $(\$/ton)$	탄성계수 (GPa)	파괴강도 (MPa)	파괴인성 $(MPam^{1/2})$
PP	910	1000	0.9	35	3
PC	1250	5000	2.6	60	55
PU	1200	1500	2	45	0.5
Al	2700	3000	69	200	350
Steel	7800	2500	200	1000	51
ZrO_2	6000	20000	200	600	8
GFRP	1900	5000	45	300	40
CFRP	1560	100000	200	640	40

그림 8.14에 자동차 범퍼재료의 선택에 유용한 데이터 그래프들을 나타내었다.

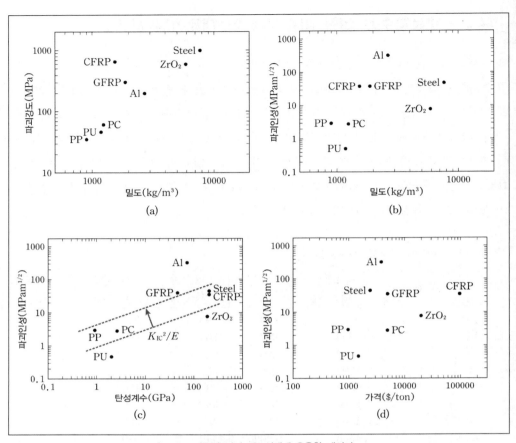

그림 8.14 자동차 범퍼 재료선택에 유용한 데이터

그림 8.14의 (a)에는 범퍼용 후보재료의 파괴강도를 밀도의 함수로 나타내었다. 자동차의 연비를 향상시키기 위해서는 무게가 가벼운 부품이 바람직하므로 그래프에서 밀도가 낮은 것이 좋고 충격의 힘에 대한 강도가 높아야 한다. 여기서는 재료의 인장강도를 파괴강도로 정의하기로 한다. (b)에는 충격에 대한 내저항성과 관련된 파괴인성을 밀도의 함수로 나타내었다. 따라서 그림 8.14의 (a), (b)와 같이 무게가 가벼우면서도 파괴강도 및 파괴인성이 동시에 높아야 한다. 한편 범퍼로 사용되려면 강성과 내충격성이 우수하여야 한다. 따라서 탄성계수 E와 파괴인성 K_{IC}가 동시에 높은 재료를 선택하여야 한다. 만일 파괴인성 K_{IC}보다 임계 변형에너지 방출률로 정의할 수 있는 인성(toughness)에 대해 고려한다면,

$$G_{IC} = K_{IC}^2 / E$$

의 재료지수를 고려하여야 한다. 이를 그래프(c)에 나타내었다. 경제성을 마지막으로 고려하여 그림 8.15의 (d)와 같이 가격을 고려하여 범퍼재료를 선택한다.

그림 8.14의 (a)와 같이 자동차 연비를 생각한다면 단연 PP, PU, PC의 폴리머재료들이 유리하다. 강(steel)은 초기 자동차의 범퍼재료로 사용되었으나 무게가 무거워 현재는 보다 가벼운 소재로 대체되었다. ZrO_2의 경우는 그래프 (b)와 같이 충격에 대한 인성 값이 낮아 신뢰도가 감소하므로 제외할 수 있다. 따라서 남은 Al, GFRP, CFRP 등이 후보가 될 수 있는데, 경주용 자동차가 아니라면, 그림 (d)에서와 같이 가장 비싼 CFRP를 제외할 수 있다. 따라서 남은 Al, GFRP 등이 바람직한 범퍼의 대체재로서 적합하며, 그래프 (c)와 같이 K_{IC}^2/E 값을 고려하여 알루미늄 계통의 범퍼나 GFRP 범퍼재료가 기준선 좌측 상면에 위치하므로 최종 후보 2개의 재료로 선정한다.

만일 위의 재료지수에서 무게를 함께 고려한다면, 표 8.5에서와 같이 $K_{IC}^2/(E \cdot \rho)$의 재료지수를 사용하여 가장 큰 재료지수 값을 갖는 Al 소재를 자동차용 범퍼에 적합한 재료로 선택한다.

표 8.5 인성 재료지수에 의한 재료 선택의 예

재 료	밀 도 (kg/m^3)	탄성계수 (GPa)	파괴인성 $(MPam^{1/2})$	$\dfrac{K_{1c}^2}{E \cdot \rho}$
PP	910	0.9	3	10.99
PC	1250	2.6	55	2.77
PU	1200	2	0.5	0.10
Al	2700	69	350	657.54
Steel	7800	200	51	1.67
ZrO_2	6000	200	8	0.06
GFRP	1900	45	40	18.71
CFRP	1560	200	40	5.13

두 번째 파괴에 대한 설계사례로서 압력용기에 대해 살펴보도록 한다. 압력용기는 유체를 보관하는 용기나 탱크로서, 보일러에서부터 에너지 산업에 이르기까지 폭넓게 사용된다. 일반적으로 원통형 용기와 구형용기가 있으며 두께가 반경에 비해서 얇아서 반경과 두께의 비가 10 또는 그 이상인 박판용기가 많아, 박판에 결함이 존재하면 파괴나 항복에 의한 내부 유체의 누설이 발생할 수 있다. 원통형 용기의 원주방향(σ_1)과 길이 또는 축방향(σ_2)의 응력은 서로 다른데 다음과 같은 식이 제시되었다.

$$\sigma_1 = (pr)/t,$$
$$\sigma_2 = (pr)/2t$$

위 식에서 p는 용기 내부의 압력, r은 용기의 내측반지름, t는 용기의 두께를 나타낸다. 구형용기는 σ_1은 없고 σ_2만 있다.

압력용기가 소형인가 대형인가에 따라서 설계를 다르게 하여야 한다. 소형 압력용기의 경우는 압력이 크지 않으므로 균열의 전파가 잘 일어나지 않아 파괴전 항복, 즉 파괴가 일어나기 전 변형이 되도록 설계함으로써 위험신호가 오면 내부 압력을 누설시키거나 교체시점을 잘 파악할 수 있다. 반면 대형 압력용기는 내부 압력이 높아 균열이 불안정하게 성장할 수 있으므로, 불안정하게 성장할 수 있는 임계 길이가 용기의 벽두께 보다 크도록 설계하여야 한다.

소형압력용기의 재료지수를 고려해보자. Griffith 방정식에 의하면

$$\sigma = K_{IC}/(\pi a_c)^{1/2}$$

이고, 내부압 p는

$$p = (2t)/r \times \sigma$$

로 다시 쓸 수 있고, 내부 압 p가 강도 값보다 작도록 설계하여야 한다.

$$p \leq [(2t)/r] \times [K_{IC}/(\pi a_c)^{1/2}]$$

따라서 위 식으로부터 다음 재료지수가 가장 큰 값을 갖는 재료를 선택하는 것이 바람직하다.

$$M = K_{IC}$$

그러나 이러한 설계는 파괴에 대해 안전한 설계라고 보기에는 부족하다. 균열의 길이가 어느 이유에 의해 임계 길이보다 크면 파손될 수 있기 때문이다. 따라서 파괴에 이르기 전에 강도 값이 항복강도에 먼저 이르게 하면 변형이 먼저 일어날 것이므로 위험성에 대한 감지가 쉬울 수 있다. 이 경우의 재료지수 식은 다음과 같이 유도되어 변경된다.

$$\pi a_c \leq (K_{IC}/\sigma_Y)^2$$
$$M = K_{IC}/\sigma_Y$$

한편 대형압력용기의 경우 임계 균열크기를 벽두께보다 작게 되도록 설계하여주면 된다. 만약 임계균열길이를 벽두께 t의 1/2로 설정하면,

$$\sigma = K_{IC}/(\pi t/2)^{1/2}$$

한편 $\sigma_2 = (pr)/2t$ 식을 t에 대해 재배열하면,

$$t \geq (pr)/(2\sigma_Y)$$

가 되도록 설계하여야 하고 이를 앞의 식에 대입하면

Chapter 1

Chapter 2

Chapter 3

Chapter 4

Chapter 5

Chapter 6

Chapter 7

Chapter 8

$$p \le (4/\pi r)(K_{IC}^2/\sigma_Y)$$

가 되므로 위 식으로부터 재료지수는 다음 식과 같다.

$$M = K_{IC}^2/\sigma_Y$$

한편 무게와 경제성을 고려할 때는 매우 얇은 벽을 갖는 구형용기가 바람직하고 이 때 재료선택을 위한 지수는 다음과 같다.

$$M = \sigma_Y$$

즉, 압력용기의 크기에 따라 적절한 재료설계 변수, K_{IC}, K_{IC}/σ_Y, K_{IC}^2/σ_Y, σ_Y 중에서 적절한 것을 선택하여 재료지수로 적용하여 최적의 재료를 선정하여야 한다.

그림 8.15에 압력용기용 재료에 대해 적용 가능한 재료지수 선 4개를 모두 나타내었다. 강도는 $50 MPa$, 파괴인성은 $100 MPa\,m^{1/2}$ 이상을 갖는 압력용기용 재료를 선택하고, K_{IC}/σ_Y, K_{IC}^2/σ_Y 의 재료지수 기준선에서 좌측 상면에 위치하는 소재를 선택하면 그림에서와 같이 압력용기에 적합한 재료는 주로 금속재료이며, K_{IC}^2/σ_Y 의 재료지수를 위쪽으로 평행이동 시키면 Ni 합금이, K_{IC}/σ_Y 의 재료지수를 위쪽으로 평행이동 시키면 스테인레스 합금이 최종 재료로 선택될 수 있다.

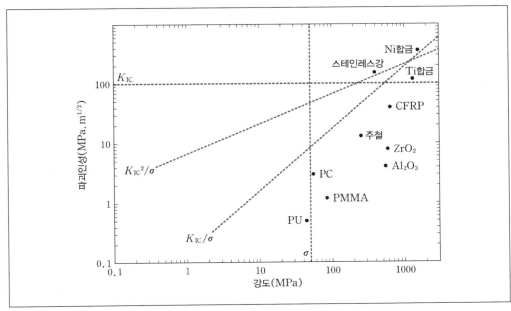

그림 8.15 압력용기의 재료선택

8.5 형상지수를 고려한 재료설계 및 선택

8.5.1 재료의 형상 및 공정

시장과 소비자의 요구에 의해 기존보다 개선된 또는 새로운 설계를 위해서는 설계목표에 맞추어 기능을 부여하여야 하고 이 때 재료를 선택하여 그 기능을 충족시키는 것이 가능하다. 이러한 기능을 탄성, 소성, 파괴거동으로부터의 주요변수인 재료설계변수(또는 재료지수)를 활용하여 최적의 재료를 선택하여 부여할 수 있다.

이러한 재료선택은 기능뿐만 아니라, 부품의 형상(shape)과 그 부품을 원하는 형상대로 어떻게 제조할지를 결정하는 공정(process)과 밀접한 관련이 있다. 그림 8.16에 설계를 위한 기능, 재료, 형상, 공정의 관계를 나타내었다.

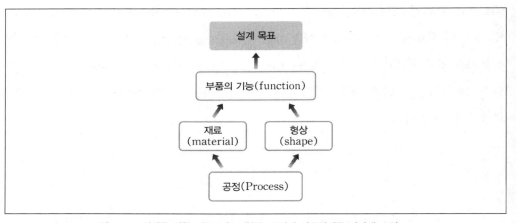

그림 8.16 설계를 위한 기능, 재료, 형상, 공정의 상호관계를 나타낸 그림

내부가 재료로 꽉 찬 원기둥 모양을 부품으로 사용하는 것보다 내부가 비어있는 튜브형상으로 부품을 제조하면 무게를 가볍게 하면서도 하중을 받았을 때 대부분의 하중을 지지할 수 있는 특징이 있다. 3장 2절에서 살펴본 대로 튜브 형상이나 영어 I 자의 형상으로 보(beam)나 기둥(column)을 만들 경우 동일단면적 대비 관성모멘트를 증가시킬 수 있고 따라서 강성을 향상시킨 부품을 제작할 수 있다. 이러한 개념에 의하여 주어진 하중 조건에서 단면적이 작은 재료를 사용하는 효율적인 구조도 가능하다. 또한 샌드위치 식으로 적층하거나 나선형상으로 변경시키면 강성을 낮게도 만들 수 있다. 3장에서는 하중이 작용하는 종류에 따라 굽힘과 비틀림, 그리고 재료가 변형될 것인가 파손될 것인가에 따라 4가지 종류의 형상계수, Φ_B^e, Φ_B^f, Φ_T^e, Φ_T^f로 나타내었다(표 3.4 참고). 표 3.3에는 다양한 단면형상을 갖는 빔의 형상계수 값을 나타내었다.

다양한 단면의 형상으로 제조하기 위해서는 재료를 선택하여 제조하는 공정을 거치게 된다. 공정이란 광물 원료로부터 제품에 이르기까지 공업적으로 제조하는 각 단계의 흐름을 말하며, 성형(shaping), 가공(machining)과 열처리(heat treatment), 접합(joining), 마무리(finishing)과정을 포함하는 일련의 제작과정을 말한다. 공정은 사용하는 원료 즉 재료의 특성에 의존해 결정하며, 제작하는 부품의 크기, 모양, 정밀도 등을 고려하여 선택하여 이루어진다.

일반적으로 금속재료는 선철을 제조하는 제선공정, 불순물을 제거하는 제강공정을 거쳐, 형상을 갖는 틀에 녹인 강을 부어서 굳혀 제조하는 주조공정과 서로 반대방향으로 회전하는 롤러 사이를 통과시켜 전단력을 부여하는 압연공정에 의해 형상을 만든다. 이후 보다 정교한 형상으로 가공하거나 열처리 공정을 거쳐 재료의 거동을 바꾸어 준다.

세라믹스 소재는 용융점이 녹기 때문에 용융시키지 않고 일정 형상을 갖는 틀에 분말을 넣고 압력을 가하여 성형체를 만든 후, 열처리 하여 굳혀서 만든다. 이후 보다 정교한 형상으로 가공하는 공정을 거치게 된다.

폴리머재료는 금속이나 세라믹스에 비해 힘과 열에 대한 강도나 강성이 적으므로 원료로부터 일정 형상으로 바로 성형하여 제조한다. 일반적으로 원료를 펠릿 모양으로 제조한 후, 온도를 가열하여 용융시킨 상태에서 가압하여 압출 또는 사출성형을 하여 제품을 제조한다.

폴리머 자체의 기계적 특성은 우수하지 못하므로 섬유를 강화하여 섬유강화 복합재료를 제조하여 기계재료로 많이 사용한다. 먼저 공업용 섬유를 사용하여 일정 형상으로 직조한 후, 섬유 사이를 폴리머로 채우는 방법으로 복합재를 제조하며 열 또는 압력을 가하는 방법을 활용하여 특성을 향상시킨다.

8.5.2 형상지수에 의한 재료설계 및 재료선택 사례

단면이 직육면체와 영어 I자의 형상을 갖는 보(beam)의 4가지 형상계수, Φ_B^e, Φ_B^f, Φ_T^e, Φ_T^f의 값을 비교하여 다음 표 8.6에 나타내었다. 표 3.3의 그림과 식을 참고하였으며 단면형상의 폭 b=3cm, 높이 h=4cm, I자 빔의 t=0.5cm로 계산한 형상계수 값들이다.

표 8.6 직육면체와 I 빔의 4가지 형상계수 값

형 상	Φ_B^e	Φ_T^e	Φ_B^f	Φ_T^f	클수록 선호함
직육면체	1.33	2.39	1.16	0.96	비틀림에 강함
I 빔	4.25	0.24	2.82	0.852	굽힘에 강함

표 8.6의 데이터에서와 같이 탄성굽힘 형상계수 Φ_B^e와 굽힘파손 형상계수 Φ_B^f는 I 빔의 경우가 더 큰 값을 갖고, 탄성비틀림 형상계수 Φ_T^e와 비틀림파손 형상계수 Φ_T^f는 직육면체의 형상을 갖는 경우가 더 큰 값을 갖는 것을 알 수 있다.

다음으로는 형상이 포함된 재료지수의 선택에 대해서 살펴보기로 한다. 가볍고 강성이 있는 보를 설계한다면 앞 절에서 재료지수로서 E/ρ를 재료지수로 설정하며, 이 때 인장, 굽힘이냐에 따라서 또 하중을 받는 재료가 보인가 판재인가에 따라서 E의 지수 승이 달라진다고 하였다. 여기서는 그림 8.9에서와 같이 굽힘을 받는 보의 경우를 예를 들어 $E^{1/2}/\rho$를 재료지수로 정하는 경우를 생각하기로 한다. 외팔보의 경우의 최대 처짐량 v_{max} 은 고정되지 않은 반대편 끝단에서 발생하며 그 양은 다음 식과 같다.

$$v_{max} = (PL^3)/(3EI)$$

위 식에서 P는 끝단에 가해진 하중, L은 보의 길이, E와 I는 각각 보의 탄성계수와 관성모멘트 값이다. 따라서 굽힘 강성 S는 다음 식과 같다.

$$S = C \times (EI)/(L^3)$$

위 식에서 C는 상수 값이다. 3장에서 $I = (\Phi_B^e A^2)/12$이므로,

$$S = C/12 \times E/L^3 \times \Phi_B^e A^2$$

이다. 한편 질량 m 은 부피 (단면적 A×길이 L) 에 밀도 ρ를 곱하면 얻어지므로,

$$m = A \times L \times \rho = (12S/C)^{1/2} \times L^{5/2} \times [\rho/(\Phi_B^e E)^{1/2}]$$

이 되며, 위 식에서 형상을 포함한 재료지수를 다음 식과 같이 정의할 수 있다.

$$M = (\Phi_B^e E)^{1/2}/\rho$$

다음 표 8.7에 가벼우면서도 강성이 있는 빔의 후보재료 군을 요약하여 나타내었다.

표 8.7 가볍고 강성이 있는 빔의 형상지수를 고려한 재료지수

	밀 도, ρ	탄성계수, E	형상계수, Φ_B^e	$E^{1/2}/\rho$	$(\Phi_B^e E)^{1/2}/\rho$
목재	0.6	12	2	5.77	8.17
강(steel)	8	210	20	1.81	8.10
알루미늄	2.7	69	15	3.08	11.92
GFRP	1.9	45	8	3.53	9.99

표의 데이터에는 재료지수 $E^{1/2}/\rho$과 형상계수 Φ_B^e를 포함하는 재료지수 $(\Phi_B^e E)^{1/2}/\rho$의 값들을 계산하여 나타내었다. 형상계수를 포함하지 않는 재료지수의 경우에 최적의 재료는 목재임을 알 수 있으나, 형상계수를 포함하는 재료지수를 기준으로 할 경우는 지수 값이 보다 큰 알루미늄이 최적의 재료로 선택되어야 함을 알 수 있다. 재료의 무게, 특성뿐만 아니라 형상도 재료선택에 중요한 변수가 되기 때문이다.

다음으로 가볍고 탄성비틀림에 강한 빔 재료를 선택하는 과정을 살펴보기로 한다. 단면적 A, 길이 L의 보의 축에 토크 T에 의해 비틀림이 일어나고, 비틀림 각이 θ라면, 축의 비틀림 강성은 다음 식과 같다.

$$S = T/\theta = (GK)/L$$

위 식에서 G는 전단계수 또는 강성계수, K는 단면적의 비틀림 모멘트, L은 보의 길이이다. 3장에서의 탄성비틀림 형상계수는 다음과 같았다.

$$\Phi_T^e = 7.14 \times (K/A^2)$$

이므로,

$$S = (G\Phi_T^e A^2)/(7.14L)$$

으로 쓸 수 있다. 따라서,

$$m = A \times L \times \rho = (7.14S)^{1/2} \times L^{3/2} \times [\rho/(\Phi_T^e G)^{1/2}]$$

의 식이 되며, 위 식에서 형상을 포함한 재료지수를 다음 식과 같이 정의할 수 있다.

$$M = (\Phi_T^e G)^{1/2}/\rho$$

마찬가지로 길이 L의 빔이 굽힘하중을 받아 하중을 파손 없이 충분히 견뎌야 하고 무게가 가벼우려면 다음의 지수를 고려하여 선택한다.

$$M = (\Phi_B^f \sigma_f)^{2/3}/\rho$$

유사하게 비틀림 하중을 파손 없이 견디는 조건이라면 다음의 지수를 고려하여 재료를 선택한다.

$$M = (\Phi_T^f \sigma_f)^{2/3}/\rho$$

기존의 재료선택에 사용된 재료지수에 형상계수가 포함되어 고려되면, 선택할 수 있는 재료에 변화가 있을 수 있음을 표 8.7에서 살펴보았다. 다음 그림 8.17에 탄성계수−밀도의 재료특

Chapter 1
Chapter 2
Chapter 3
Chapter 4
Chapter 5
Chapter 6
Chapter 7
Chapter 8

성 그래프에서 재료지수 $E^{1/2}/\rho$가 제시되어 있다. 이 기준 선에 의하면 재료 A와 B를 비교할 때, 재료 B는 재료 A에 비하여 $E^{1/2}/\rho$값이 작고, 기준선의 우측 아래쪽에 있으므로 선택되지 않는다. 그러나 이 경우는 형상을 고려하지 않은 경우이다. 만약 탄성계수와 밀도가 형상계수 Φ_B^e에 의해 다음과 같이 수정된다면,

$$E' = E/\Phi_B^e,$$

$$\rho' = \rho/\Phi_B^e$$

와 같이 수정되어 그래프의 실선의 화살표에서와 같이 재료B가 기준선 좌측 위로 이동하여 선택될 수 있다.

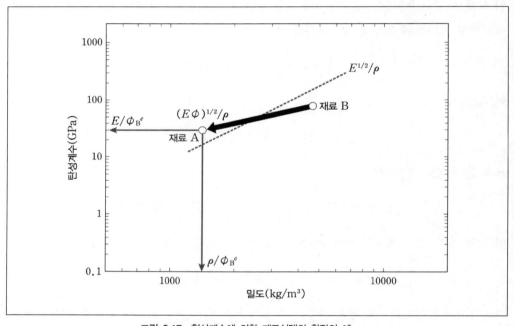

<u>그림 8.17</u> 형상계수에 의한 재료선택의 확장의 예

8.6 다차원 및 모순극복 설계

8.6.1 다차원 제한조건 및 상충설계

지금까지 살펴본 경우는 특성을 1차원 또는 2차원의 관점에서 그래프로 나타내고 재료지수를 적용하여 재료선택을 하였다. 그러나 실제로는 설계목적에 부합하는 재료를 선택함에 있어 다차원적 관점에서 재료를 선택하는 경우가 많다. 탄성, 소성, 파괴거동의 대표적인 특성차트를 앞에서 살펴보았는데 재료의 종류에 관계없이 그림 8.3, 8.8, 8.13에서와 같이 탄성계수와 밀도, 항복강도와 밀도, 파괴인성과 밀도는 일반적으로 비례의 관계가 있다. 즉 밀도가 작은 재료를 선택하려면 특성은 낮은 것을 택해야 하는 모순에 빠진다. 일반적으로 부품을 설계할 때 탄성계수, 강도, 인성 등 특성은 높도록, 무게와 연관된 밀도는 작은 것을 선택하여야 하므로 서로 상충이 발생한다.

또 다른 예를 들면 자동차의 크랭크축을 설계하는 경우를 생각해보자. 크랭크축으로 사용되기 위해서는 강도, 경도, 인성 등의 기본적인 기계적 특성뿐만 아니라 지속적인 회전에 의한 피로특성, 온도가 올라감에 따라 변형되지 않아야 하는 크리프 특성, 수분에 의해 부식저항성이 있어야 하고, 다른 부품과 맞물려 회전할 때 마찰력에 의한 마모가 일어나지 않아야 하는 등 다차원적인 특성이 부합되도록 요구되는 반면, 모든 특성이 우수한 재료를 찾는 것은 쉽지 않은 일이다.

서로 다른 재료를 비교할 경우 그림 6.27과 같이 강도가 높으면 인성도 높다. 그러나 이 경우는 서로 다른 재료의 비교이며, 동일한 종류의 재료를 서로 다른 온도에서 열처리하는 경우를 생각해보자. 예를 들면 압연공정에 의해 지속적인 전단력을 받게 하면 전위밀도의 증가에 의해 강도는 증가하게 된다. 강도가 증가하여 재료가 단단해지면 이 재료는 취성이 생겨서 쉽게 부러지기 쉽다. 즉 인성은 낮아진다. 반면 이를 열처리하면 재료는 재결정과 회복현상에 의해 미세해진 입자들이 성장하면서 연성이 회복되어 인성은 증가하고 강도, 경도는 반대로 낮아진다. 즉 그림 6.28에서는 이와 같이 강도와 인성이 반비례의 관계가 있게 된다. 열처리 온도를 바꾸어 줄 경우 이러한 상충적인 조건을 쉽게 찾을 수 있다. 즉 강도, 경도가 높아지면 인성은 낮아지고, 인성을 높이면 강도, 경도 특성은 낮아지게 되는 것이다. 따라서 강도, 경도, 인성을 모두 높여야 할 경우 모순에 빠지게 되므로 모순 극복의 설계가 요구된다.

▭ 가려내기(screening)

다중의 제한조건과 모순이 있는 상황가운데 최적의 설계를 할 수 있는 방법 중의 하나는 가려내기(screening) 방법을 사용하는 것이다. 재료를 선택하는 것은 설계의 요구조건 즉 설계목적과 기능을 구현하기 위한 특성들 간에 최적으로 잘 부합하는 것을 찾는 것이기 때문이다. 이를 위하여 가장 먼저 설계목표를 정의하고 그 목표에 부합하는 재료의 후보들을 선정한다. 2개 이상의 특성들(제한조건)에 대해 모두 조사하여 바람직한 후보로 좁히고 최종적으로 무게, 가격, 참고문헌 등을 참고하여 최종선택을 행한다.

예를 들어 그림 8.18에서와 같이 탄성계수, 강도, 열전도도, 최대사용온도가 어느 값 이상이 되어야 하는 다중의 제한조건을 만족하는 기존 사용재보다 가격이 저렴해야 하는 재료를 선택하여야 할 경우, 먼저 가려내기(screening)을 통해 요구조건을 만족하는 재료를 선정하여 후보재료 5~6개를 꼽는다. 그 중에서 가장 저렴한 재료를 선택하겠다고 생각하면 우측 그림에서처럼 왼쪽의 특성조건을 모두 만족하는 후보재료들 중에서 가장 낮은 가격을 갖는 재료를 최종 선택하는 것이다.

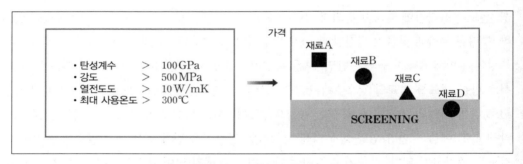

그림 8.18 가려내기(screening)에 의한 재료선택의 예

▭ 최소화 전략

무게를 최소화하면서 서로 상반되는 특성이 있는 (즉, 하나의 특성을 높이면 다른 특성은 낮아지는 모순이 있는 특성이 있는) 경우, 예를 들어 경도와 인성을 동시에 높여야 하는 방법을 설계하고자 하는 경우를 고려해보자.

그림 8.19의 (a)에는 몇 몇 재료에 있어서 한 축은 밀도/경도를, 다른 축은 밀도/인성을 계산하여 나타내었다. 경도와 인성은 동시에 높은 것이 바람직하지만 그래프에서와 같이 경도가 크면 인성 값이 낮고, 인성 값이 높으면 경도 값이 작은 모순에 있음을 알 수 있다. 이와 같이 두 개의 특성이 상충되는 경우 경도, 인성은 동시에 높은 값을 갖는 것이 좋고, 밀도는 무게 최소화 측면에서 낮은 것이 좋으므로, 그래프 내에 밀도/경도, 밀도/인성 데이터들

을 도시한 후 최소의 데이터를 찾는 방법으로 절충하여 해결하는 방법을 사용하는데 이러한 방법이 최소화 전략이다.

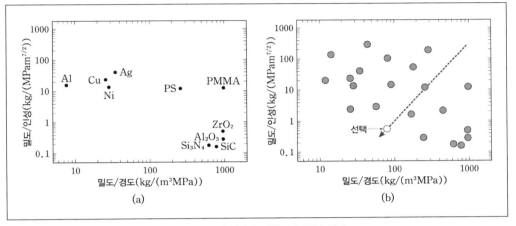

그림 8.19 최소화 전략에 의한 모순 극복 설계

보다 많은 재료에 대하여 밀도/경도, 밀도/인성의 데이터들을 수집한 후, 그림 8.19의 (b)와 같이 최소화 전략에 의해 최적의 재료를 선택한 사례를 나타내었다. 재료지수를 통해 점선의 기준선을 제시할 수 있다면 기준 선 내에서 가장 최소의 값을 갖는 재료를 선택한다. 그래프에서와 같이 하얀색으로 칠해진 데이터를 갖는 재료는 밀도/경도와 밀도/인성이 동시에 최적인 데이터를 갖는 재료로 선정될 수 있다.

:: 절충 전략

무게를 최소화하면서 경도와 인성을 동시에 높이는 두 번째 방법 중에 절충전략이라는 것이 있다. 그림 8.20의 (a)에 그림 8.19와 동일한 데이터들을 나타내었다. 앞에서와 동일하게, 밀도/경도가 최소인 재료는 밀도/인성이 최소이어야 하는 조건을 만족하지 않고, 밀도/인성이 최소인 재료는 밀도/경도가 최소이어야 하는 조건을 만족하지 않는다. 이와 같은 모순이 있을 때 그림 8.20의 (a)의 점선과 같이 모든 재료 데이터들의 최소에 해당하는 값들에 해당하는 포물선을 그려준다. 그림에서 알 수 있는 바와 같이 이 포물선 아래의 데이터들을 만족하는 재료는 없다. 다음 단계로서 절충된 포물선의 최소 점 위에 있거나 또는 그 최소 점에 가까운 데이터를 찾는 것이 가장 좋은 최적의 설계라고 말할 수 있다. 이와 같은 방법으로 재료를 선택하는 것을 절충 전략에 의한 선택이라고 한다.

Chapter 1
Chapter 2
Chapter 3
Chapter 4
Chapter 5
Chapter 6
Chapter 7
Chapter 8

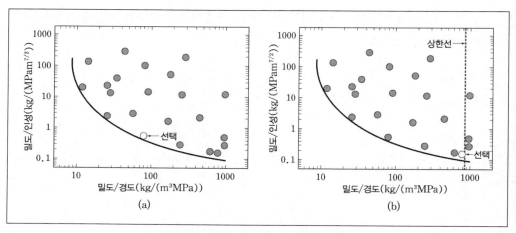

그림 8.20 절충 전략에 의한 모순 극복 설계

어떤 이유로 밀도/경도의 데이터에 상한선이 존재하는 경우를 생각해보자. 예를 들어 서로 다른 2개의 부품을 조립할 경우 한 부품의 경도가 너무 높으면 다른 부품에 마모를 일으킬 수 있으므로 제한조건을 설정할 수 있다. 이 경우의 상한선이 그림 8.20의 (b)의 수직선과 같다면, 최적의 재료는 바뀌게 된다. 이 경우는 곡선의 최소점이 아닌 곡선의 포물선과 상한선 모두를 만족하는 데이터를 갖는 재료가 선택된다.

8.6.2 모순극복 설계사례 및 재료선택의 예

⸬ 커넥팅 로드의 설계사례

자동차엔진의 피스톤의 직선운동을 회전운동으로, 또 반대로 크랭크축의 회전운동을 직선 운동으로 바꾸어주기 위해 상호간을 연결하는 핵심적인 부품으로 커넥팅로드(connecting rod)가 있다. 이 부품의 설계 기능은 주기적으로 회전 운동하는 커넥팅로드에 의해 피스톤 의 상승, 하강운동이 일정하게 반복되도록 하는 것이다. 이 때 자동차 연비 향상요구에 의 해 커넥팅로드의 무게를 최소화하는 설계목적을 달성해야 하는 경우를 생각해 보자. 또 무 게를 감소한다고 하더라도 회전수의 증가에 의한 고주기 피로에 의한 파손이 없어야 하며, 가해지는 하중에 의한 좌굴에 의한 파손이 없어야 하는 경우에 대해 설계하여야 한다고 하자. 어느 임계 길이보다 커넥팅로드의 길이가 짧으면 피로파괴를 일으키기 쉽고, 임계 길이보다 길다고 한다면 좌굴을 일으키기 쉬운 모순적 상황에 있을 때 어떻게 설계하는 것이 좋을까? 커넥팅로드의 질량 m은 다음 식과 같이 표현할 수 있다.

$$m = \alpha \times A \times L \times \rho$$

위 식에서 A는 단면적, L은 길이, ρ는 재료의 밀도이고 α는 부품조립 체결 시 고려해야 하는 재료 상수이다.

고주기 피로에 의한 파손이 없으려면 로드에 가해지는 응력이 피로의 내구한도 값 σ_{eL}보다 적어야 한다.

$$P/A \le \sigma_{eL}$$

P는 로드에 가해지는 하중이고, σ_{eL}은 커넥팅로드에 사용된 재료의 피로한계이다. 위 식에서의 A를 m식에 대입하면, 다음 식이 얻어진다.

$$m = m_1 = \alpha P L (\rho/\sigma_{eL})$$

위 식에서 유용한 재료지수는 σ_{eL}/ρ이다.

한편, 좌굴조건에 의해 다음과 같은 오일러의 임계하중 식을 고려하고,

$$P \le (\pi^2 E I)/L^2$$

위 식에서 관성모멘트 I는 사각형 단면을 고려하여

$$I = (1/12) \times bt^3,$$
$$t = \beta b$$

로 놓으면, A를 소거하여 다음 두 번째 질량을 얻는다.

$$m = m_2 = \alpha [(12P)/(\beta\pi^2)]^{1/2} \times L^2 \times (\rho/E^{1/2})$$

위 식에서 유용한 재료지수는 $E^{1/2}/\rho$이다.

표 8.8에 커넥팅 로드 부품의 후보재료의 재료지수 ρ/σ_{eL}와 $\rho/E^{1/2}$의 값을 나타내었다. 재료지수의 역수이므로 작은 값을 가져야 하므로 피로에 강한 소재는 티타늄 합금이며, 좌굴에 저항성이 있는 소재는 알루미늄−탄화규소 복합재가 적합한 모순이 존재한다.

로드의 길이 L = 20 cm, F = 50 kN, α = 1.5, β = 0.8일 때 피로의 제한조건을 만족하는 질량을 m_1, 좌굴의 제한조건을 만족하는 질량을 m_2라고 할 때 상충되는 2개의 조건을 모두 만족시키려면 다음 식과 같이 먼저 재료 별로 큰 값을 찾고,

$$m_{max} = \max(m_1, m_2)$$

나열된 값 중 가장 최소의 질량을 갖는 재료를 선택함으로써 모순을 극복하는 설계를 수행하게 된다.

Chapter 1

Chapter 2

Chapter 3

Chapter 4

Chapter 5

Chapter 6

Chapter 7

Chapter 8

표 8.8 자동차 커넥팅 로드부품의 재료선택

	밀도, ρ (kg/m³)	탄성계수, E(GPa)	피로한계, σ_{eL}(MPa)	ρ/σ_{eL}	$\rho/E^{1/2}$	m_1 (kg)	m_2 (kg)	m_{max} (kg)
주철	7180	178	250	28.72	538.16	0.43	0.22	0.43
강(steel)	7850	210	590	13.30	541.70	0.20	0.28	0.28
알루미늄 합금	2700	70	95	28.42	322.71	0.39	0.14	0.39
알루미늄-탄화규소복합재	2880	110	230	12.52	274.60	0.18	0.12	0.18
티타늄 합금	4400	115	530	8.30	410.30	0.12	0.17	0.17

예를 들면 주철의 경우 $m_1 = 0.43$, $m_2 = 0.22$이므로 둘 중에 큰 값은 0.43이다. 강은 0.2, 0.28 중 큰 값은 0.28이다. 이와 같이 각 재료의 두 개의 질량 중 큰 값을 마지막 열에 적고, 이들 중 가장 최소의 질량 0.17을 선택하면 티타늄 합금이 커넥팅로드에 최적의 재료라고 할 수 있다.

⠿ 복합재료에 의한 설계사례

하나의 특성을 증가시키면 다른 특성이 감소되는 이러한 모순을 극복할 수 있는 상충설계의 대표적인 사례가 복합재료에 의한 설계이다. 복합재료란 동종 또는 이종인가에 상관없이 두 개 이상의 재료를 섞었을 때 각 단일재료에서는 얻을 수 없는 특성을 갖는 특징이 있는 재료이다. 그러나 재료 A와 B를 섞었을 때 그림 7.4에서와 같이 혼합한 후의 특성이 나빠지는 경우도 있으므로 주의해야 한다. 혼합법칙에 의해 특성이 두 재료의 중간 정도 되도록 혼합해주거나, 한 특성이 다른 특성을 지배할 수 있도록 제어하여 설계하는 것이 필요하다. 따라서 기능 1과 기능 2가 모두 발휘될 수 있도록 하는 하이브리드 해결책이 중요하다. 그림 8.21의 (a)에는 폴리머(에폭시)의 강도를 유리섬유와의 복합화에 의해 향상시킨 사례를 나타내고 있다. 기존의 폴리머의 낮은 무게/밀도(기능 1)와 유리섬유의 높은 강도(기능 2)를 조합하여, 무게가 가벼우면서도 강도가 높은 제품을 복합재료를 사용하여 설계할 수 있다. 이 때 에폭시 폴리머와 유리섬유의 혼합 비율(부피비 0.01~0.9)를 변경시키면 다양한 무게(밀도)와 강도를 갖는 재료의 설계가 가능하고, 기존의 각각의 고정된 단일재료의 강도/밀도 비율에 비하여 다양한 강도/밀도 비율을 갖는 제품을 제작할 수 있다.

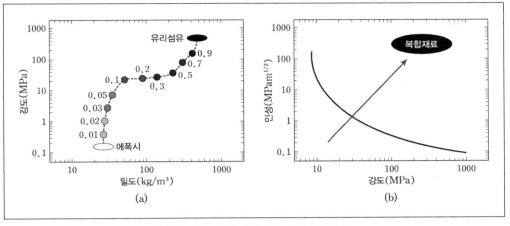

그림 8.21 복합재료에 의한 모순 극복 설계사례

마찬가지로 그림 8.21의(b)와 같이 강도와 인성이 서로 상반되는 어느 소재의 경우의 서로 상충되는 모순이 있을 때, 강도와 인성을 동시에 높이는 방법으로써 하이브리드 화 설계를 제시할 수 있다. 강도는 낮고 인성이 높은 에폭시에, 인성은 에폭시보다는 다소 낮지만 강도가 높은 유리섬유 또는 탄소섬유를 첨가하여 강화시킴으로써, 궁극적으로 강도와 인성이 동시에 높은 복합재료를 제작할 수 있다. 섬유 첨가에 의해 섬유 자체의 높은 강도를 유지할 뿐만 아니라, 6.3.2절에서 살펴본 바와 같이 균열굴절기구(crack deflection), 균열가교현상(crack bridging), 섬유의 뽑힘현상(fiber pullout) 등에 의해 파괴인성을 향상시킬 수 있기 때문이다.

Chapter 1
Chapter 2
Chapter 3
Chapter 4
Chapter 5
Chapter 6
Chapter 7
Chapter 8

8.7.1 그림 8.1을 보고 물음에 답하시오.

1) 밀도 값이 가장 큰 금속은?

2) 밀도 값이 가장 작은(가장 가벼운) 금속은?

3) W, Pb, Cr 중 탄성계수가 가장 큰 금속은?

4) W, Pb, Cr 중 탄성계수가 가장 작은 금속은?

5) 주철의 밀도와 탄성계수는 각각 얼마정도 하는가?

6) 밀도가 $5\text{g}/\text{cm}^3$ 이하이면서 탄성계수가 200GPa이 넘는 금속은?

7) 밀도가 $15\text{g}/\text{cm}^3$ 이상이면서 탄성계수가 300GPa 이상인 금속들은?

8) 밀도가 $12.5\text{g}/\text{cm}^3$ 이하이면서 탄성계수가 가장 큰 금속은?

8.7.2 그림 8.2를 보고 물음에 답하시오.

1) 세라믹스 중 인장강도 값이 가장 큰 재료는?

2) 금속 중 σ/ρ가 가장 큰 재료는?

3) σ/ρ의 특성 및 가격 측면에서 가장 불리한 재료는?

8.7.3 그림 8. 2 및 6, 7, 10은 기준선의 좌측 위, 그림 8.11 및 12는 기준선 우측 아래의 재료를 선택하는 이유에 대해 고찰하고 설명하시오.

8.7.4 그림 8.11에서 그래프의 우측아래의 영역에 있는 소재는 좌굴이 발생하고, 좌측 위의 영역에 있는 소재는 항복이 발생하는 이유에 대해 논하시오.

8.7.5 그림 8.12를 보고 물음에 답하시오.

1) 기준선 $\sigma^2/(\rho E)$가 어떻게 유도되었는지 설명하시오

2) 기준선의 어느 곳을 선택하여야 하는지 설명하시오

3) 2)에서 답한 위치에 있는 후보재료 몇 개를 제시하시오

4) 1)의 기준선에 해당하는 각 변수 및 재료의 성능을 고려하여 최종재료를 선택하시오

Chapter 1

Chapter 2

Chapter 3

Chapter 4

Chapter 5

Chapter 6

Chapter 7

Chapter 8

8.7.6 비행기의 이착륙장치인 랜딩기어용 재료를 선택하고자 한다. 요구조건으로서는 굽힘응력에 대한 저항성이 우수하여야 하고 착륙 시 파손이 일어나서는 안되며, 최소무게로 에너지 효율이 높아야 한다. 다음 주어진 재료의 특성표를 보고 ① 재료선택의 기준이 되는 지수(material index)의 식을 제시하고, ② 그 지수 값을 각 재료에 대해 계산한 후, ③ 선호하는 것이 (클, 작을)수록인지 답하고 (둘 중 하나에 동그라미), ④ 순위를 매겨 (숫자기입) 최적의 재료를 선택하시오.

소재	밀도	탄성계수 E, GPa	강도 (MPa)	파괴인성 (MPa·m$^{1/2}$)	재료지수 [① =]	③ (클, 작을) 수록 선호함
강(steel)	8.0	200	260	175	②	④
알루미늄(Al)	2.7	70	470	28	②	④
복합재료(FRP)	1.6	75	950	40	②	④
티타늄(Ti)	4.5	105	1200	100	②	④

8.7.7 그림 8.15를 보고 물음에 답하시오

1) 소형의 압력용기에 가장 적합한 재료를 선택하시오
2) 대형 압력용기에 적합한 재료를 선택하시오

8.7.8 다음 중 굽힘응력을 받는 보의 강도제한 설계와 관련된 형상이 포함된 재료지수를 바르게 나타낸 것은?

① $(\phi_B^e \cdot E)^{1/2}/\rho$ ② $(\phi_B^f \cdot E)^{1/2}/\rho$

③ $(\phi_B^f \cdot \sigma_f)^{1/2}/\rho$ ④ $(\phi_B^e \cdot \sigma_f)^{2/3}/\rho$

⑤ $(\phi_B^f \cdot \sigma_f)^{2/3}/\rho$

8.7.9 다음 식 중 형상계수 식이 틀린 것은?

① $\phi_B^e = (I/12)A^2$ ② $\phi_T^e = 7.14(K/A^2)$

③ $\phi_B^f = (6Z)/A^{3/2}$ ④ $\phi_T^f = (4.8Q)/A^{3/2}$

8.7.10 길이 $L = 1\text{m}$, 강성도 $S = 3 \times 10^7 \text{N/m}$, 최대하중 $F = 10^5 \text{N}$ 값과 다음과 같은 특성 값이 주어졌을 때 다음 표의 빈칸을 채우고 가장 가벼운 연결봉 재료를 선택하시오.

재료	ρ (kg/m^3)	E (GPa)	σ_y (MPa)	m_1 (kg)	m_2 (kg)	$\widetilde{m}$ (kg)
Steel	7850	200	300			
Cast iron	7150	178	275			
Titanium	4400	115	500			
Composite	2880	110	200			

8.7.11 냉장고 문은 외부의 열을 차단하여야 하며, 동시에 문을 열고 닫는 일이 잦아 높은 강성이 있어야 한다. 두 가지 특성을 동시에 향상시키기 위해 아래의 특성차트를 참고하고자 한다. 가장 바람직한 소재는?

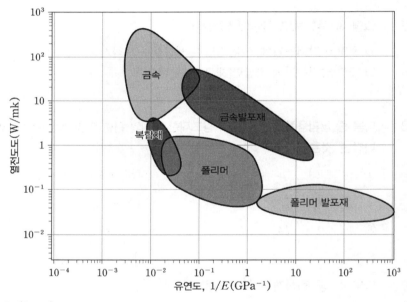

① 금속 (Steel)

② 금속발포재

③ 폴리머 발포재 (PVC)

④ 샌드위치 구조의 복합재

참고문헌

1. Engineering Materials 1, 4th ed., Michael F Ashby and David R H Jones, Elsevier, 2005.

2. Fracture of Brittle Solids, 2nd ed., Brian Lawn, Cambridge University Press, 1993.

3. Introduction to Contact Mechanics, 2nd ed., Anthony C. Fischer—Cripps, Springer, 2007.

4. Materials Selection in Mechanical Design, Michael F. Ashby, 5th ed., Elsevier, 2017.

5. Mechanical Behavior of Materials, William F. Hosford, 2nd ed., Cambridge University Press, 2012.

6. Mechanical Behavior of Materials, Thomas H. Courtney, 2nd ed., McGRAW—Hill International ed., 2000.

7. Mechanical Behavior of Materials, Keith Bowman, Wiley, 2004.

8. The Principles of Engineering Materials, Craig R. Barrett, William D. Nix, Alan S. Tetelman, Prentice Hall, 1973.

9. Theory of Elasticity, S. P. Timoshenko, J. N. Goodier, 3rd ed., McGRAW—Hill International ed., 1970.

10. 세라믹스 선단재료(일본서적), 강도와 미구조, 사단법인 일본세라믹스 협회편, 1979.

11. 엔지니어링 세라믹스, 이홍림, 반도출판사, 1986.

12. 자전거 과학, MAX GLASKIN 지음, 김계동 옮김, 명인문화사, 2013.

13. 재료선택과 설계개념을 강조한 기계재료학, 이기성, 제2판, 도서출판 홍릉, 2020.

14. 재료역학, 제8판, 한병기외 공역, 영출판사, 2012.

15. 최신플라스틱 (일본서적), 大原伸浩 외 공저, 秀和시스템, 2005.

16. 플라스틱 재료, 김재원, 구민사, 2004.

찾아보기